Николай ЛЕОНОВ

Алексей МАКЕЕВ

УЛЬТИМАТУМ ГУРОВА

ЭКСМО
Москва
2013

УДК 82-3
ББК 84(2Рос-Рус)6-4
Л 47

Оформление серии *Г. Саукова, В. Щербакова*

Серия основана в 1993 году

Леонов Н. И.

Л 47   **Ультиматум Гурова** / Николай Леонов, Алексей Макеев. — М. : Эксмо, 2013. — 384 с. — (Черная кошка).

ISBN 978-5-699-65063-7

Генерал Орлов просит полковника Гурова разобраться с проблемами предпринимателя Виктора Конышева. В последнее время с его бизнесом стало происходить что-то странное: срываются сделки, которые Конышев считал крепкими и надежными, клиенты без объяснения причин наотрез отказываются от сотрудничества, а из офиса периодически пропадают крупные суммы денег. Гуров неохотно приступает к расследованию: он считает, что с Конышевым воюют конкуренты, и играть роль «разводящего» в разборках коммерсантов ему не хочется. Но вскоре его отношение к делу меняется. Убивают заместителя Конышева, а потом и его родственницу. «Бизнес-игра» конкурентов выходит за рамки дозволенного, и Гуров решает ее остановить...

УДК 82-3
ББК 84(2Рос-Рус)6-4

ISBN 978-5-699-65063-7

Ультиматум Гурова

РОМАН

Пролог

Пробуждение было тяжелым. Слабый луч солнца, стукнув в окно, ударил прямо в глаза. Невольно зажмурившись, Зажигалка натянула одеяло, накрывшись им с головой, и отвернулась к стене. Голова тотчас отозвалась полыхнувшей, как пламя, острой болью. Простонав, она съежилась и замерла в надежде, что боль утихнет. Однако через несколько секунд ощутила, что организм ее неистово требует воды, и это желание буквально затмевало все остальные.

Превозмогая боль и обхватив голову руками, Зажигалка сползла с кровати и поплелась на кухню, постанывая на ходу. Открыла холодильник, дрожащей рукой взяла начатую коробку сока и принялась жадно пить прямо из нее. Прохладные сладковатые капли текли на подбородок, и она слизывала их языком. Тут же, не отправляя сок обратно в холодильник, левой рукой потянулась к аптечке. Разглядела мутным взором лежащее сверху лекарство от головной боли, проткнула упаковку длинными ногтями, выковыряла сразу две капсулы и бросила их в рот, запив соком. Потом без сил опустилась на стул, продолжая обхватывать голову руками и постанывать.

«Блин, не нужно было вчера мешать водку с пивом, — промелькнула у нее запоздалая мысль. — И вообще, сколько же мы выпили?»

Но вспомнить такие подробности ее измученному похмельным синдромом мозгу было не под силу. Да и не решало это уже ничего: спиртное было выпито накануне в ночном клубе «Эдельвейс», там было весело и прикольно, и ничто не предвещало того, что наутро начнутся такие мучения. Когда ты пьян, всегда кажется, что никаких последствий это не повлечет, а, наоборот, будет всегда так же весело и клево.

«Все, завязываю пить! — мрачно подумала она. — Теперь весь день испорчен!»

Коробка с соком опустела, и Зажигалка снова сунулась в холодильник за новой. Углядела внизу банку джин-тоника, оставленную с прошлого раза, и достала ее. Размышления «надо — не надо» длились недолго: через несколько секунд она надавила на металлический язычок, банка отозвалась коротким шипением, и Зажигалка припала губами к образовавшемуся полукруглому отверстию, с наслаждением ощутив, как холодный джин-тоник, проникая в организм, наполняет его теплом...

«Черт, так и алкоголичкой стать недолго!» — мысленно усмехнулась она, вновь опускаясь на стул.

Однако ей намного полегчало. То ли таблетки сыграли свою роль, то ли джин-тоник, но, так или иначе, через десять минут, выпив две трети банки, она почувствовала себя настолько хорошо, что решила заварить кофе и даже закурила. Пуская колечки дыма, задумалась. Так, проблема похмелья, кажется, худо-бедно, решена. Если что, в холодильнике есть еще одна спасительная банка джин-тоника, да и у отца в баре найдутся какие-нибудь запасы. Сейчас попить кофе, глотнуть рюмочку коньячку — и жизнь снова станет прекрасной. А потом желательно и пообедать. Но это позже. Сейчас Зажигалке о еде даже думать было противно.

А вечером снова завалиться в клуб, где будут друзья, музыка, танцы, спиртное... Только сегодня с этим нужно быть аккуратнее. И вообще впредь рассчитывать свои силы, не увлекаться. И тогда все будет здорово!

Чайник закипел и отключился. Зажигалка насыпала в чашку две ложки растворимого кофе и залила его кипятком. Тупо помешивая ложечкой сахар, сидела, собирая мысли в кучку. На часах половина первого. Хорошо, что она одна. Отца в середине дня дома никогда не бывает — пропадает у себя на работе, — и это очень удобно. Зажигалка частенько возвращалась домой под утро и не всегда трезвой после ночных клубов и баров, да и просто посиделок у приятелей. Но отец в это время уже спал и, соответственно, не видел, в каком она состоянии. А утром, когда он уходил на работу, она крепко спала, утомленная бурной ночью, и разве что слабый запах перегара, заглушенный предусмотрительно принятым перед сном «антиполицаем», мог выдать ее. Но всегда можно сказать, что выпила чуть-чуть у подруги на дне рождения, верно? Тем более отец не имел привычки вламываться в ее комнату, а до вечера она сто раз успеет привести себя в порядок. Да и уйти может раньше его возвращения с работы. Правда, сейчас сил идти куда-то не было, но впереди еще много часов...

И вообще, она уже вполне взрослая, самостоятельная девушка! Ей недавно исполнился двадцать один год, так что у нее есть законное право покупать алкоголь и сигареты. Да и после всего, что Зажигалка успела повидать в свои годы, говорить о том, что ей рано курить или пить, просто смешно.

Зажигалка пила кофе маленькими глотками и думала о Толике. Вчера опять не удалось увидеться — у него очередные проблемы со здоровьем... Если так пойдет дальше, все планы Зажигалки полетят к чертям. А этого нельзя допустить! Без этого вся ее и без того бестолковая жизнь лишается хоть какого-то смысла!

Она покосилась на лежавшую на столе трубку радиотелефона. Позвонить, что ли? Хотя вчера она звонила, но Толик сказал, что не хочет разговаривать. И что он вообще ничего не хочет и просит оставить его в покое. Ну это понятно — в его состоянии что он еще мог сказать? Зажигалка неоднократно слышала от него подобные высказывания, порой даже в куда более грубой форме, но прощала, делая скидку на его болезнь. А потом Толик непременно звонил и просил, даже умолял о помощи. И она неслась к нему, готовая на все, лишь бы ему было хорошо.

Вот что странно: Зажигалка, сама себе признававшаяся, что никогда и ни к кому не испытывала никакой привязанности, даже к родной матери, легко расстающаяся с кем угодно и способная прожить на свете без кого угодно, была зависима от Толика настолько, что забывала обо всем и обо всех. Почему именно он стал предметом ее любви, не поддавалось никакому объяснению. Любовь вообще странная штука. Странная, непонятная, непознаваемая...

Нет, она, конечно, любит отца. Но... Это же совсем другое! Разве можно сравнить ее отношение к отцу с тем, что она испытывала к Толику? Это вообще из разных сфер! Ради Толика она готова на все. Зажигалка невольно поймала себя на мысли — а готова ли она на все ради отца? И, сама себе ужасаясь, ответила, что нет, не готова. Более того, если бы потребовалось выбирать, выбор однозначно был бы не в пользу отца...

«Какая же я дрянь! — подумала она. — Неблагодарная, невнимательная, незаботливая. А отец так старается!»

Вот и сейчас его нет дома, хотя сегодня суббота. Он ездил в свою контору даже по выходным, стараясь изо всех сил, чтобы они с Зажигалкой ни в чем не нуждались. А она воспринимала это как должное, с легкостью принимала все жертвы отца и с той же легкостью тратила его деньги.

«Надо бы позвонить ему. Обязательно позвонить, просто спросить, как дела, и сказать, что у меня все хорошо. Я позвоню. Обязательно. Но... Позже».

Сначала Зажигалка решила позвонить Толику. Она уже потянулась к телефонной трубке, как вдруг та сама запищала, сигнализируя о входящем звонке. Это было странно: обычно ей все звонили на сотовый. И отцу тоже. Иногда, конечно, звонили и домой, но все в курсе, что сейчас отец в офисе. Разве что матери срочно что-то понадобилось? Вот уж с кем Зажигалке совсем не хотелось общаться!

Все-таки взяв трубку, она увидела, что на табло высвечивается незнакомый номер, и нажала кнопку соединения.

— Привет, подруга! — слегка насмешливый хрипловатый баритончик показался ей знакомым. А уже в следующую секунду она совершенно точно поняла, кто это звонит. Поняла и похолодела... Звонок этого человека не шел ни в какое сравнение со звонком матери. Это было равносильно катастрофе, когда земля уходит из-под ног, уходит внезапно, без предупреждения, и ты никак не можешь этого предотвратить, даже если будешь сопротивляться изо всех сил.

— Чего молчишь, подруга? — с веселыми, но настойчивыми интонациями продолжал голос. — Или не узнала?

— Ворон... Ты, что ли? — неуверенно произнесла Зажигалка, хотя у нее не осталось и тени сомнений насчет личности звонящего.

10

— Узна-ала, — удовлетворенно протянул баритончик. — Это хорошо. Старых друзей нужно помнить. Тем более что нам с тобой вспомнить есть что, а, подруга?

Зажигалка молчала, и это, кажется, начало раздражать оппонента.

— Ну, чего воды в рот набрала? — грубовато спросил он. — У меня времени маловато, свои кровные трачу, между прочим!

— Да я просто... просто не ожидала тебя услышать, — невольно принялась оправдываться Зажигалка. — Ты так внезапно появился...

— Ну, вот теперь привыкай к тому, что я появился, — жестко проговорил собеседник. — И всегда помни, что я был, есть и буду, поняла?

— Поняла, — послушно ответила она.

— А теперь слушай сюда. По телефону мне с тобой базарить не с руки, так что давай-ка «стрелочку» с тобой забьем.

— К-когда? — встрепенулась Зажигалка.

— Сегодня. В нашем кафе. Часикам к пяти подгребай, я тоже подтянусь.

— Сегодня? — вырвалось у нее невольно.

— А чего тянуть-то? Или ты не хочешь старого друга увидеть, выпить за встречу? Разлука-то до-олгая у нас была! Не без твоей помощи, между прочим! Вот об этом я и побазарить с тобой хочу.

— Но... Но ведь нашего кафе уже нет! — обрадовавшись, будто этот факт являлся спасением от грозящей встречи, сообщила Зажигалка.

— Как нет?

— Там давно уже парикмахерскую открыли! Уже года четыре как...

— Четыре года, говоришь? — хмыкнул собеседник и выразительно повторил: — Четыре года... Долгих четыре года!

Зажигалка молчала. Человек этот завораживал ее своим голосом, вводил в ступор. Она боялась его. Боялась всегда, и четыре года назад, и сейчас. Даже неизвестно, когда больше...

— Ну в таком случае давай в «Междусобойчике». Его-то не закрыли?

— Нет, — машинально ответила она.

— Вот и славно. Значит, договорились. В шесть. До встречи, подруга! Жду с нетерпением!

Трубка щелкнула, послышались короткие гудки. Зажигалка ощутила, как у нее вспотела ладонь. Отбросив трубку, она заметалась по кухне. Сердце ее стучало, в голове с новой силой вспыхнула утихшая было боль, все тело дрожало, как при ознобе.

Пытаясь успокоиться и унять дрожь хотя бы в руках, Зажигалка встала посреди кухни и задумалась. Нужно срочно звонить, сообщить...

«Куда звонить? Кому? Отцу? — с горечью отозвался внутренний голос. — Или Толику?»

Разумеется, о том, чтобы позвонить отцу и рассказать о возникшей проблеме, и речи быть не могло. Поразмыслив, она все-таки набрала номер Толика, и, услышав такой родной и любимый голос, ощутила, как сердце ее снова затрепетало.

— Привет, дорогой! Как ты?

— Глупых вопросов не задавай. Что хотела?

— Да я только спросить... Слушай, тебе никто не звонил сегодня?

— Может, и звонили. Я не отвечал. Какая разница?

— Ворон объявился, — неожиданно для себя самой выговорила Зажигалка.

В трубке повисло молчание. Прошло несколько долгих томительных минут, пока он наконец спросил:

— Ну и как он?

— Ты что, не понимаешь? — неожиданно разозлилась Зажигалка. — Ворон объявился! Я понятия не имею, как он, потому что не видела его, но точно знаю, что он чего-то хочет от нас! И просто так не отстанет!

Трубка снова затихла, потом Толик с какой-то горькой усмешкой произнес:

— Блин, как же погано устроен мир! Все от тебя чего-то хотят... И всем наплевать на то, чего хочешь ты... А ты уже ничего не хочешь...

— Толик, миленький, я тебя прошу — ну соберись! Услышь, что я тебе говорю! Ворон назначил мне сегодня встречу на шесть часов! Мне обязательно нужно пойти, я не могу не пойти! — глотая слезы, проговорила она в трубку.

— Ну и?

— Я тебя умоляю — пойдем вместе! Так будет лучше, он почувствует, что нас двое, что мы вместе, понимаешь? Вдвоем будет проще с ним справиться! Вместе мы — сила!

Выговорив все это, Зажигалка затаила дыхание, напряженно вслушиваясь и ожидая столь важного для нее ответа, но по повисшему молчанию поняла, что идти придется одной...

— Я не смогу, — наконец сказал Толик. — Я по квартире с трудом хожу — какая из меня сила? Ты сама понимаешь, что несешь?

— Толик... Что же я ему скажу?

— Привет передавай, — послышалось в трубке, после чего связь прервалась.

Зажигалка не выдержала, из глаз ее брызнули слезы. Со злостью швырнув трубку так, что та пролетела через всю кухню и ударилась о стену, она опустилась прямо на пол и заревела в голос. Такой одинокой и несчастной она не чувствовала себя давно...

Ревела Зажигалка минут десять, пока нос совершенно не перестал дышать. Тогда, опершись рукой о табуретку, она поднялась и направилась в ванную. Нос распух и покраснел, глаза превратились в узенькие щелочки.

Зажигалка повернула кран, склонилась над ванной и принялась пригоршнями брызгать в лицо воду. Холодные струи быстро освежили ее, немного привели в чувство. Она взяла с полочки увлажняющий крем и смазала им щеки, так как от холодной воды стянуло кожу. Потом вернулась в кухню, собрала все детали телефона — благо он не разбился — и положила его на стол. Из головы не шла предстоящая встреча с Вороном. С каким удовольствием она отказалась бы от нее, даже готова заплатить, лишь бы не видеть этого человека, не смотреть в его лицо и колючие глаза, не слышать его голоса... Пожалуй, никого на свете Зажигалка так не ненавидела, как Ворона. Хотя, вполне возможно, и он отвечал ей тем же. Что было у него в душе — узнать вряд ли возможно. Ворон очень умело прячет свои чувства. Если они у него вообще есть...

13

Да есть, конечно, есть! Зажигалка задумалась. Такие люди, как он, обычно циничные и бездушные, порой бывают сентиментальны. Может быть, попробовать сыграть на этом? Ну, рассказать о своих чувствах, о Толике, попытаться разжалобить... Напомнить о том, что Ворон повторял сам — «друга в беде бросать западло». Сказать, что у них с Толиком сейчас реальная беда и не они Ворону, а он им мог бы помочь...

Надо хотя бы попытаться. Сейчас же, немедленно вспомнить Ворона получше — его характер, привычки, мысли, все, что успело стереться из памяти за эти годы. А потом выстроить умелую психологическую линию. Может быть, в этом случае и получится его развести. Поймать на его же принципах. Для такого человека, как Ворон, принципы и понятия очень важны. Его личные, разумеется, которые он чтит как кодекс собственной чести.

Да, именно так и нужно себя вести! Зажигалка аж подскочила от принятого решения — до того оно показалось ей простым и правильным. Так, только теперь не спешить, а мысленно выстроить схему разговора. Выбрать нужный тон и слова. Нужно потренироваться.

Она почти совсем успокоилась, подбадривая себя мыслью о том, что все будет хорошо. Настолько успокоилась, что смогла привести себя в порядок без спешки. Критически осмотрев себя в зеркале, с помощью тонального крема выровняла цвет лица, нанесла легкий макияж и даже уложила волосы. К четырем часам из отражения в зеркале на нее смотрела уже совсем другая девушка: припухлость исчезла, лицо приобрело трогательное выражение, как у наивного ребенка — Зажигалка специально колдовала над тем, чтобы образ вышел именно таким. Перед Вороном ни в коем случае нельзя показывать себя «мажоркой», успешной, сытой и стервозной. Именно так — наивность и трогательность. Доброта, отзывчивость и... И немного драматизма — для пущей жалости.

Оставшись очень довольной результатом, Зажигалка надела коротенькое, в меру, платье, накинула поверх плащик и вышла из дома с легким сердцем. Никакого личного транспорта или такси — в «Междусобойчик» нужно ехать на маршрутке, чтобы Ворон, если вдруг надумает следить, видел, что она не шикует и не утопает в роскоши, а ведет себя, как нормальная, по его понятиям, «своя» девчонка.

«Междусобойчик» располагался далековато от центра и был местом, скажем так, специфическим. Этакий своеобразный реликт, оставшийся от канувшей в Лету эпохи девяностых. В свое время там собирались бандитишки не самого высокого пошиба. Позднее, после того как бандитский мир пережил серьезный переворот и передел власти, эту кафешку облюбовали околокриминальные личности. Не сказать, чтобы полное отребье, но, например, студенту или выпускнику МГУ, банкиру или продвинутому журналисту там было делать нечего. Весь антураж кафе был создан для людей иной социальной направленности. Соответствующий музыкальный репертуар, состоящий преимущественно из тюремного шансона, непонятные, мутные завсегдатаи, девушки явно не тяжелого поведения — таким был «Междусобойчик» к началу десятых годов.

Зажигалка не любила это кафе и практически никогда не появлялась в нем, но перечить Ворону не посмела. Выйдя из маршрутки и украдкой оглядевшись по сторонам, она не заметила никого, похожего на Ворона. Это, конечно, ничего еще не означало, но почему-то на душе стало еще светлее — надежда на благополучный исход их встречи укрепилась.

Она прошла к тяжелой массивной двери, стилизованной под дуб, потянула ее на себя и, оказавшись внутри, невольно поморщилась: запах алкоголя и сигаретного дыма буквально пропитал небольшое помещение.

Стараясь держать себя в руках, Зажигалка осмотрелась, выбрала свободный столик и торопливо зашагала к нему, стараясь не смотреть по сторонам. Дорогу преградила чья-то рука. Она невольно остановилась и подняла глаза. На нее смотрело лицо не первой свежести, с проступившей щетиной на серых щеках и сальным взглядом.

— Куда спешишь, пташечка, тормозни чуть-чуть, — хрипло проговорил мужик, улыбаясь неприятной улыбкой и обнажая золотые коронки.

— Извините, я тороплюсь, — сквозь зубы процедила Зажигалка.

— Не торопись, присядь за столик, поболтаем.

— Я не могу, очень спешу, меня ждут.

— Да подождут, — ухмыльнулся мужик, протягивая руку и хватая ее за локоть.

Она мгновенно преобразилась. Резко увернувшись, с ненавистью посмотрела мужику в лицо и произнесла:

— Слышь, ты! Не твое — не трогай! Грабли свои убери! А то здесь сейчас мусор убрать придется!

— Ах ты... — брызгая слюной, начал сыпать ответными угрозами мужик и, приподнявшись со стула, стал надвигаться на Зажигалку.

Та отпрыгнула в сторону и поставила подножку. Мужик, уже изрядно захмелевший, рисковал рухнуть прямо возле столика, как вдруг чья-то рука схватила его за шиворот и поставила на ноги, а следом раздался голос:

— Спокойно, Баклан! Это моя чувиха.

— Слышь, ты своей чувихе язык-то укороти! — подал голос мужик. — А то придется другим этим заняться!

— Спокойно! Ты не прав. Тебе же сказали, не твое — не трогай!

— Я ж не знал! — огрызнулся Баклан.

— Ну вот теперь будешь знать! Пойдем, подруга!

В полумраке кафе блеснула белозубая улыбка, и Зажигалка узнала Ворона. Он, конечно, здорово изменился — стал шире, но при этом как будто ниже ростом, видимо, из-за того, что в осанке появилась сутулость, черты лица загрубели, кожа обветрилась, он словно постарел лет на десять-пятнадцать, хотя с момента их последней встречи прошло чуть больше четырех. Тогда Ворон, высокий и стройный, был совсем молодым. Сейчас же на Зажигалку смотрел зрелый мужик с серьезным жизненным опытом за плечами. Но вот взгляд этих глаз — колючий, жестокий — не изменился, разве что жесткость еще усугубилась.

Он смотрел прямо ей в глаза и улыбался. Но Зажигалке было совсем не весело. Все заготовленные слова и фразы, весь тщательно продуманный ею сценарий рушился под этим безжалостным взглядом. Она почувствовала, что ничего не может поделать со своим страхом перед этим человеком — он был сильнее, и ей, наверное, никогда не удастся его победить.

— Чего застыла, подруга? — усмехнулся Ворон. — Обними хоть в честь долгожданной встречи!

Зажигалка коснулась ладонью плеча Ворона.

— Можно и поцеловаться. За встречу-то, — насмешливо добавил он.

— Не стоит.

— А что так? Западло?

— Просто мы с тобой никогда при встречах не целовались, — напомнила Зажигалка.

— Ну так у нас и разлук таких долгих не было, — возразил Ворон и, мгновенно переменив тон, продолжил: — Ладно, я с тобой сюда не целоваться пришел. Давай-ка за столик пройдем, там и побазарим.

Зажигалка шла между столиками и ловила бросаемые на нее украдкой взгляды мужчин, в которых сквозил интерес, смешанный с уважением. И уважение это возникло благодаря тому, что рядом с ней Ворон. Тот, видимо, за короткий срок успел поставить себя здесь как «правильный пацан, живущий по понятиям» и заслужить авторитет.

«Ну разумеется! — горько усмехнулась про себя Зажигалка. — Где еще он может пользоваться авторитетом, как не в этой рыгаловке!»

Тем не менее, она покорно шла за Вороном, шедшим походкой если не короля, то, по крайней мере, козырного валета. Он галантно отодвинул стул перед столиком, небрежно махнул рукой, показывая, что он уже накрыт. Зажигалка присела на краешек стула и посмотрела на блюда. Бутерброды с икрой обоих видов, соленая семга, здесь же селедка, соленые огурцы — закуска являла собой некое подобие сборной солянки. Стояло и горячее в виде жареной картошки с куском свинины. Большой графин водки, в другом графине — что-то похожее на компот или морс.

Ворон, составлявший заказ явно самостоятельно, пытался совместить две цели: продемонстрировать свои возможности и соблюсти собственные вкусы. Взгляд его явно говорил о том, как он доволен собой и уверен, что произвел на Зажигалку должное впечатление.

— Угощайся, подруга! — небрежно бросил он, наполняя две рюмки водкой. — Давай за встречу!

Зажигалке не хотелось ни есть ни пить. Кусок не лез в горло. Однако подумав, что водка, возможно, придаст ей смелости, опрокинула ее, даже не почувствовав, как обожгло горло, и закусила куском селедки.

— Не скромничай, не скромничай! — подбодрил ее Ворон, подвигая блюдо с икорными бутербродами. — Перед серьезным разговором надо хорошо подкрепиться!

И опять у Зажигалки сердце ухнуло в пятки, она чувствовала, что теряет все заготовленные фразы и ведет себя совершенно не так, как собиралась. Сейчас она ощущала себя какой-то безмозглой куклой, марионеткой, которую заставляет двигаться и говорить кто-то другой.

Ворон выпил еще две рюмки подряд и налег на картошку с мясом. После выпитого голос его слегка размяк, однако Зажигалка уловила, что взгляд остался прежним, не сулящим ей ничего хорошего. Все приветствия и комплименты Ворона были явно фальшивыми, и он не пытался этого скрыть. Его вдруг потянуло на разговоры, и он начал:

— А ты хорошо выглядишь, подруга! Даже лучше, чем в юности. Одежда, причесочка — все на высшем уровне. И зажигаешь так же, поди? Недаром тебя Зажигалкой прозвали в свое время! Папашка деньжат подкидывает? Или еще кто?

Она не ответила, отделавшись неопределенным кивком.

— Эх, мне бы такого папашку! — завистливо покачал головой Ворон. — Как он там, кстати, поживает? Совесть не мучает его?

— Это за что, интересно, его совесть должна мучить? — возмутилась Зажигалка.

— А то ты не знаешь! И ты знаешь, и он! Вот я и хотел насчет остатков совести с вами потолковать. Есть еще один человечек, к которому у меня тоже базарец имеется, но с ним чуть позднее.

Зажигалка похолодела. Она понимала, что Ворон сейчас говорит о Толике. Значит, он еще не связывался с ним, значит, ничего не знает... И лучше не говорить! Лучше вообще о нем не заикаться! Ворон явно не в курсе, что он... что они... Одним словом, о чувствах Зажигалки ему неведомо. Тогда, четыре года назад, между ней и Толиком не было отношений, они все были на равных. А уж о планах Зажигалки насчет Толика Ворон и вовсе не догадывается.

— Ты, кстати, не знаешь, где он, как? — продолжал Ворон.

— Кто? — механически спросила Зажигалка, отлично понимая, о ком речь.

— Да Толян Емельяненко. Звоню ему по старому адресу — говорят, не живут такие. Сотовый тоже сменился. Давно его видела?

— Давно, — соврала она. — Я с ним не общаюсь.

— Тоже, собака, забывает старых друзей, — с грустью констатировал Ворон. — Ну а здоровье-то папашки как? Сердце не пошаливает? Все-таки возраст, всякое может быть...

— Слушай, Ворон, давай начистоту, — не выдержала Зажигалка. — Что тебе от меня надо?

— Люблю конкретных людей! — засмеялся он. — А желания мои просты и чисты, как первый снег. Хочу я, подруга, справедливости. Я за тебя пострадал? Пострадал! Вот и компенсируй мне, пожалуйста, моральный ущерб.

— Каким образом?

— Ну, если ты мне свое нежное девичье тело станешь предлагать, я, конечно, не откажусь. Только это слишком ничтожная компенсация. Посуди сама: не было меня в родной столице четыре года. Жить мне на что-то нужно, пока занятие себе не подберу, так ведь? И вот тут как раз твой папашка может помочь! Я слышал, он теперь крупную фирму возглавляет?

— Но папа не может взять тебя на работу! Ты же не специалист!

Теперь Ворон хохотал уже в полный голос — так, что даже с соседних столиков на них стали оборачиваться.

— Да ты, подруга, либо шутница, либо совсем с головой не дружишь! — отсмеявшись, проговорил он, качая головой. — На фига мне работа у твоего папашки сдалась? Он мне жизнь поломал, а я на него горбатиться теперь должен? Может, спасибо еще ему сказать?

— А что ты хочешь-то? — чуть не закричала Зажигалка.

— Бабла! — откинулся на спинку стула Ворон. — Я ж говорю — жить мне на что-то нужно!

— Ну, ты вроде бы не бедствуешь, — неожиданно осмелев, со злостью проговорила Зажигалка, кивнув на накрытый стол.

— Не считай чужие деньги, подруга, нехорошо это! — укоризненно поднял палец Ворон. — Это святые «бабки», это мне друзья подкинули на приподъем. Только мало их. А мне нужно столько, чтобы хватало на нормальную жизнь. Ты же нормально живешь? А я чем хуже? Тоже достоин, тем более что ты мне обязана, подруга! Жизнью своей нынешней обеспеченной обязана! Вот я и прошу благодарности. Справедливо это, а? Как сама думаешь?

Ворон, прищурившись, пытливо смотрел на Зажигалку. Она молчала. Знала только, что отец никаких денег Ворону не даст. Что придет в бешенство, если вообще узнает о его претензиях. К тому же, он был не до конца в курсе, как и что произошло на самом деле — Зажигалка в свое время скрыла от него кое-какие подробности. А Ворон-то уж непременно выложит их ему. Но главное — Толик! Ворон станет искать его, тоже будет требовать денег! А если Зажигалка все-таки найдет их и заплатит, это означает забыть о всех планах, связанных с Толиком, и просто погубить его. А значит, и себя тоже.

Ворон продолжал выразительно смотреть на нее.

— И сколько... Сколько ты хочешь? — проглотив слюну, спросила она.

Ворон назвал сумму.

— Да ты что, с ума сошел? — не сдержавшись, воскликнула Зажигалка. — Где я тебе столько возьму? Я не работаю, у отца тоже нет!

— Не прибедняйся, подруга, не прибедняйся! — погрозил он пальцем. — В свое время папашка твой нашел ради тебя деньги. Найдет и на этот раз. А если нет... Может так повернуться, что папашке твоему не для кого будет наследство оставлять!

Зажигалка почувствовала слабость в ногах. Ворон сейчас реально угрожал, угрожал ее жизни. И думать о том, что это шутка, просто глупо. Он вообще никогда не был склонен к шуткам.

— Короче, сроку тебе даю неделю, — перешел Ворон к конкретике. — Папашку своего подготовь заранее. А впрочем, мне все равно, как ты с ним будешь объясняться и будешь ли вообще. Можешь лапши ему навешать — вы, бабы, хорошо это умеете. Словом, хочешь жить — умей вертеться, помнишь, поговорка такая была в свое время? Вот и ладненько. А я тебе звякну, подруга. И еще... — Он вдруг приблизился вплотную к Зажигалке, двумя пальцами больно сжал ее подбородок и приподнял: — Вздумаешь кинуть меня — хуже будет. Я тебя не в землю закопаю, а так сделаю, что ты сама будешь рада сдохнуть поскорее! Личико так попорчу, что из дому выйти не сможешь! А то и не на чем будет. Так что думай и действуй! Пока, подруга!

Ворон встал, достал из кармана несколько купюр, бросил на стол и двинулся к выходу. Зажигалка еще несколько минут после его ухода не могла подняться, впав в какой-то ступор, и только чье-то покашливание над ее ухом подтолкнуло ее. Она подскочила со стула и, чуть ли не опрометью бросившись к входной двери, выскочила на улицу.

Где-то через полчаса, устав и запыхавшись, Зажигалка остановилась. Необходимо было взять себя в руки и все обдумать. Дойдя до ближайшего сквера, достала сигареты и закурила. Затяжки были нервными и длинными. Осмотревшись, она поняла, что находится довольно далеко от дома, добираться теперь придется с пересадками, а до ближайшей станции метро еще и топать пешком. Но не это главное. Ворон — вот что не шло у нее из головы. О том, чтобы соглашаться на его условия, не могло быть и речи. И о том, чтобы не соглашаться, — тоже. Тупик.

Однако Зажигалка была так устроена, что долго думать и переживать не могла, предпочитая действовать. Пускай тыкаться наобум, но что-то делать.

У отца, конечно, имелась нужная сумма. Может быть, все-таки попросить? Сказать, что это для Антона — отец же неоднократно выручал его? Вздыхал, читал нотации, но все-таки давал деньги, сокрушенно повторяя про себя «что ж поделаешь, родная кровь, сирота...».

Антон, племянник отца и двоюродный брат Зажигалки — Кузен, как иронично именовала его она сама, был парнем

21

веселым, но бесшабашным. Оставшись без матери в юном возрасте, быстро промотал оставшиеся после нее средства и пустился в путешествие по белу свету с целью накопить денег. Однако все его попытки сводились чаще всего к аферам, в которых он быстро прогорал и опять оставался на бобах. Чаще всего в таких случаях он обращался к сестричке-Зажигалке, которая любила непутевого братца. Да и отец, что там греха таить, благоволил к нему.

Но сейчас такое вранье не прокатит. Отец же знает, что Антон теперь живет в Сургуте, взялся за ум и уже несколько лет возглавляет отдел в крупной нефтяной компании. Отец тогда дал ему денег на первое время, узнав, что племянник, наконец, в люди стал выбиваться. А теперь он не прежний шалопай, а уважаемый человек, деньги есть. На что просить?

Да и не поможет это! Зажигалка знала, что так просто от Ворона не отделаешься: получив деньги раз, он поймет, что нашел хорошую кормушку, и станет требовать их постоянно, все больше и больше. И чтобы выбраться из кабалы, есть только один путь — избавиться от него навсегда... Но как? Неужели же... Нет, об этом лучше даже не думать, лучше поискать другие пути!

Медленно шагая к метро, Зажигалка мучительно выбирала из двух вариантов. Потом, прокрутив в голове все возможные последствия, все-таки достала сотовый телефон.

— Привет, чем занимаешься?

— Да вот, марафет навожу, — кокетливо хихикнули в трубке. — Профессиональный макияж делаю.

— Ты что, совсем? — проворчала Зажигалка. — Кончай ерундой страдать, дело важное есть.

В течение следующих секунд она пересказывала свою беседу с Вороном и обрисовывала возникшую проблему.

— Ты просто не знаешь его, это страшный человек! Мне нужна помощь, хоть чья-нибудь! От Толика пользы нет, он... Болеет, короче. Я не хотела тебе звонить еще и по этому вопросу, но больше некому.

— Ну, у меня есть одна идейка, — поведала трубка. — Ради нее, собственно говоря, и прихорашиваюсь.

— Это... Это касается отца? — медленно протянула Зажигалка.

— Да. Но не волнуйся! Если все сделать как следует, обдуманно, то все проблемы будут решены. Но по телефону не буду говорить. Завтра ближе к обеду перезвони мне. Увидимся, и я поделюсь с тобой планами. Все, дорогая, целую! М-м-м!

Послышался звонкий чмок, и трубка отключилась. Зажигалка вздохнула. Ей не слишком нравилась возникшая идея — она догадывалась, о чем речь. Но не это ее волновало сейчас больше всего, а то, что срока Ворон ей отпустил всего неделю. Через каких-то семь дней ей вновь предстояла встреча с этим человеком. Человеком, которого она не хотела бы видеть вообще никогда в жизни...

Глава первая

День близился к концу — как рабочий, так и световой. Унылый, тусклый день поздней осени рано завершал свой путь, превращаясь в вечер уже после четырех часов. Конец ноября вообще отличается хронической нехваткой солнечного света, а она, в свою очередь, негативно отражается и на работоспособности, и на настроении в целом. Полковник Гуров очень четко это ощущал, особенно в последнюю неделю, когда световые дни становились особенно короткими, а рабочие, наоборот, увеличивались, затягивались за счет большого количества дел, причем, что самое обидное, — нудных и рутинных, из числа тех, которые полковник терпеть не мог. Навалилась куча писанины, год неуклонно подходил к своему логическому завершению, и нужно было привести в порядок все материалы и документы. То есть писать, писать и писать... Данная работа не требовала особой умственной напряженности, зато отнимала кучу времени и раздражала полковника своим однообразием и бессмысленностью, поскольку, чего уж греха таить, некоторые так называемые документы Гуров считал откровенно бестолковыми и никому не нужными. Он привык работать если уж не головой, то хотя бы ногами и руками, причем не с помощью шариковой ручки, а оружия. А вообще в своей профессии сыщика полковник предпочитал думать. Думать, размышлять, анализировать, строить версии и разрабатывать их, выстраивать логические цепочки, приводящие к разоблачению преступников и разрушению их злодейских замыслов. И сейчас, методично перепечатывая страницу за страницей, Гуров как никогда ощущал, что занимается не своим делом.

Еще больше от этого занятия страдал его лучший друг и сослуживец, тоже полковник и опер по особо важным делам Станислав Крячко. Вот уж кого эта работа просто выворачивала наизнанку и лишала всяческой радости жизни. Уж кто-кто, а Станислав Крячко был явно не создан для писательской деятельности. И если в другие, менее напряженные периоды он мог еще увильнуть от этой работенки, то сейчас это было совершенно невозможно: их шеф и также многолетний друг генерал-лейтенант Петр Николаевич Орлов строго-настрого поручил сыщикам подбить все материалы к сдаче, а многие из них касались дел, лично раскрытых Гуровым и Крячко, посему свалить это на кого-нибудь из младших чинов было нельзя. Вот и приходилось Станиславу Крячко, вздыхая, чертыхаясь, а иногда и откровенно матерясь, ерошить свою и без того вечно лохматую, хотя и изрядно поредевшую шевелюру пятерней и продолжать оформлять отчеты, объяснительные и прочие бюрократические бумаги.

Гуров, ненавидевший бюрократизм не меньше Станислава, вел себя гораздо спокойнее, принимая данное занятие как неизбежное зло, издержки, которого имеются в любой профессии. Потому он молча и сосредоточенно стучал по клавиатуре компьютера, в то время как Станислав все больше ерзал на стуле, периодически раздраженно комкая очередной испорченный листок и бросая его в мусорную корзину.

За окном, тем временем, совсем стемнело. Станислав поднял голову и с надеждой посмотрел на часы. Гуров головы не поднимал — часы были перед ним, высвечиваясь на экране монитора. Он видел, что рабочий день его уже закончился, однако хотел все-таки доделать намеченный на сегодня план. Оставалось немного, где-то на полчаса работы, и полковник не собирался откладывать это на завтра. Он вообще мечтал поскорее расквитаться с писаниной и приступить к чему-то более привычному и полезному.

Крячко выразительно кашлянул, явно намекая на то, что пора бы сворачивать всю бухгалтерию и отправляться домой, но Гуров проигнорировал его намек. Тогда он решительно поднялся со стула, сдвигая ворох своих бумаг в сторону, и заявил:

— Мне сверхурочные не платят!

— Да иди ты уже! — махнул рукой Гуров. — Все равно только бумагу портишь!

— И уйду! — тотчас подхватил Станислав. — Я просто подумал, может, тебе самому надоело бумагу пачкать? Вместе бы по домам отправились.

— Ну, вместе нам только до ворот УВД, — заметил Гуров. — А дальше каждый по своим машинам.

— Ну как знаешь, — пожал плечами Станислав и, нахлобучив кепку, вышел из кабинета, оставив Гурова один на один с отчетами.

Лев не слишком расстроился после его ухода — одному работалось даже лучше, спокойнее: можно сосредоточиться и не отвлекаться на посторонний шум, который постоянно создавал Крячко своей возней.

Быстро перепечатав три коротких справки и подшив их к материалам дела, он собрался подбить последний на сегодня отчет и с чистой совестью отправиться домой, оставив на завтра лишь сущие мелочи, которые можно будет сделать за первую половину дня.

«Интересно, кроме меня, полковника и руководителя криминального отдела, и дежурного какой-нибудь дурак еще остался в управлении?» — с усмешкой подумал Гуров, потягиваясь на стуле и разминая затекшие мышцы.

Ответом ему послужил скрип открываемой двери, и в кабинет вошел сам генерал-лейтенант Орлов. Он посмотрел на Гурова с выражением облегчения в глазах, как будто был счастлив, что полковник задержался на рабочем месте, довольно хмыкнул, осторожно присел на стул напротив него и вкрадчиво спросил:

— Работаешь, Лева?

— Как видишь, — насмешливо отозвался Гуров.

Он уже понял, что Орлов зашел к нему не для того, чтобы интересоваться продвижением готовности документов, а по какому-то вроде бы рабочему, но в то же время и личному делу. Ибо легкая виноватость, сквозившая во взгляде и позе Орлова, выдавала его с головой.

— Ну и чем еще ты решил нагрузить меня под конец столь блестящего в профессиональном плане трудового дня?

— Почему сразу нагрузить? — развел руками Орлов.

26

— Ну потому что я ни за что не поверю, что ты пришел проявить любопытство, не устал ли твой лучший опер и не требуется ли ему помощь.

— Я, Лева, своими лучшими сыщиками всегда интересуюсь, — заметил Орлов. — И помощь всяческую всегда готов оказать. И уверен, что и они мне ее окажут в случае чего.

— И какая же помощь требуется тебе позарез именно сейчас? — Гуров отодвинул клавиатуру, понимая, что допечатать пресловутый отчет сегодня уже не получится — у Орлова явно было что-то поважнее, отказаться от чего ему вряд ли удастся.

Орлов вздохнул, повозился на стуле, потом склонился к Гурову и сказал вполголоса:

— Нужно помочь одному хорошему человеку...

— Тебе?

— Ну, разумеется, и мне, — слегка замявшись, кивнул Орлов. — Но под хорошим человеком я имел в виду другого. В общем, Лева, у меня к тебе просьба. Как личного, так и профессионального характера. Ты знаешь, как я тебе доверяю...

— И как я уважаю Остапа Ибрагимовича! — подхватил Гуров.

— Лева, — поморщился генерал, — ну не время сейчас для твоих шуток! Хотя они, как всегда, очень тонкие и в точку. Ты у нас профессионал не только по части сыска...

— Да ладно тебе расшаркиваться, говори уже, что нужно-то? Полагаю, речь не об очередной писульке, которую требуется состряпать?

— Нет. Дело в том, что ко мне обратился один человек. У него, понимаешь, проблемы... щепетильного характера. А ты, кроме писанины, все равно сейчас ничем не занят. Вот и выслушай, помоги, подскажи. От отчетности я тебя освобожу! — тут же добавил Орлов. — Знаю твою нелюбовь к этой работе.

— А почему меня? Освободи Крячко — он тебе ноги будет целовать!

— Дождешься от него! — проворчал генерал. — Нет, Станислав, при всем к нему уважении, в роли помощника по данному вопросу мне не кажется подходящей фигурой. Тут вникнуть требуется, не рубить с плеча. Я же говорю — проблемы щепетильного свойства!

— Неверные жены? Внебрачные дети? Нетрадиционная ориентация? — принялся перечислять Гуров, невольно нахмурившись, — он терпеть не мог проблем подобного рода, житейско-бытовых. Его интересовали сложные, лихо закрученные дела.

— Нет-нет! — тут же замахал руками Орлов, предупреждая возможный отказ своего любимца. — Совершенно ничего подобного!

— А то я уж подумал, что твой клиент — персона, как это сейчас принято выражаться, медийная и боится огласки какого-нибудь не слишком приятно пахнущего факта из своей бурной биографии.

— Ничего подобного! И человек не публичный, и никакими неприятными фактами из личной жизни тут не пахнет!

— Ну, так раскрой мне этого таинственного незнакомца, — усмехнулся Гуров. — Не томи душу!

Орлов слегка помолчал, потом негромко произнес:

— Это некто Конышев Виктор Станиславович. Вполне уважаемый человек, бизнесмен. У него риелторская контора, называется «Зодчество».

— И что же у него случилось?

— Да я сам толком не пойму, дело какое-то мутное... Не поймешь, откуда ветер дует.

— То есть темнит твой клиент, — сделал вывод полковник. — Не хочет откровенничать, а надеется на нас переложить все собственные проблемы.

— Да нет же, Лева! Он действительно сам не знает, чего от него хотят!

— Меня больше волнует, чего он хочет от нас? В частности, от меня?

— Для начала я прошу тебя его просто выслушать. Выслу-шать, Лева! — подчеркнул Орлов. — Ну а дальше уже ты сам сделаешь все надлежащие выводы.

— Ну допустим, — немного помолчав, сказал Гуров. — И когда он хочет побеседовать?

— Сейчас, Лева.

— Как — сейчас?

— Да очень просто. Он в кабинете у меня сидит. Ждет, так сказать, аудиенции.

— Что же он, более подходящего времени не мог выбрать? — возмутился Гуров. — На часы посмотри! Восьмой час! Я и так задержался. И ладно бы речь шла о действительно серьезном деле, а то непонятная какая-то ерунда!

— Лева, ну, пожалуйста, ради меня! Понимаешь, он меня выручал не раз. И даже не лично меня, а наш отдел. Помнишь, помещение нам нужно было под спортклуб для тренировок молодых оперов? Так вот это Конышев помог! И вообще...

— И вообще, он типа наш спонсор, — заключил Гуров. — То есть получается, что и мой вроде как тоже, хотя мне на этот клуб глубоко плевать.

Орлов не стал ничего комментировать, он лишь продолжал не мигая смотреть на Гурова.

— Ладно, — махнул рукой тот. — Зови сюда своего домушника!

— Эк ты его окрестил! — с притворной укоризной отозвался генерал, не в силах, однако, скрыть своего удовлетворения. — А ведь у этого слова совсем иное значение в криминальном мире...

— Про криминальные специальности я в курсе не хуже твоего, просто пошутил. Короче, зови, пока я не передумал. У Марии, на счастье, сегодня спектакль до десяти, так что полчасика я ему уделю. Но не больше.

— До десяти больше двух часов, — заметил Орлов, поднимаясь со стула.

— А ужинать мне, по-твоему, не нужно? Я, вообще-то, собирался домой за этим заехать, теперь придется в кафе. Издержки, между прочим, придется понести финансовые...

— Ладно, не ломайся, как капризная барышня! — Орлов перешел на строгий начальственный тон, потому что уже успокоился. Гуров дал согласие на беседу, и теперь можно не опасаться, что он откажется. И если даже выяснится, что дальнейшая помощь Виктору Конышеву невозможна, совесть генерал-лейтенанта будет чиста, поскольку он всегда сможет сказать, что сделал все от него зависящее.

Орлов вышел из кабинета Гурова, оставив того один на один с папкой готовых документов и не слишком радужным настроением. День вообще прошел нудно, у Гурова под вечер даже начала побаливать голова, а перспектива непонятной беседы с неким риелтором не внушала оптимизма.

Он снова потянулся и поморщился, услышав, как противно хрустнули кости, подкинув в столь и так не слишком приятный момент напоминание о том, что ему, увы, уже не двадцать лет...

Послышался вежливый стук в дверь, и Гуров, приняв ровное положение, крикнул:

— Да, войдите!

На пороге показался невысокий человек в очках, достаточно интеллигентного вида. Лев не особо задумывался, как должен выглядеть типичный среднестатистический риелтор, но подсознательно ему рисовался образ этакого ловкого дельца-проныры с хитрыми, цепкими глазками. Виктор Станиславович же скорее походил на какого-нибудь пресс-секретаря государственного деятеля.

— Добрый вечер, — довольно приятным тенором произнес вошедший. — Полковник Гуров? Лев Иванович?

— Он самый, — кивнул Гуров. — Проходите.

— Для начала позвольте вас поблагодарить за то, что согласились принять меня во внеурочный час. Я отлично понимаю, что значит задерживаться после работы ради совершенно незнакомого человека. Постараюсь сэкономить ваше время и перейду сразу к делу. Хотя это не так-то и просто, потому что я, честно говоря, в замешательстве. Я чувствую, что мне угрожают, точнее, пытаются мне навредить, может быть, убрать с дороги. Но вот что конкретно от меня хотят и кто — понять не могу. Ну вот, хотел говорить четко и конкретно, а получается, что только запутал вас, — виновато улыбнулся Конышев.

— Давайте все-таки попробуем перейти к сути, — махнул рукой Гуров. — Итак, вам угрожают? Чем?

— Не то чтобы напрямую угрожают... — замялся Конышев. — То есть никто мне ничего не говорил и не требовал...

— Звонки, письма с угрозами не поступали?

— В том-то и дело, что нет! В этом смысле все тихо. Но я интуитивно чувствую, что кто-то что-то имеет против меня!

— Ну, у любой интуиции есть вполне рациональная основа. Поверьте мне, законченному материалисту, — любое, так сказать, предчувствие на чем-то основывается. Так называемое шестое чувство вполне материально. Просто вы располагаете некими фактами, подсознательно их анализируете, и на основании этого у вас формируется вывод. Это не просто «я так чувствую, и все!», это вполне объяснимо и с точки зрения логики, и психики, и даже физики.

— Вы психолог? — с удивлением спросил Конышев.

— Я оперативник, — чуть снисходительно ответил Гуров. — И сейчас пытаюсь помочь вам конкретизировать происходящее, докопаться до фактов. А они есть! Непременно есть. Вот давайте вы мне сейчас все-таки изложите свои предчувствия — пусть путано и не совсем четко, а я уж постараюсь вычленить во всем этом рациональное зерно.

— Ну что ж, — сказал Конышев, — давайте попробуем. Только вы уж не судите строго, если я действительно буду путаться.

— Весь внимание, — кивнул Гуров, вытягивая под столом длинные ноги и откидываясь на спинку стула.

...Когда все это началось? Виктор Станиславович сам неоднократно задавал себе этот вопрос и всерьез забеспокоился. Когда? И с чего? Да, пожалуй, около месяца назад. И с пустякового, в общем-то, эпизода. Он застрял в пробке и приехал в свой офис с опозданием на целых полчаса. В этом не было бы ничего особо страшного — в конце концов, он хозяин конторы и отчитываться ни перед кем не обязан, — если бы не встреча, назначенная на точное время. И теперь получалось, что клиент ждет его уже пятнадцать минут. Не катастрофа, конечно, но все-таки неприятно.

Виктор Станиславович порадовался хотя бы тому, что на парковке оказалось свободное место, и поспешил его занять. Осторожно размещая свой «Лексус» на подходящее место, щелкая пультом сигнализации и направляясь к дверям конторы, Конышев уже мысленно готовил извинения перед клиентом. Открыв дверь приемной, он с удивлением обнаружил, что она пуста. Признаться, в груди у него даже радостно екнуло — наверное, клиент, владелец сети бильярдных, ищущий помещение для очередного своего детища, сам застрял, так что и извиняться теперь не придется.

— Люда, сделайте, пожалуйста, кофе, — попросил Виктор Станиславович секретаршу, пересекая приемную и подходя в дверям своего кабинета. — На двоих — ко мне сейчас должны подъехать.

— Таранов? — неожиданно спросила Людмила.

— Да, — удивленно, обернулся Конышев, уже взявшийся было за ручку двери. — А что такое?

— Так он уже уехал, Виктор Станиславович, — сообщила секретарша.

— То есть как — уехал? Вы что, не предупредили его, что я буду с минуты на минуту?

— Разумеется, я так и сказала, только он не мог ждать. Знаете, мне даже показалось... — с ноткой сомнения добавила секретарша, — что он вроде даже обрадовался вашему отсутствию.

— Да? — Брови директора конторы взлетели вверх. — Ну что за глупости! Это уже полет вашей фантазии. Хотя поведение его действительно выглядит странно. Ладно, я ему позвоню и все узнаю.

Виктор Станиславович вошел в свой кабинет и уселся в кожаное кресло. Оказавшись на привычном месте, он смог, наконец, отдышаться и привести в порядок мысли и нервы. С Тарановым, видимо, произошло какое-то недоразумение, которое непременно разрешится. Скорее всего, его просто вызвали куда-то срочным звонком.

Александр Юрьевич Таранов занимался бильярдным бизнесом не так давно. Он был профессиональным спортсменом, несколько лет назад завершившим свою пусть не блестящую, но все-таки достойную карьеру. Потом занимался тем, что тренировал ребят, но заработок этот вид деятельности приносил не слишком высокий, посему и пришлось Таранову податься в бизнесмены. Сначала открыл свой спортивный клуб и несколько лет вкладывал в него практически весь доход, потом решил потихоньку расширяться. Но не абы как, а с умом. Пораскинув мозгами, которые у него определенно имелись, Таранов сделал ставку на востребованность и высокую цену. Под эти параметры отлично подходил бильярд, которым он неожиданно для себя увлекся. Бильярдный клуб показался ему самым подходящим вариантом, и он не прогадал. Не прошло и трех лет, как бизнес Таранова стал приносить высокий доход и расширяться, а сам Александр Юрьевич стремительно зашагал вперед и вверх. Вот он уже преуспевающий хозяин целой сети бильярдных, объединенных названием «Золотой кий», в данный момент ищущий подходящее помещение для открытия еще одного клуба.

С этим вопросом он и обратился в контору Конышева, которого ему рекомендовал общий знакомый. И Виктор Станиславович нашел, можно сказать, идеальный вариант: и от центра недалеко, и место людное, и не слишком высокую цену назначил... Помещение, правда, не отремонтированное, потому и цену скинул, но ведь Таранову все равно нужно все внутри переоборудовать, стилизация под бильярдную требовала полной переделки того, что было внутри.

Дело казалось сделанным. Александр Юрьевич едва взглянул на помещение, как Конышев сразу понял — купит. Не просто возьмет в аренду, а именно приобретет в собственность. Ну это и к лучшему: в аренду сдавать, конечно, тоже выгодно, но когда помещение неотделанное и его согласны взять в таком виде, лучше его продавать, с ремонтом возиться некогда, да и зачастую накладно получается.

Одним словом, с Тарановым все складывалось как нельзя лучше. Оставались сущие пустяки — подписание документов у нотариуса и в регистрационной палате. Формальности, короче. И именно сегодня они с Тарановым должны были все это разрешить. Собственно, можно и перенести встречу на более позднее время — скажем, на послеобеденное.

Конышев потянулся к мобильному телефону, лежавшему на столе, и набрал номер Таранова. Александр Юрьевич почему-то долго не отвечал на звонок, хотя телефон его не был отключен, но потом все же ответил, правда, голос его звучал суховато и как-то ненатурально.

— Приветствую, Александр Юрьевич! — начал Конышев.

— Здрасьте, — после паузы отозвался Таранов.

— Я приношу свои извинения, что задержался утром, — пробки, знаете ли, совсем доконали. Но мы могли бы перенести наши дела на любое другое время. Когда вам будет удобно?

Таранов замолчал, замешкался, в трубке на несколько секунд повисла тишина. Потом вдруг он скороговоркой произнес:

— Я не могу принять ваше предложение, Виктор Станиславович, извините.

— То есть? — не понял Конышев.

— Ну, я отказываюсь покупать это помещение, — буркнул Таранов.

— Осмелюсь полюбопытствовать — а почему? Оно же идеально вам подходит.

— У меня поменялись планы. Извините, Виктор Станиславович, мне сейчас неудобно разговаривать, всего доброго.

Связь прервалась. Конышев некоторое время сидел, не отрывая трубки от уха и ничего не понимая. Что значит — поменялись планы? Раздумал оборудовать еще одну бильярдную? Нашел дешевле? Да ну, не может быть! Все варианты других риелторских контор были Конышеву хорошо знакомы, и он точно знал, что там Таранову ничего лучше предложить не могут. Любой вариант будет хуже. Да он и не хотел гнаться за дешевизной, ему нужно было удобство. А предложение Конышева — самое удобное и выгодное.

Он встал из-за стола и прошелся по кабинету взад-вперед. Поведение Таранова казалось более чем странным и необъяснимым. Решив, что ломать голову над причинами, побудившими клиента отказаться от сделки, сейчас бессмысленно, Конышев подумал, что лучше всего будет на время оставить Таранова в покое. Пройдет время, и все разъяснится. А пока не мешало бы все же осторожно прощупать почву, разузнать по своим каналам, что там и как. Вдруг это просто какие-то личные причины, не имеющие к нему, Конышеву, никакого отношения?

Ладно, сейчас лучше сосредоточиться на других делах. В конце концов, даже если Таранов пойдет до конца и наотрез откажется подписывать документы, Конышев найдет, куда пристроить это помещение. С таким сотрудником, как Лев Абрамович, и не найти! Ха! Да у него с руками его оторвут!

Лев Абрамович Гольдман работал у Конышева пятый год, и, откровенно говоря, именно с его приходом положение Конышева на рынке стало укрепляться, а кривая доходов решительно поползла вверх. Гольдман обладал поистине врожденным чутьем, безошибочно определял не только объекты, которые легко можно будет продать, но и, что называется, чуял клиента. Он умудрялся сбывать такие объекты, на которые другие риелторы не стали бы и время тратить, относя их к категории неликвида по причине полной убитости. А Лев Абрамович умело обрабатывал клиента, убеждал, что это именно то, что ему нужно, подсказывал, как правильно использовать то или иное помещение, чтобы оно пошло на пользу. И что самое удивительное, ему с блеском это удавалось. Еще ни разу на объект, сбытый Гольдманом, не поступало жалоб от разгневанных клиентов. Более того, они все оставались довольными и по истечении времени превращали приобретенные объекты именно в то, что им советовал ушлый Лев Абрамович. Словом, все были счастливы, Конышев получал стоимость помещения и благодарности клиентов, а Гольдман — свой процент от сделки, к слову сказать, немалый.

Вот и в деле Таранова Лев Абрамович сыграл немаловажную роль. Именно он подсказал Конышеву, что купленный три месяца назад нижний этаж бывшей фабрики по производству технического стекла, пока что являвшийся бесхозным, замечательно подойдет для Александра Юрьевича в качестве бильярдного клуба. Интересно, как воспримет Гольдман новость о том, что Таранов по непонятной причине вдруг отказался от сделки?

Не успел Конышев об этом подумать, как дверь отворилась и в кабинет бесшумно, своей плавной кошачьей походкой вошел сам Лев Абрамович. Кажется, у него было чутье не только на клиентов, но и на непосредственное руководство.

— Доброе, доброе утро, драгоценнейший Виктор Станиславович! — безбожно картавя, поприветствовал он Конышева.

— Проходите, Лев Абрамович, — стараясь скрыть свое настроение, проговорил тот. — Не могу, увы, разделить вашу радость, ибо утро для меня не слишком-то доброе. Впрочем, для вас тоже!

— Что такое? — Гольдман с театральным испугом нахмурил брови.

— Таранов отказывается покупать ваше помещение! — Конышев сделал акцент на слове «ваше», хотя это ничего не меняло: владельцем пресловутого объекта был именно он, Виктор Станиславович, и срыв сделки бил в первую очередь по его карману.

Лев Абрамович был изумлен таким развитием событий. Он потер вспотевший лоб, поморгал глазами и растерянно переспросил:

— То есть как?

Конышев раздраженно махнул рукой, не желая отвечать на показавшийся ему бестолковым вопрос.

— Но по какой причине? — продолжал допытываться Гольдман. — У них что, какие-то претензии? Как они объясняют свой отказ?

— Да никак не объясняют! Планы изменились, и все! Стандартная, ни к чему не обязывающая отмазка! Никаких претензий не предъявляют, просто не хотят покупать, и все! Но нам с вами от этого не легче, поскольку, сами понимаете, теперь это помещение нужно кому-то втюхивать!

Гольдман нервно забарабанил ладонью по бедру. Маленькие проницательные глазки его при этом бегали из стороны в сторону, он явно что-то сосредоточенно обдумывал.

— Ну, есть парочка вариантов... Не слишком, правда, перспективные... Может быть, все-таки удастся переубедить Таранова?

— Может быть. Хотя я в этом не уверен. Со мной он отказался разговаривать, возможно, у вас что-то получится, учитывая ваши способности психологически воздействовать на людей. Вот вы, Лев Абрамович, и займитесь этим вопросом. Не сейчас, а спустя немного времени. Но сильно не затягивайте! — поднял палец Конышев. — Скажем, завтра-послезавтра.

— Понял, понял, — закивал Гольдман. — Постараемся сделать все, как говорится, в наилучшем виде. Можно, к примеру... — Он закатил глаза к потолку, уже обдумывая, чем и как завлечь Таранова, но Конышев перебил его:

— Обдумайте это позже. Сейчас есть ряд текущих моментов, которые нужно решить немедленно. На сегодня у нас намечены еще две сделки по квартирным вопросам, одна квартира на Большой Никитской, другая — на Строгановском проезде.

— Помню, помню, там все документы готовы — комар носу не подточит! — заявил Гольдман.

— Отлично, тогда поделите их с Красницким и действуйте. Он, кстати, на месте?

— Пока не было. Но он предупреждал, что может задержаться. Обе сделки намечены на два часа, так что, по его словам, раньше ему тут и делать нечего.

Конышев досадливо поморщился. Алексей Владимирович Красницкий, его заместитель, отличался любовью к дорогой технике, аксессуарам и парфюмерии, всегда был стильно одет и гладко выбрит, безукоризненно вежлив и услужлив, особенно когда дело касалось дам. Отличный вкус и безупречные манеры делали его весьма приятным и в общении с клиентами: Алексей Владимирович всегда разговаривал на «вы», избегал панибратства и уж тем более не позволял себе хамского обращения. Женщинам — как сотрудницам, так и клиенткам — он всегда говорил комплименты, замечая в каждой индивидуальные достоинства. В дни рождения и Восьмого марта не скупился на цветы и шоколадки, частенько предлагал подвезти какую-нибудь милую коллегу до дома. За это его любили и ценили, хотя порой ухаживания Красницкого приобретали характер откровенного волокитства.

Но был момент, который в глазах руководства, то бишь Виктора Станиславовича Конышева, напрочь убивал все достоинства Красницкого: к работе он относился с ленцой, не слишком утруждал себя поисками подходящих объектов и клиентов, частенько приезжал в контору к обеду и при этом никогда не задерживался дольше положенного по графику времени. Кроме того, он отличался некоторой рассеянностью, и в подготовленных им документах порой встречались погрешности. Зная об этом, Конышев частенько поручал Гольдману перепроверить документацию Красницкого, дабы вовремя исправить допущенную им оплошность. Алексей Владимирович был холост, проживал один в небольшой, но шикарно отремонтированной квартирке недалеко от центра, которую приобрел на предыдущем месте работы, также в риелторской конторе, откуда ушел по причине не слишком высокой зарплаты.

С Гольдманом все было по-другому: тот свою работу знал и выполнял на «отлично», готов был носом землю рыть в поисках выгодных сделок, на клиентов не жалел ни личного времени, ни дара убеждения. Сделки, заключенные лично им, никогда не разваливались, а документы можно было даже не читать, не сомневаясь, что там все в порядке. Он не допускал огрехов в виде объявившихся, как снег на голову, неожиданных наследников или прописанных в проданной квартире детей или иных родственников. Клиенты его были психически здоровы и вменяемы, а если и выяснялось, что это не так, Лев Абрамович пресекал подобные сделки на самом начальном этапе.

Однако при всех этих весомых достоинствах и Гольдман не мог считаться идеальным сотрудником. Лев Абрамович грешил тем, что, зная о своих возможностях, порой позволял себе совершать сделки в обход конторы Конышева. Разумеется, минуя при этом кассу и кладя весь доход себе в карман. Виктор Станиславович знал об этом, но не спешил увольнять Гольдмана — слишком ценен он был для него как сотрудник. Поначалу Конышев еще пытался вызывать Льва Абрамовича и высказывать ему, что такое поведение, вообще-то, не приветствуется ни на одном рабочем месте. Лев Абрамович широко распахивал свои карие глаза с длинными загнутыми ресницами, картинно хлопал ими, прикладывал руки к груди и божился, что он честный человек и никогда не позволит себе никакой нечистоплотности по отношению к такому уважаемому человеку, как Виктор Станиславович.

Доказать факт левого дохода Гольдмана было непросто: клиенты, которым сделки в обход кассы тоже были выгодны, помалкивали. Конечно, при желании, приложив определенные усилия, Виктор Станиславович мог бы добиться своего и вывести Гольдмана на чистую воду, однако не делал этого. Обдумав все в очередной раз, прикинув с разных сторон, он неизменно приходил к выводу, что, как ни крути, а прибыль от сделок Гольдмана он получает куда бо́льшую, чем убыток. Посему Виктору Станиславовичу оставалось лишь вздыхать и снисходительно относиться к мелким грешкам своего наиболее ценного сотрудника. А Гольдман в этом смысле был ценнее Красницкого.

Кроме того, что немаловажно, Лев Абрамович весьма индифферентно относился к дамам. Нет, он, конечно, тоже умело сыпал комплиментами, если это требовалось в интересах сделки, но при этом никогда не волочился ни за сотрудницами, ни, упаси бог, за клиентками. Он давно овдовел, у него были две замужние дочери и внуки, жившие отдельно от него, но вот личная жизнь его, если таковая и имелась, была покрыта глубоким мраком. Лев Абрамович при всей своей словоохотливости был человеком скрытным, и если не хотел чего-то афишировать, вытянуть из него это было невозможно.

Помимо упомянутых Гольдмана и Красницкого, у Конышева работала секретарь Людмила, главный бухгалтер Ирина Семеновна, парочка-тройка часто меняющихся мелких риелторов нижнего звена, а также приходящий юрист, которого вызывали по мере надобности его услуг. Словом, штат небольшой, каждый сотрудник находился на своем месте, и, несмотря на отдельные недостатки каждого из них, в глубине души Конышев был уверен — он не хочет ничего менять. Для него, как человека, ценящего стабильность, даже текучка среди младшего состава была неприятным моментом. Он подумывал над тем, чтобы увеличить доход начинающих риелторов, но потом решил, что это не эффективно: как ни крути, а новичкам не обойти таких опытных работников, как Красницкий, и уж тем более таких мастодонтов, как Гольдман. А амбиции молодых никуда не денешь, они мечтают о перспективах, стараются использовать свой возраст по максимуму, чтобы достичь высокого социального статуса и желательно побыстрее. Вот и не задерживаются в компании Конышева, где им в ближайшее время никак не светит занять высокое положение.

Вот с месяц назад опять ушла девушка, проявившая себя весьма толковой и активной, и на ее место пришлось брать новенькую. На первый взгляд вроде бы эта Надя и ничего, с работой справляется, клиентов находит, две сделки успешно заключила. А дальше — кто его знает... Если окажется, что бестолковая, то держать ее — себе в убыток, придется расставаться. Если же проявит себя успешной, сама уйдет через какое-то время. Словом, куда ни кинь — всюду клин. Пока что Конышев не видел возможностей изменить положение, и приходилось мириться с ситуацией.

Виктор Станиславович поймал себя на мысли, что в последнее время ему много с чем приходится мириться, и это касается не только работы. Взять, к примеру, его личную жизнь. Точнее, то, что от нее осталось. Бывшая жена, с которой Конышев развелся около восьми лет назад, причем по ее инициативе, продолжает испытывать его терпение. Тогда, почти девять лет назад, все получилось не слишком красиво, а сейчас и того хуже. Но сейчас вспоминать об этом не ко времени, и Виктор Станиславович вернулся к невеселому рассказу о событиях, происходивших в его офисе в последние недели.

После случая с Тарановым — сделка с ним, кстати, так и не состоялась, несмотря на все уловки Гольдмана, — произошло еще несколько «обломов». Один касался продажи жилой квартиры, второй — помещения под рок-клуб. Похожая ситуация — клиенты, осмотрев помещения и оставшись довольными, вдруг в самый последний момент перед совершением сделки отказались от покупки, сказав, что нашли другой вариант...

Нет, всякое, конечно, бывало за время работы. И сделки срывались, и клиенты уходили из-под носа... Но чтобы три случая подряд? Такого не было. И интуиция подсказывала Виктору Станиславовичу, что тут дело нечисто. Кто-то явно копает именно под него.

Но если риелтором он был неплохим, то навыками сыщика не обладал совсем. И вообще, привык считать, что каждый должен заниматься своим делом. То есть ему нужен был профессионал. И, перебрав в голове всех своих знакомых, Конышев остановил выбор на генерал-лейтенанте Орлове. Он, конечно, понимал, что сам Орлов вряд ли станет заниматься его проблемами, но, имея в подчинении целое управление оперов и следователей, разумеется, сможет найти подходящего человека. Таким человеком оказался Лев Иванович Гуров...

...Гуров сидел, молча склонив голову с начинающими седеть висками, Конышев выжидающе смотрел на него.

— Ну и что вы от меня хотите? — спросил полковник.

— Как что? — растерялся директор конторы. — Разобраться в этом вопросе!

— Боюсь, что я ничем не смогу вам помочь, — скептически покачал головой Лев. — Не мой курятник. То есть все эти внутриструктурные «непонятки» — не по моей части. Я даже не представляю, что реально могу сделать для вас. Скорее всего, это кто-то из ваших конкурентов перебивает у вас клиентов, вот и все. Если тут вообще есть чье-то вмешательство.

— Но вы можете завести дело? — не отставал Конышев.

— Конечно, нет! — пожал плечами Гуров. — На каком основании? Никакого состава преступления пока не видно. Вы же не можете с уверенностью утверждать, что кто-то намеренно строит против вас козни! Кроме того, вы не можете никого конкретно назвать, кто мог бы стоять за этим. Вам угрожали? Нет. Что мы имеем в действительности? Мы имеем ряд сорванных сделок, от совершения которых отказались ваши клиенты. Вот и все. А они имеют полное право не соглашаться приобретать ваши помещения. Вы, что же, хотите, чтобы я предъявил претензии этому самому Таранову и остальным? Это просто смешно!

— Разумеется, вы правы! — кивнул Конышев. — Я, собственно, предполагал, что вы так и отреагируете...

— А как я еще могу отреагировать? — удивился Гуров. — Могу лишь посоветовать вам навести справки в вашей среде — может быть, кто-то в курсе того, что некие нечистоплотные люди переманивают у вас клиентов. Но даже если выяснится, что это так, я не смогу привлечь их к ответственности. Просто потому что нет такой статьи, понимаете? Они имеют такое же право искать клиентов и совершать сделки, как и вы. Понятия «личный клиент» в юриспруденции не существует.

— Я знаю, я знаю! — с жаром подхватил Конышев и даже приподнялся на стуле. — Но я просто хотел, как бы это выразиться, обратиться к вам не совсем... официально. Хочу выяснить, кто за этим стоит! Я не собираюсь добиваться, чтобы этих людей упекли за решетку. И, уже тем более, не хочу вешать на вас «глухаря», как у вас говорится...

Лев с трудом подавил улыбку. Повесить на него «глухаря» у Конышева все равно бы не получилось, ибо для возникновения такового нужно официальное нераскрытое дело. А такого дела в случае с Конышевым просто не может быть.

— Помогите мне, пожалуйста, — продолжал тем временем Виктор Станиславович. — Ведь у вас для этого гораздо больше возможностей. Мне просто нужно знать, кто решил меня потеснить! Поверьте, дальше уже я разберусь сам!

— Замечательно! — прокомментировал Гуров. — Вы потом в криминал вляпаетесь, верша самосуд, а я еще вам в этом поспособствую!

— Ну что вы говорите, какой криминал! — укоризненно блеснул очками Конышев. — Для решения своих проблем я выберу исключительно цивилизованные методы. Я вообще считаю, что всегда можно договориться. Люди должны уметь договариваться! Вот и с вами, думаю, это будет возможно. Вы поможете мне, а я — вам. Петр Николаевич жаловался, что у вас кабинет в плохом состоянии и что нужно помещение для хранения вещдоков, — поможем! Есть очень удобный склад, за вполне доступную цену, и я даже еще готов скинуть процентов пятнадцать от стоимости... Петра Николаевича такое предложение определенно заинтересует!

«Петра Николаевича, похоже, в последнее время интересуют только финансовые нужды управления, — недовольно

подумал Гуров. — Ему впору переквалифицироваться в за-
вхозы — у него отлично получается торговаться и выклянчи-
вать нужные средства! А Конышев не так прост, как кажется!
Не зря так ловко ввернул имя Петра Николаевича — знает,
кто генерал, а кто подчиненный! Я еще поговорю с Петром
на эту тему!»

Он задумчиво посмотрел на Конышева, потом на часы —
лимит, отведенный для беседы с директором риелторской
конторы, давно был превышен, и поднялся из-за стола:

— Ладно, Виктор Станиславович, я попробую что-нибудь
сделать.

На лице Конышева отразилось облегчение.

— Вот и хорошо! Я же говорю — люди должны уметь
договариваться. Вот, возьмите, так сказать, аванс... — Он
достал из кармана конверт и положил на стол, однако Гуров
решительно покачал головой:

— Это вы лучше Петру Николаевичу адресуйте. А мы уж
с ним сами потом договоримся.

Конышев удивился, неуверенно посмотрел на конверт и
медленно проговорил:

— Не знаю, не уверен, что это правильно. — Но конверт
все-таки положил обратно в карман. — Да! — спохватился
вдруг он. — Я же не сказал вам адреса нашей конторы. Записывайте!

Гуров, уже надевавший плащ, обернулся к нему с вопросом:

— Зачем он мне?

— Ну как же! Вы, наверное, захотите побеседовать с моими коллегами... Хотя бы с главными — Гольдманом и Красницким.

— Да зачем мне ваши Гольдман с Красницким! Вы лучше
дайте мне координаты всех клиентов, которые разорвали с
вами сделки. Ну а заодно и координаты конкурирующих
фирм. Если и начинать копать, то с этого конца. Можете
сейчас не напрягаться, завтра утром позвоните и продикту-
те мне по телефону. Вот моя визитка, — протянул Конышеву
белый прямоугольник Лев и взялся за ручку двери.

Конышеву ничего не оставалось, как выйти в коридор.
Они вместе спустились по лестнице, и по дороге Виктор
Станиславович еще пытался что-то объяснять Гурову, но

полковник слушал вполуха. Он уже переключился мысленно на встречу с женой, и заниматься проблемами директора конторы ему было совершенно неинтересно. Для этого есть завтрашний день. Поэтому на улице сразу же сел в свой автомобиль, коротко попрощавшись. Виктор Станиславович, несколько, казалось, разочарованный, постоял немного, глядя вслед скрывшемуся за поворотом автомобилю, после чего сел в свой «Лексус» и поехал домой.

Глава вторая

Следующий рабочий день, а точнее, утро, встретило Гурова хмурой физиономией Станислава Крячко, который, как это ни странно, без пяти восемь уже восседал в своем мягком кресле и потягивал кофе. Компьютер его был включен, и Станислав щелкал мышью, вглядываясь в экран, и даже что-то набирал на клавиатуре.

— Что это ты в такую рань? — спросил Лев, вешая плащ на плечики. — Никак в тебе проснулась страсть к работе писаря? Или печатника? Может, переквалифицируешься в секретари-машинистки? Правда, к Петру устроиться вряд ли получится — он с Верочкой ни за что не расстанется, а вот к кому пониже чином — можно.

— Отстань! — буркнул Крячко. — Я, между прочим, занимаюсь конструктивной работой!

— Чем? — Гуров настолько удивился, что даже положил плечики с плащом прямо на стул и подошел вплотную к Крячко, чтобы посмотреть, что он там такого делает.

У Станислава был открыт Интернет — извечный предмет препирательств обоих оперов, поскольку они до сих пор вынуждены были делить его на двоих — Орлов категорически отказывался платить двойную плату, а о том, чтобы подключить wifi-роутер, и слышать не хотел, а аргументы, насколько это удобно и выгодно, не принимал по причине не слишком большой технической продвинутости. Орлов вообще тяготел к работе по старинке, чего там греха таить.

В нем странным образом уживались две ипостаси: одна постоянно была недовольна тем, что многое в главке до сих пор находится на допотопном уровне, и неутомимо изыскивала пути для устранения этого, а вторая, осторожная и консервативная, ратовала за то, чтобы пользоваться привычными средствами. То есть там, где дело касалось ремонта — Орлов был двумя руками «за». Когда же речь заходила о том, чтобы пробить какой-то факт по компьютерной базе, Орлов, уклончиво обещая помочь, предпочитал пользоваться привычной картотекой. Делал он это, правда, тайком от сотрудников, особенно молодых и новых, но таким мастодонтам, как Крячко с Гуровым, разумеется, этот факт был хорошо известен. И даже требование Орлова сдавать отчетность в электронном виде была лишь попыткой угодить вышестоящему начальству, желанием не прослыть ретроградом, а заодно и дисциплинировать Крячко. Сам же Орлов вообще не любил читать тексты с компьютера и имел запасные варианты всех документов в обычном, бумажном виде.

На минувший день рождения младший полицейский состав торжественно преподнес генерал-лейтенанту в подарок электронную книгу, на которую скидывались всем отделом. Книга была дорогая, даже, кажется, с имитацией запаха бумажных страниц и шелеста при перелистывании. Орлов, улыбаясь, крепко жал руки своим коллегам, благодарил их и возвещал на все лады, как здорово, что технический прогресс не стоит на месте и насколько это удобно — иметь электронную книгу. Что он всегда мечтал о такой, и подчиненные здорово угадали с подарком. Сержанты слушали и цвели розами в саду, только Гуров и Крячко посмеивались исподтишка: им было отлично известно, что Орлов к этой электронной книге даже не притронется. Он в случае чего готов пойти в библиотеку — место, которое многие представители современного поколения считают атавизмом безвозвратно ушедшей эпохи, и даже просидеть полдня в читальном зале, лишь бы иметь удовольствие держать в руках томик настоящей, аутентичной книги, а не какой-то невразумительный кусок металлопластика.

Когда его спрашивали, как продвигается чтение и удобна ли книга в пользовании, Орлов с готовностью отвечал, что все отлично и что он посвящает чтению полезной книжицы ежедневно по два часа перед сном. Спрашивавшие расплывались до ушей и желали Орлову дальнейших успехов, тот благодарно улыбался, радуясь, что слывет в глазах подчиненных продвинутым пользователем новинок, — словом, все были счастливы, не подозревая, что генерал-лейтенант к новинке даже не притрагивается и приспособил ее как подставку для чашки с чаем...

Гуров перегнулся через плечо Станислава и увидел набранную в Яндексе строчку «СОЛО НА КЛАВИАТУРЕ» скачать бесплатно». Также были открыты несколько сайтов с сылками на упомянутый продукт, который Крячко безуспешно пытался скачать.

— Ты что же, решил в совершенстве освоить эту науку — печатать десятью пальцами? — Изумлению Гурова не было предела. — Ну, брат, уважаю! — хлопнул он Станислава по плечу. — Вот что значит профессиональный подход!

— Ты не хохми, а лучше помоги! — пробурчал Крячко.

— А в чем проблема-то?

— Да они тут совсем оборзели! Везде пишут, что бесплатно, а как начинаешь скачивать и устанавливать, и уже готово 99 процентов, вылезает надпись: «Чтобы пользоваться услугой в полной мере, отправьте смс на такой-то номер». Дураков ищут! Я уже один раз попался, знаю!

Крячко отвернулся к окну, а Гуров едва сдержал смех, вспомнив этот незабываемый случай. Станислав как-то раз от скуки, лазая по сайтам, наткнулся на какой-то тест на интеллект. Ему стало интересно выяснить свой ай-кью, и он принялся отвечать на вопросы, коих было порядка полутора сотен. Честно ответил на все, отправил запрос и получил ответ: «Ждите, ваши данные обрабатываются». После этого ему вежливо сообщили, что результат готов, но, чтобы его узнать, нужно получить код доступа. Нет-нет, никаких смс посылать не надо, достаточно просто ввести номер своего сотового телефона — на него и придет смс с кодом. Все бесплатно, честно, без обмана.

Многоопытный Крячко, тертый калач-опер, повелся на такую примитивную приманку и быстренько настучал свой номер в предложенной строчке, после чего, сгорая от нетерпения, стал ждать ответа — каков же его уровень интеллекта? Буквально через несколько секунд он его получил. Смс с кодом действительно прислали, и Станислав, введя его, прочитал, что уровень его интеллекта ниже среднего. Оскорбленный в лучших чувствах, он подумал, было, пройти тест еще раз, но предварительно решил поделиться своей обидой с лучшим другом — то есть Львом Гуровым — и позвонил ему. Каково же было его удивление, когда он обнаружил, что не может воспользоваться данной услугой.

Заподозрив неладное, Крячко решил проверить свой баланс и выяснил, что он составляет минус пятьсот сорок рублей... Но и это было еще не все. Сразу после того, как он узнал о минусовом балансе, ему не поленились прислать еще одну смс. Звучала она явно издевательски: «Недоволен услугой? Звони 8-800-0000-4315. Звонок бесплатный!»

Тут Станислав, окончательно убедившись, что данные об уровне его интеллекта, в общем-то, соответствуют истине, издал рык разъяренного льва, выдернул в бешенстве все провода компьютера из сети и дал зарок никогда в жизни больше не лазить в Интернет и не заходить ни на какие дурацкие сайты.

Потом, правда, остыл и вернулся к пользованию Интернетом, тем более что с него удобно было смотреть футбольные матчи, которые он не мог посмотреть по телевизору в прямом эфире, когда был занят на работе.

— Слушай, у тебя же сын — компьютерный гений! — напомнил Гуров. — Попроси его. Уж он-то наверняка скачает.

— Ага, дождешься от него! — раздосадованно произнес Крячко. — Часами за компом просиживает, да что там часами — сутками! И все ерундой занимается. А попробуй отец попроси что-нибудь по делу, сразу — отстань, па, я занят! Занят он! Лева, может быть, ты попробуешь? Ей-богу, у меня уже терпения не хватает!

— Раз у тебя не получилось, что я могу? — пожал плечами Гуров.

— Ну, ты же у нас самый умный в отделе, — заулыбался Крячко.

— Да ну тебя! — поморщился Лев. — Сам ерундой какой-то занимаешься! Печатай, как умеешь, осталось не так много! Больше времени потратишь, пока эту науку освоишь.

Открылась дверь, и на пороге показался генерал-лейтенант Орлов.

— Доброе утро, — произнес он вкрадчивым голосом.

— О! Еще одна ранняя пташечка! Тебя-то что привело к нам в этот прекрасный утренний час? — с иронией поинтересовался Гуров.

— А что, начальство не имеет права проверить, как идет работа у подчиненных? — тут же парировал Орлов.

Крячко при его появлении сразу сделал страшно занятой вид, защелкал непослушными пальцами по клавишам, показывая, что ему недосуг заниматься пустой болтовней и сыпать шуточками в период аврала. Пусть этим занимаются такие бездельники, как Гуров с Орловым.

— Ну что, Лева, побеседовал с Конышевым? — спросил генерал, присаживаясь на стул.

— Разумеется, — с ехидцей ответил Лев. — Разве можно ослушаться приказа начальства? Тем более если оно генеральские погоны носит?

— Что думаешь делать?

— Ну, я пообещал ему побеседовать кое с кем из его клиентов — сделаю. Пока больше не вижу вариантов. И вообще, Петр, хочу тебе заметить, что дружба со спонсорами, конечно, дело хорошее и нужное, только и о своем служебном составе забывать не стоит. Я должен тратить время на эту ерунду, хотя там ничего по моей части и близко нет! Ты перед этими спонсорами травой стелешься, а расхлебывать нам!

— Ага, точно! Он за новые унитазы штабелем готов лечь! — подал голос Крячко, точивший зубы на Орлова из-за пресловутых печатных документов.

При этом Гуров отметил, что Стас хоть и старательно делал вид, что занят своим делом, уже навострил уши и пока что не пропустил ни слова из беседы Гурова с Орловым.

— Я тебя по-дружески попросил, — укорил Гурова Орлов. — Ничего не приказывал, заметь! К тому же, обещал освободить от бумажной работы. А я слово свое держу. Так вот — освобождаю, можешь ехать прямо сейчас.

— А кто за меня документацию доделает? — недовольно проговорил Гуров. — Там еще часа на два работы.

— А Станислав на что? — искренне удивился Орлов. — Вот он и доделает. У него до конца рабочего дня впереди целых восемь часов, так что даже с его темпами все успеется.

Нужно было видеть, как вытянулась обычно круглая физиономия Крячко. Такого развития событий он никак не ожидал ни от Орлова, ни тем более от Гурова.

— Это что за подстава? — вращая глазами, спросил он, поднимаясь со стула. — Это вы сговорились, что ли? Лева? Ты заранее все подстроил?

— Станислав, я тебя уверяю, что... — начал Гуров, но Крячко резко оторвался от стула и протопал к двери, задев по пути Орлова своим мощным торсом.

— Короче, хватит из меня козла отпущения делать! — провозгласил он от двери. — Дураков ищите в другом месте! — И, хлопнув дверью, скрылся с глаз своих друзей, поступивших с ним столь коварно, как он считал.

Орлов лишь усмехнулся и покачал головой.

— Он и впрямь может подумать, что мы с тобой сговорились, — заметил Лев.

— Да ладно, что мы, первый день друг друга знаем, что ли? Сколько ему там осталось печатать-то?

— Ой, не знаю! — честно ответил Гуров. — Думаю, что немало. И чего ты его мучаешь? Знаешь же, что для него это муки адские. Дольше него в отделе никто с документами не возится. Нашел бы, кем его заменить.

— Ему на пользу! Пусть не забывается! — назидательно произнес Орлов и тоже поднялся. — К тому же, важных дел сейчас все равно нет. А если Станиславу не поручить ничего, он засядет за Интернет и всякие игрушки, в результате чего потеряет форму, выбьется из графика, так что вернуть его потом туда будет сложно.

— О как! — уважительно произнес Гуров. — То есть ты это все от заботы о нем?

— Исключительно! — кивнул генерал-лейтенант и, дойдя до двери, добавил: — Когда по Конышеву какой-то результат оформится, не сочти за труд — сообщи мне.

— Да уж непременно! С удовольствием сообщу, что моя работа по нему закончена! — в сердцах бросил Лев, снова надевая плащ, который он так и не успел повесить в шкаф.

Координаты клиентов Конышева, с которыми не состоялись сделки, у него уже были: неугомонный Виктор Станиславович не утерпел и прислал ему их эсэмэской еще вчера вечером. И теперь Гуров направлялся к первому, значившемуся в списке, коим был Таранов Александр Юрьевич.

Конышев сообщил Гурову не только фамилию-имя-отчество несостоявшегося клиента, но также и то, что он является учредителем ЗАО «Спортгейм-М», объединяющего сеть бильярдных клубов. Здесь же были представлены адреса этих бильярдных, а также главного офиса Таранова. Однако где именно его искать, Гуров не имел ни малейшего представления и для начала решил все-таки позвонить Александру Юрьевичу, благо Конышев приложил к своим данным еще и номера его телефонов.

По первому же ответил сам Таранов. Гуров, представившись своим настоящим именем, попросил о встрече. Таранов, разумеется, удивился, что с ним хочет побеседовать полковник Главного управления МВД, но отказываться от встречи не стал, и через полчаса Гуров уже входил в главный офис Таранова, располагавшийся на Комсомольской площади.

Александр Юрьевич был не очень высок, но атлетично сложен. Выражение лица серьезное, деловое. Он пожал Гурову руку, предложил сесть в кожаное кресло, сам остался стоять и без предисловий начал:

— Что вы хотели у меня узнать? У меня не слишком много времени.

— Расширяетесь? Строительством занимаетесь? — поинтересовался Гуров.

Таранов бросил на него настороженный взгляд, потом ответил:

— И строительством в том числе. Так все же, зачем вы пришли?

Гуров не стал тянуть резину.

— Я слышал, что вы ищете помещение для очередного спортклуба...

В глазах Таранова промелькнуло удивление, однако он не стал выдавать своих чувств, только коротко кивнул.

— Уже нашел. Вы это хотели узнать?

— Не только. Мне просто любопытно — что за помещение? Где, в каком районе? Я, вообще-то, всегда любил бильярд, вот захотелось вспомнить молодость, шары покатать. Однако никак не могу найти подходящий клуб, все на каком-то доморощенном уровне. А вот о ваших бильярдных слышал только хвалебные отзывы.

Таранов перекатился с пятки на носок и обратно, потом развел руками и сказал:

— Так за чем дело стало? Новый еще нужно приводить в порядок, оборудовать, искать обслуживающий персонал — это дело не такое быстрое, как хотелось бы. У нас есть бильярдные, которые давно открыты и успешно функционируют. Так что милости просим. Прямо сейчас дам адрес, и выбирайте любой. Сам я чаще всего провожу время в той, что у Чистых прудов.

— А новая, я слышал, будет в Сокольниках? — как бы ненароком спросил Лев.

Таранов пристально посмотрел ему в глаза и сухо ответил:

— Нет. — Потом, немного помолчав, произнес: — Лев Иванович, давайте говорить прямо. Я далеко не идиот и понимаю, что полковник МВД вряд ли приедет ко мне лично, чтобы поинтересоваться адресами моих бильярдных, тем более что все они есть в Интернете. Уж тем более я не поверю, что вы хотите узнать, как продвигается мое строительство. У вас явно профессиональный интерес ко мне. И думаю, что интерес этот связан как раз с новым клубом. А так как вы спросили про помещение в Сокольниках, то это как-то связано с Конышевым. Я не ошибаюсь?

Гуров закинул ногу на ногу и ответил:

— В чем-то вы правы. Я не стану вдаваться в подробности, скажу лишь, что мы занимаемся разработкой одной мошеннической организации, вклинившейся на риелторский рынок. В связи с этим приходится мониторить все риелторские конторы и совершенные ими сделки. Ряд несостоявшихся сделок нас насторожил, в том числе и та, которую вы намечали с Конышевым.

Таранов внимательно выслушал Гурова, хмуря брови и постукивая пальцами по дверце шкафа, стоявшего в углу кабинета. Он так и не присел за время беседы, словно хотел подчеркнуть, что она должна быть короткой. Наконец Александр Юрьевич нарушил молчание:

— И все же я не понимаю, что вы хотите от меня. Что подозрительного в том, что я не заключил сделку с Конышевым? Разве я не имею право выбирать? Я хочу выгодно купить, Конышев — выгодно продать. У каждого свой интерес.

— Но вас же полностью устраивал предложенный Конышевым вариант? — напомнил Гуров.

— А потом перестал устраивать! — резко ответил Таранов. Однако тут же взял себя в руки и добавил смягчившимся тоном: — Хорошо, я тоже буду с вами откровенен. Да, я нашел другой вариант, который представляется мне более подходящим.

— Что, более выгодно по цене?

— Да, весьма. И район — лучше не придумаешь.

— И кто же предложил вам такой шоколадный вариант?

— А вот это, извините, я вам сообщать не обязан. У меня тоже есть профессиональные секреты. Вы расследуете свое дело, но ко мне у вас не может быть претензий, я ничего не нарушал. И сообщаю вам все эти сведения просто из вежливости и уважения к вашим погонам. Скрывать мне нечего, но, честное слово, я очень не люблю, когда лезут в мои личные дела.

— Вы абсолютно правы, Александр Юрьевич, — подавив вздох, кивнул Гуров. — Я, кстати, вполне разделяю ваши чувства и желания. Но хочу только предупредить — будьте осторожны.

Таранов вскинул голову и испытующе посмотрел на Гурова.

— Что вы имеете в виду? Вы меня запугать пытаетесь?

— Да боже упаси! — махнул рукой Лев. — Наоборот, я вам очень признателен за откровенность. Вы и в самом деле не обязаны отвечать на мои вопросы. Просто напоминаю пословицу о том, что бесплатный сыр бывает лишь в мышеловке. А теперь позвольте маленький совет личного свойства — не торопитесь со сделкой. Если вы еще не подписали документы, не спешите. Обдумайте все хорошенько после моего ухода и помните — я вам не враг. Если что-то захотите добавить, вот вам мои координаты. — Он поднялся с кресла, оставив на столе свою визитку, и пошел к двери, бросив на прощание: — Всего доброго, Александр Юрьевич!

Таранов проводил его задумчивым взглядом. Потом подошел к столу, взял визитку, прочитал и сунул к себе в нагрудный карман.

Сидя в машине, Гуров думал о том, что, как и предполагал заранее, занимается мышиной вознёй. Никто ничего ему не скажет, да и криминала, скорее всего, никакого в деле Конышева нет. Просто появился некий ловкий риелтор, который шустрит на рынке и перекупает клиентов. Дело, может, и не совсем красивое с этической точки зрения, но вполне допустимое юридически. И Гуров бросил бы им заниматься прямо сейчас, если бы не его обещание Орлову проверить все до конца. Да и других дел пока все равно не было.

Оставались еще ребята из рок-клуба и молодая семья — это из числа тех, кто в последний момент отказался покупать помещение Конышева. До рок-музыкантов он дозвониться не мог, а вот глава молодой семьи трубку снял. Правда, сказал, что сейчас занят и освободится только ближе к вечеру. Махнув рукой — он вообще не любил бежать впереди паровоза и рвать жилы там, где не следовало, — Гуров решил оставить пока все как есть. В конце концов, ему никто не ставил никаких сроков, да и срочности никакой в этом деле он не видел. Не выпрыгивать же теперь из штанов из-за того, что он не может пообщаться с людьми, от слов которых зависит прояснение этой ситуации. И Гуров поехал в управление, хотя бы для того, чтобы просто перекусить в местном буфете, поскольку еще не успел сегодня позавтракать.

В буфете он взял себе два салата — фруктовый и овощной, омлет с сыром и кофе с круассанами и уже занял свое привычное место у окна, как в зал размашистой походкой вошел Станислав Крячко. Подойдя к очереди, он потребовал пропустить его вперед, сыпля направо и налево вопросами, почему все не на рабочих местах. Расшугав всех сержантов, довольный Крячко взял себе с полдюжины булочек с сахарной посыпкой, двойной кофе и с улыбкой на круглой физиономии направился к свободному столику, неся поднос на вытянутых руках.

Тут взгляд его упал на Гурова, и поначалу на его лице отразилось радостное удивление. Но, вспомнив, что находится в состоянии кровной обиды на лучшего друга, быстро затормозил и свернул к другому столику. Однако от резкого торможения его занесло на повороте, и Стас, потеряв равновесие, ухватился рукой за соседний столик. Легкая конструкция накренилась, готовая повалиться на пол, качнулось блюдо в руках Крячко, и он, наплевав на столик, принялся на лету подхватывать посыпавшиеся с него булочки. С поразительной виртуозностью ему удалось подхватить все и даже почти не расплескать кофе. Столик же с грохотом упал, задев собой расставленные вокруг него стулья. В последний момент Гуров, сидевший совсем рядом, схватил столик за ножку и аккуратно водрузил на место.

Крячко оказался в сложной ситуации: с одной стороны, он должен был поблагодарить Льва, но с другой — выдержать характер. Станислав решил пойти на компромисс. Буркнув сквозь зубы «спасибо!», принялся расставлять стулья по местам. Гуров наблюдал за ним с беззлобной насмешливостью.

— Ты чего такой радостный? — спросил он. — Никак отчет закончил?

— А ты что тут делаешь? — проигнорировал вопрос Стас. — Тебя же вроде на важное спецзадание отправили как лучший мозг отдела? Это нам, сирым и убогим, приходится всякой ерундой заниматься.

— Сообщаю к твоей великой радости, что в своем спецзадании лучший мозг зашел в тупик, — улыбнулся Гуров. — Прямо-таки безвыходная ситуация.

— Да? — недоверчиво покосился на него Крячко и тут же добавил: — Впрочем, мне без разницы. Меня все равно к этому делу не допустили!

— Да нет никакого дела. Ладно, Стас, кончай обиды из пальца высасывать, давай лучше с тобой перекусим и поговорим спокойно.

Крячко не умел долго злиться. Он уже и сам считал инцидент исчерпанным, к тому же, его не покидала мысль как-то подступиться к тому таинственному заданию, которое поручил Гурову Орлов, и набиться к нему в помощники. Все это исключительно ради того, чтобы избежать возни с документацией.

Гуров кратко изложил ему ситуацию и подвел итог словами:

— В общем, осталась эта молодая семья, на которую я вообще не возлагаю никаких надежд — мало ли, почему люди передумали покупать квартиру! Ну и эти рок-музыканты. Насколько мне известно, они пока никакого помещения не приобрели и обитают в некоем полуподвальном помещении на Бауманской. Ехать туда лучше всего ближе к вечеру, так как они народ творческий и вряд ли приезжают на работу к восьми утра.

У Крячко заблестели глаза.

— Слушай, Лева! — придвинувшись к Гурову ближе, просительно заговорил он. — Отдай мне этих музыкантов, а?

— То есть, что значит — отдай? — не понял Лев.

— Ну, давай я к ним поеду! Не бойся, я все узнаю — чего они там и у кого покупать собрались!

— Стас, тут особая специфика. Люди другие, с ними нельзя разговаривать так, как с Тарановым. Здесь другой подход нужен, тонкий...

— Тонкий, толстый — мне по барабану! Я отлично знаю, какой подход нужен к таким людям! — хмыкнул Крячко.

— Да? — иронично спросил Гуров. — Неужели? Твои детство и юность прошли в кругу творческой молодежи? Первый раз слышу!

— Лева, мои детство и особенно юность прошли в таких кругах, что я к любому найду подход, не то что к этим волосатикам!

— С чего ты взял, что они волосатые?

— Так это ж рок-музыканты! Они все на одно лицо!

— А что ты Петру скажешь? — усмехнулся Гуров, который в принципе не возражал перекинуть на Крячко хотя бы какую-то часть дела Конышева.

— Его после обеда не будет — его в министерство вызвали, — сообщил Крячко. — А мне уже его идиотские поручения — во где! — провел он рукой по горлу. — Так что как только свалит, я с чистой совестью могу заниматься тем, чем сам считаю нужным!

— А как ты ему завтра отчетность представишь?

— А кто сказал, что я ему ее представлю завтра? — искренне удивился Стас. — Доложу, что работал весь день. Петру же совершенно необязательно знать, где я был и что делал сегодня после обеда! Так что можешь даже блестящие результаты моей работы присвоить себе и, как обычно, заграбастать все лавры. А мне достойная награда — не видеть все эти буквы и строчки, будь они неладны! А Петру скажу, так, мол, и так, честно работал, но печатаю я медленно, этому делу не обучался, так что не обессудь, успел сделать только одну страницу. Не нравится — нанимай другого на эту работу.

— То есть ты решил вот так его побороть! — засмеялся Гуров.

— Конечно! Он думает, что хитрее всех? Ха! Обхитрить Крячко у него кишка тонка! — Станислав самодовольно выставил грудь вперед. — Короче, давай мне их адрес и не беспокойся: все будет сделано в лучшем виде!

Гуров написал на листке адрес, Крячко пробежал его глазами и, довольно потирая руки, приступил, наконец, к булочкам...

Полуподвальное помещение на Бауманской выглядело довольно стандартно. Лишь невзрачная вывеска с надписью «Интермедия» возвещала о том, что здесь находится заведение, имеющее отношение к искусству. Крячко, который понятия не имел о том, что такое интермедия, все-таки догадался об этом.

Он осмотрелся по сторонам. У входа был припаркован один-единственный автомобиль марки «Лада-Приора». Подойдя к лестнице, Крячко заглянул вниз. В окнах горел свет, доносились слабые звуки музыки. Он удовлетворенно отметил, что публика на месте. По крайней мере, какая-то часть музыкантов сейчас находилась в «Интермедии» и репетировала. От Гурова Станислав знал, что рок-клуб как таковой еще не открылся, концерты здесь если и проходят, то редко и, в основном, для узкого круга, то есть неофициально собирается «своя» публика. По сути это была просто репетиционная база, плавно перетекавшая иногда в тусовку.

Крячко вразвалочку спустился вниз по лестнице и взялся за ручку двери. Она свободно подалась, и Станислав оказался в узеньком предбанничке, из которого вела еще одна дверь в другую комнату. Без труда открыв и ее, он прошел в основное помещение, которое представляло собой две смежные комнаты. В ближайшей располагалась различная аппаратура, стены были обшарпанными, кое-где на них висели изображения неких рок-групп и отдельных музыкантов, никто из которых не был знаком Крячко. Вторая комната была чуть больше, и там-то и проходило главное действие. В совсем маленькой клетушке находилась ударная установка, за которой сидел барабанщик в наушниках. Остальные музыканты сгрудились в рядок у стены. Их было четверо. Они, к удивлению Крячко, оказались совсем не волосатыми, только у одного русые волосы средней длины были забраны в хвост на затылке. Навскидку, всем от двадцати до двадцати пяти. При появлении Крячко они оторвали головы от своих нотных партитур и обратили взгляды на него. В пухлой серой куртке, видавшей виды, в помятых брюках и вязаной шапочке на голове, Стас не производил впечатления близкого им по духу человека, тем не менее, они молча ждали, что он скажет.

— Здоро́во, ребята! — радостно провозгласил с порога Крячко. — Играем?

Музыканты переглянулись и дружно кивнули.

— Здо́рово!

— А можно послушать?

Музыканты переглянулись, и один из них, в черной бандане, похожий на средневекового викинга, неуверенно протянул:

— Ну... Слушайте. Только у нас пока репетиция, материал еще не готов.

— Да это ничего! — тут же успокоил его Стас, усаживаясь на табурет, стоявший посреди комнаты, и перекладывая лежавшую на нем стопку компакт-дисков прямо на пол. — Я люблю музыку послушать! Слышал, что играете вы хорошо, вот и зашел. У меня сын вас слушает.

На лицах музыкантов появилось выражение еще большего удивления, смешанного с интересом.

— А ваш сын у нас был? — спросил клавишник.

— А как же! Неоднократно. Очень хвалит. У него вся комната такими вот картинками оклеена, — кивнул на изображения неведомых ему музыкантов Крячко. — Вот я и решил тоже послушать. Оценить, так сказать.

Клавишник неуверенно посмотрел на своих коллег по цеху, потом спросил:

— А вы сами какое направление предпочитаете?

Станислав в направлениях современной музыки разбирался примерно как свинья в апельсинах, однако смущаться было не в его правилах, и он храбро заявил:

— Да мне без разницы. Сбацайте что-нибудь эдакое, чтоб за душу взяло!

На лицах музыкантов явственно отразился вопрос — что это за лох? Клавишник, который, видимо, был тут за старшего, что-то сказал своим коллегам. Ударник загрохотал по барабанам, а следом потекла музыка. Крячко закинул ногу на ногу и даже принялся постукивать по коленке, стараясь попадать в такт, попутно отмечая, что вокал не вызывает у него приятных эмоций. Композиция длилась минуты четыре и отличалась простотой и незамысловатостью, как музыкально, так и текстуально, но группа пыталась компенсировать это протяженными и эмоциональными соло на инструментах.

— Молодцы, — похвалил Станислав, когда музыканты закончили. — Таланты! А что же вы в таком затрапезном месте-то обретаетесь? Нашли бы что-нибудь получше. У меня вот как раз помещение есть подходящее, могу подогнать. От центра, правда, далековато, зато недорого! И ремонт там недавно сделали.

— У нас, вообще-то, этим вопросом занимается руководитель, Вячеслав Сергеевич. Вам лучше с ним поговорить, — ответил клавишник.

— Да мы же уже подобрали помещение, Артем! — не слишком довольным голосом вставил барабанщик. — Зачем еще что-то менять?

— Да? И за сколько? — живо заинтересовался Крячко.

Музыканты заерзали на своих местах.

— Не, ну, по-свойски-то, можно сказать? Не у Щелковской сарайчик? Так я вам лучше подгоню! — не отставал Стас.

В помещении повисла тишина.

— Это к Вячеславу Сергеевичу, — наконец вяло проговорил клавишник.

Группа всем своим видом давала понять, что присутствие дотошного дядьки с его коммерческими предложениями их откровенно утомляет. Но от Крячко было не так просто отвязаться. Он отлично знал, зачем сюда пришел, и не намеревался уходить, не получив ответов на свои вопросы.

— А кто вам предложил это помещение?

— Слушай, дядя! — не выдержал барабанщик, выглянув из своей клетушки. — А тебе какое дело? Ты вообще кто будешь?

Крячко не спеша поднялся с табурета. Выражение лица его стало хмурым и сосредоточенным. Он молча подошел к барабанщику, держа правую руку в кармане куртки, затем вытащил ее, и все увидели ствол пистолета. Пока длилась немая сцена, Стас ловко, уверенным движением завел руку барабанщика назад, отчего тот сразу же вскрикнул, ткнул ему ствол в бок и потребовал:

— Карманы выверни!

Барабанщик извивался, пытаясь вырваться, однако Крячко держал его мертвой хваткой. Музыканты повскакали со своих мест с перепуганными глазами и бросились к ним. Стас вскинул ствол и крикнул:

— Стоять на месте! Главное управление МВД, полковник Крячко!

Музыканты застыли как вкопанные, а он сунул левую руку в карман барабанщика, порылся в нем и с явным удовлетворением извлек на свет божий спичечный коробок. Открыв, поднес к носу, понюхал и довольно произнес:

— Что и следовало доказать. Травку покуриваем? И распространяем, а? Для того и клуб открывать собираемся? То есть как прикрытие для торговли наркотиками?

— Да вы что? — воскликнул клавишник. — Мы не занимаемся торговлей наркотиками!

— А это что? — повертел Крячко в воздухе рукой с зажатым коробком. — Мама приправу для супа попросила купить?

Все молчали.

— Значит, так. Срок у вашего друга уже имеется. Но если он честно ответит на мои вопросы, я могу забыть о том, что нашел эту штучку в его кармане. Кстати, если проверить ваши, думаю, что там найдется тоже много чего интересного.

У музыкантов забегали глаза. Клавишник открыл, было, рот, чтобы что-то сказать, как послышался звук открываемой двери, и в комнату вошел усатый, довольно приятной внешности мужчина лет пятидесяти. Увидев, что какой-то здоровенный детина держит пистолет прижатым к боку согнутого пополам барабанщика, он ошеломленно оглядел остальных музыкантов и отпрянул к двери.

— Стоять на месте, сохранять спокойствие! — голос Крячко звучал бодро и весело.

— Что... Что здесь происходит? — дрожащим голосом спросил мужчина, стараясь сохранять хладнокровие.

— Вячеслав Сергеевич! — бросился к нему один из музыкантов.

— Я сказал, на место сядь! — рявкнул Станислав, направляя на него ствол.

Тот поспешно вернулся в исходное положение, а он обратился к вновь прибывшему:

— Значит, дела такие, Вячеслав Сергеевич! Скверные, скажу вам сразу, дела. Вы, я так понимаю, руководитель этого самого ансамбля?

— Группы, — машинально поправил его Вячеслав Сергеевич.

— Ну пусть так, — согласился Крячко. — У одного из ваших, так сказать, подчиненных мною обнаружен коробок с коноплей общим количеством примерно 10 граммов. То есть достаточным для заведения уголовного дела.

Директор молчал. На лице его застыло мрачное выражение, он обвел своих подопечных явно неодобрительным взглядом.

— Это я еще других не обыскивал! — услужливо поведал ему Крячко.

— Ну, меня обыщите, — улыбнулся вдруг Вячеслав Сергеевич.

Крячко внимательно посмотрел на него, а директор продолжил:

— Давайте отойдем в другое помещение, там будет удобнее...

Полковник окинул глазами музыкантов, которые явно чувствовали себя не в своей тарелке, и последовал за ним. Тот вывел его в первую комнату, провел в угол, где стоял стол, предложил присесть и снова улыбнулся, правда, несколько натянуто.

— Я так думаю, что вы пришли сюда не для того, чтобы посадить наших музыкантов.

— Кто знает, — философски отозвался Крячко. — Вообще-то, меня интересует ваше помещение.

— Наше помещение? — неподдельно удивился Вячеслав Сергеевич. — Вы хотите его... приобрести?

— Да на фига оно мне? Я хочу знать, какое помещение вы собираетесь приобретать вместо этого и, главное, кто вам его предложил. Если вы мне честно все скажете, я готов пойти на уступки касаемо ваших музыкантов.

— И все?

— Ну, главным образом, да, — пожал плечами Крячко. — Только, разумеется, я должен буду проверить ваши данные, а на это потребуется время. Так что коробочек я сохраню у себя. Да я его так и так заберу, и, пока проверю, не вешаете ли вы мне лапшу, он послужит своего рода залогом вашей правдивости.

Вячеслав Сергеевич молчал, обдумывая предложение Крячко.

— Да тут, собственно говоря, особого секрета нет, — начал он. — Помещение мне предложила фирма «Твой дом», а точнее, ее директор.

— Так, что за фирма, что за директор?

— Обыкновенная риелторская контора. Офис находится на Таганке, правда, я там еще не был.

— Вот как? — скосился на директора Крячко. — А где ж вы были?

61

— Мы с ее представителем встречались как раз на том самом месте, где находится заинтересовавшее меня помещение, — вздохнул Вячеслав Сергеевич.

Крячко посмотрел на него тяжелым взглядом и медленно отчеканил:

— Теперь. Еще раз. С самого начала. Как зовут представителя? Где находится «то самое место»? Ну и, наконец, как вообще вы пересеклись с этим представителем?

— Значит, по порядку, — спокойно и вежливо заговорил директор, — представителя зовут Андрей Марычев, место — у Курского вокзала. Они сами мне позвонили и спросили, интересует ли меня помещение под рок-клуб?

— А как они узнали, что оно вас интересует?

— Понятия не имею, — пожал плечами Вячеслав Сергеевич. — Дело в том, что я уже обращался в одну риелторскую контору...

— К Конышеву?

— Да, а откуда вы... Впрочем, неважно. Да, сначала мне понравилось то место, что предложил Конышев. Но поступившее встречное предложение оказалось более выгодным. К тому же... — Вячеслав Сергеевич вдруг замялся, не зная, говорить дальше или нет.

— Что такое? — живо спросил Крячко. — Есть еще какие-то факты? Да говорите уже, я ведь просто так не отстану! Уговор у нас с вами и так шоколадный в вашу пользу, и мое обещание отпустить с миром ваших музыкантов — просто милость божия. Но за это я из вас вытяну все! — И Стас многообещающе погрозил Вячеславу Сергеевичу пальцем.

— Да я не собираюсь что-то утаивать, просто это непроверенные данные, — принялся оправдываться руководитель коллектива. — Словом, про эту контору всплыли... не слишком приятные факты.

— Про конышевскую? — уточнил Крячко.

— Ну да. Поговаривают, будто они в свое время занимались незаконным бизнесом. Точнее, даже полным беспределом. Помните середину девяностых? Когда людей просто выгоняли с законных мест, переселяя в какие-нибудь хибары на выселках? И это еще в лучшем случае! А конышевская контора... Одним словом, после того, как связывались с ней, люди просто исчезали. Насовсем...

Последнее слово Вячеслав Сергеевич произнес тихо. Крячко почесал лоб — такого он явно не ожидал услышать. Потом спросил:

— А откуда это стало известно?

— Ну, говорят... — поиграл рукой в воздухе Вячеслав Сергеевич.

— Кто говорит? — пригвоздил его взглядом Крячко.

— Один из наших музыкантов прочел в Интернете статью, в которой как раз говорилось об этом. Я не знаю, насколько это правда, но, от греха подальше, решил подстраховаться и отказаться от услуг этой фирмы, тем более что как раз поступило новое предложение.

Крячко задумался. Полученные им сведения были неожиданны и интересны, но они нуждались в проверке. А заняться этим можно было только завтра — сегодня уже по-любому поздно.

— Давайте сюда этого вашего музыканта! — потребовал он.

Вячеслав Сергеевич прошел в комнату и вскоре вернулся вместе с клавишником, который вошел, поеживаясь и настороженно поглядывая на Крячко.

— Ну, колись давай, где статейку-то нашел, — сказал Крячко.

— Да в Интернете! Просто читал про риелторские конторы — мы как раз помещение собирались покупать, набрал фамилию Конышев, чтобы их телефон уточнить, а у меня один сайт вылез, который мне показался заслуживающим внимания. Это неофициальный сайт был, понимаете? Остальные все официальные, там все по стандарту — адрес, телефон, часы приема... А тут просто статья, в которой рассказывалось, что Конышев поднялся благодаря тому, что в свое время людей на улицу выбрасывал, а порой и просто убивал. Не сам, конечно. У него банда отморозков была. Я еще читал...

— Так, вот что, читатель! — перебил клавишника Крячко. — Ты мне скажи, как этот сайт найти, я его сам почитаю!

— Ну как? Набираете — Конышев Виктор Станиславович, поисковик вам выдает результаты, просматриваете их и выбираете нужный! Вот и все!

По словам и интонациям клавишника все выходило легко и просто. Но не для Станислава Крячко. Он был человеком конкретным. Что-то где-то набираешь и что-то где-то получаешь — это не для него. Да и с Интернетом Станислав не слишком-то дружил, даром что являлся отцом «компьютерного гения», по крайней мере, начинающего...

— Ты мне не трынди, — махнул он рукой. — Ты вот что, завтра в двенадцать часов приезжаешь в главное управление МВД, поднимаешься в мой кабинет, я тебя сажаю за компьютер, и ты при мне все это дело набираешь и находишь. Ясно?

— Да зачем в управление-то? — взмолился клавишник. — Я же вам все объяснил!

— Мне объяснять не надо! — категорически заявил Крячко. — Мне надо пальцем показать! Короче, завтра в двенадцать я тебя жду.

Клавишник заморгал глазами. Ехать в МВД ему явно не хотелось, однако находясь сразу под двумя суровыми взглядами — Крячко и своего непосредственного руководителя, — он вынужден был сдаться, осознав неравность сил, и обреченно вздохнул:

— Хорошо.

— Вот и лады! — Станислав засунул пистолет в карман куртки и направился к двери. На пороге он вдруг обернулся: — На всякий случай предупреждаю: если соврал, у вас всех такое количество анаши найдут, что весь коллектив пожизненное получит, понял?

Клавишник лишь кивнул, а Вячеслав Сергеевич судорожно переступил с ноги на ногу. На улице, наматывая потуже шарф, Крячко услышал доносившиеся снизу вопли:

— Какого хрена у вас открыта дверь? Не клуб, а проходной двор! Какого хрена таскаетесь сюда со своей дурью и пускаете кого попало?! Разгоню всех, к чертовой матери!

Технический директор рок-группы вовсю распекал своих проштрафившихся подопечных, причем выбирал для этого не самые интеллигентные выражения...

Глава третья

— Значит, риелторская контора «Твой дом», как зовут директора, неизвестно, один из представителей — Марычев Андрей, — зачитывал на следующий день Крячко полученные в рок-клубе данные. — Это они подвинтили музыкантам новое помещение.

Гуров старательно переписал сведения в свою записную книжку. Они с Крячко сидели в буфете, где только что покончили с обедом. Обсудить накопившиеся сведения раньше не получилось — Гурова с утра вызвали на новое дело, обещавшее быть очень серьезным. Однако оно оказалось не по части их управления, и полковник, возложив его на плечи военной прокуратуры, вернулся в свою вотчину, где и встретился с Крячко. Орлова не было в поле зрения, и обоим сыщикам как-то не хотелось идти к нему в кабинет, дабы поинтересоваться, присутствует он на рабочем месте или нет. Крячко вообще старался в эти дни держаться подальше от начальства.

— Ну, ты молодец, Стас! — похвалил Гуров. — Признаться, не ожидал, что так быстро все разузнаешь,

— Я ж тебе говорю — я к каждому свой подход знаю, — подмигнул ему Крячко и вдруг, посерьезнев, спросил, понизив голос: — Слушай, Лева, а ты вообще хорошо этого Конышева знаешь?

— В общем, нет, — пожал плечами Гуров, — это орловская креатура. А что?

— Да понимаешь, какое дело... — принял озабоченный вид Стас. — Фигура-то он, получается, мутноватая. Я, правда, до конца смогу разобраться только сегодня — как раз жду одного кадра. Пока могу лишь поделиться с тобой предварительными данными.

Однако поделиться предварительными данными Крячко не успел — у Гурова зазвонил телефон, и он, сделав Крячко знак умолкнуть, ответил.

— Лев Иванович! — раздался взволнованный голос Конышева. — Вы сейчас на месте?

— Да, Виктор Станиславович. Как раз занимаемся вашими проблемами. Кое-что даже удалось выяснить...

— Бросайте этим заниматься! У нас тут проблемы посерьезнее! Я вас очень прошу — приезжайте ко мне в контору немедленно! Мне так или иначе придется вызывать полицию, так что пусть лучше это будете вы! Я жду вас, срочно! Записывайте адрес — Чаплыгина, 8.

Гуров ничего не успел понять — Конышев отключил связь. Посмотрев на Крячко удивленным взглядом, он сказал:

— Похоже, там что-то случилось. Ладно, побеседуем после. Придется ехать.

— Можно с тобой? — подхватился, было, Стас, однако Гуров осадил его:

— Нет. Во-первых, я сам не знаю, что там случилось, во-вторых, ты, кажется, ждешь важного кадра. Вот когда я вернусь, перескажешь мне свою беседу с ним.

И полковник, спустившись к своему автомобилю, отправился на улицу Чаплыгина.

Конышев положил телефонную трубку и посмотрел на часы. Он ожидал важного для себя момента: сейчас должны были приехать клиенты для оформления сделки и привезти наличные. Виктор Станиславович всегда предпочитал брать наличными, а уже потом сам клал их в банк на собственный счет. День обещал быть очень насыщенным: на сегодня намечены сразу три сделки, одна за другой, и все с получением денег. А потом ему нужно будет съездить в нотариальную контору, а вечером отвезти деньги в банк в сопровождении специально нанятого для этой цели человека, обеспечивавшего вооруженную охрану. Будучи человеком осторожным, Конышев никогда не возил крупную сумму в одиночку.

До назначенной встречи оставалось несколько минут, и он вышел в приемную. Там, помимо секретарши Люды, никого не было. Конышев направился в кабинет риелторов. Лев Абрамович Гольдман находился на своем месте. Поправляя сползавшие с носа очки, он сосредоточенно перечитывал какие-то документы.

— У вас все готово, Лев Абрамович?

— Да-да, Виктор Станиславович! — отозвался тот.

— Скоро приедет Лемешев, поторопитесь! — напомнил Конышев.

— Не беспокойтесь, у меня все в порядке, я просто перечитываю документы. Как только он подъедет — я в вашем распоряжении.

— Отлично. А вы не видели Красницкого?

— Кажется, он... э-э-э... вышел покурить, — рассеянно ответил Лев Абрамович.

Конышев вышел из кабинета и направился в курилку — так называлось помещение в конце коридора, небольшой закуток с двумя старенькими стульями. Как человек некурящий, он редко посещал это место, только в случае, когда требовалось срочно переговорить с сотрудником, устроившим себе перекур.

Красницкий стоял возле окна, прислонившись к раме и держа двумя пальцами зажженную сигарету. Рядом с ним Конышев, к своему неудовольствию, увидел агента по недвижимости Надю, которая стояла к нему спиной и о чем-то вполголоса говорила с Красницким. Тот улыбался и что-то тихо ей возражал, как показалось Виктору Станиславовичу.

— Алексей Владимирович, вы после обеда что намереваетесь делать? — спросил Конышев.

— Пока не знаю, а что?

— У меня сегодня три важные встречи...

— Да, я помню! Но ими всеми занимается Гольдман, они не по моей части.

— Поэтому я и спрашиваю! — немного раздраженно пояснил Конышев — он слегка нервничал перед получением крупных сумм и успокаивался только тогда, когда деньги благополучно занимали свое место в банковской ячейке.

— Ну-у-у... — неопределенно протянул Красницкий.

— Свяжитесь, пожалуйста, со строителями, которые делают ремонт на Электрозаводской. А еще лучше — съездите туда и лично посмотрите, как продвигается работа. Если их постоянно не навещать и не подталкивать, все затянется очень надолго. А нам желательно продать это помещение до Нового года — оно идеально подходит для утренников и спектаклей. У меня Театр юного зрителя уже интересовался...

— Хорошо, я съезжу, — заверил Красницкий, которого, кажется, куда больше сейчас занимала беседа с Надей.

Конышев хотел что-то добавить, но лишь махнул рукой и ушел. Черт знает что такое! Этот Красницкий со своими шашнями совершенно забывает о работе! И Надя эта тоже хороша! Без году неделя в конторе, а уже хвост распушает! И что Красницкий в ней нашел? На взгляд Конышева, абсолютно лишена женственности. Высокая, крепковатая, голос прокуренный, а ведь ей всего двадцать шесть лет! Вот уж, поистине, неисправимая натура — западает на все, что движется...

Вернувшись в свой кабинет, Виктор Станиславович, чтобы унять расшалившиеся нервы, принял пару успокоительных таблеток. Потом откинулся в кресле и прикрыл глаза, чтобы посидеть немного в тишине. Тишину нарушила заглянувшая в кабинет Надя.

— Виктор Станиславович, я на адрес, — проговорила она своим приглушенным хрипловатым голосом.

— Удачи, — не открывая глаз, ответил Конышев.

Следом заглянул Красницкий, сообщивший, что до обеда у него наметились другие дела и что он уезжает немедленно, а потом, как и договаривались, отправится на строительный объект. Конышев кивнул и остался сидеть неподвижно. До завершения первой сделки оставалось менее получаса...

...Все прошло благополучно — все документы были подписаны, деньги получены, и Виктор Станиславович, запирая их в сейф, заторопился в нотариальную контору — там следовало поставить последнюю точку. Он положил ключ в карман и вышел, на ходу сообщив секретарше Люде, что вернется часа через два. В кабинет риелторов он не заходил, но понял, что Люда остается в конторе одна.

Конышев управился даже раньше.

— Никто не появлялся? — вернувшись к себе, поинтересовался он, обращаясь к секретарше.

— Красницкий заскочил и сразу снова уехал. Какие-то документы взял.

— А Гольдман?

— У себя, — коротко ответила Люда, продолжая стучать по клавиатуре.

Конышев скрылся в своем кабинете и достал сотовый телефон:

— Игорь Михайлович, я жду вас, как договаривались.

— В два буду, — отозвался охранник.

На часах была половина второго, и Конышев решил, что пора подготовить деньги и упаковать их в специальный контейнер. Он достал из кармана ключ, подошел к сейфу, отпер его и уже протянул руку за деньгами, как вдруг в следующее мгновение она застыла в воздухе. Виктор Станиславович тупо смотрел в зияющую пустоту сейфа. Денег не было...

Не веря своим глазам и пытаясь унять бешено заколотившееся сердце, Конышев выпрямился и взялся рукой за грудь. Может быть, он уже переложил деньги и в запарке совершенно забыл об этом? Да нет, он же точно помнит, что... Черт!

Конышев рысцой подбежал к шкафу и достал из него контейнер. В нем ничего не было. Метнулся к столу и принялся один за другим выдергивать ящики, которые с грохотом падали на пол, а содержимое рассыпалось по ламинату. Погром не прошел незамеченным — в кабинет прибежала испуганная Люда. Увидев пунцового шефа, она испугалась еще больше.

— Люда... — тяжело дыша, проговорил Конышев. — Люда, кто заходил в мой кабинет?

— Никто, Виктор Станиславович.

— Никто... — повторил Конышев. — Никто... — И вдруг закричал во весь голос: — «Никто» не может отпереть сейф! «Никто» не может украсть деньги! «Никто» ничего не может! Я спрашиваю — кто был в кабинете?

Насмерть перепуганная Люда, услышав об украденных деньгах, вжалась в стену.

— Вы отлучались куда-нибудь? — подскочив к ней, продолжал Конышев.

— Я... Я только в туалет выходила пару раз, — заикаясь, проговорила девушка.

— Посторонние были? Приходил кто-нибудь?

— Нет, только свои! Красницкий заехал на минутку, но он не проходил в ваш кабинет! И вообще, он же заперт!

Заперт, да... Эта мысль остановила Конышева, заставила его задуматься. Кабинет был заперт — Виктор Станиславович сам открыл его ключом, когда вернулся из нотариальной конторы. Равно как и сейф. Запасной ключ от кабинета есть у Гольдмана, от сейфа же ни у кого. Только его, личный ключ... Это что же значит? Что сейф взломали? Но кто? Гольдман? Только он один оставался в конторе, помимо Люды. Но это же... Это же невозможно! Неслыханно! На что он рассчитывал?

Конышев огромными шагами прошел прямо к кабинету риелторов и рывком распахнул дверь. Гольдман сидел на своем месте, по своему обыкновению уткнув крючковатый нос в бумаги.

— Где деньги? — с порога спросил Конышев.

Длинное лицо Льва Абрамовича вытянулось еще больше.

— Что, простите? — переспросил он.

— Деньги! Деньги! — прокричал Конышев.

Потом, поняв, что Гольдман ничего не понимает, опустился на стул и, в один миг вдруг осознав, что случилось непоправимое, сообщил уже другим, совершенно тусклым голосом:

— Нас обокрали, Лев Абрамович.

Гольдман поднялся из-за стола. На лице его было написано выражение крайнего волнения.

— Но как же... Вы заперли сейф? — спросил он.

Конышев лишь устало махнул рукой. Достав из кармана сотовый телефон, нажал на кнопку и произнес:

— Лев Иванович, вы сейчас на месте? Это Конышев... Можете срочно приехать?

Гуров смотрел на пустой сейф, переводя взгляд на Конышева и Гольдмана, которые маячили за его спиной.

— Вот сюда, сюда я их положил! — тыкал рукой Конышев, как будто имело значение, в какой именно угол сейфа он сунул злополучные деньги.

Гуров не слушал его, внимательно разглядывая замочную скважину. Эксперты, конечно, скажут наверняка, но уже сейчас было ясно, что замок не взломан, а очень аккуратно открыт. Вот только непонятно чем.

— Можете приступать, — кивнул он своему спутнику, молодому эксперту Мише Заварзину, который, вооружившись лупой и другими необходимыми инструментами, принялся осматривать поруганный сейф.

— А мы с вами давайте пока побеседуем, — предложил Гуров. — Начнем с простого вопроса: в какое примерно время была совершена кража?

— Так, я уехал сразу после одиннадцати, деньги были на месте, — закатив глаза, начал вспоминать Конышев. — Вернулся в половине второго, и их уже не было. Вот за это время их и украли!

— А ключ, говорите, есть только у вас?

Конышев подтвердил, что это так.

— А у кого-нибудь есть к нему доступ?

— Нет. Я всегда ношу его с собой, в связке со всеми остальными ключами. Эта связка крепится к карману, так что она всегда со мной.

Гуров кивнул и пристально посмотрел на Конышева.

— Что такое? — заморгал тот.

— Пока ничего. Мы еще поговорим с вами наедине, Виктор Станиславович, а пока я хочу знать, что происходило в конторе за время вашего отсутствия. Вы были здесь все время? — повернулся он к секретарше.

Та кивнула. Выходящие за привычные рамки события сегодняшнего дня отразились на ней не лучшим образом: она еле сдерживалась, чтобы не расплакаться, и, кажется, из последних сил держалась на ногах. Тут же находился пожилой мужчина с печальными, но хитрыми еврейскими глазами и бородкой клинышком — это был заместитель Конышева Лев Абрамович Гольдман.

— Попробуйте воссоздать последовательность событий, — попросил Гуров, доставая записную книжку.

Девушка кивнула и, запинаясь, начала:

— Когда Виктор Станиславович уехал, мы остались вдвоем с Львом Абрамовичем. Он все время был в своем кабинете. Нет, кажется, он все-таки выходил пару раз...

— Людочка, но я же не проходил к кабинету Виктора Станиславовича, я выходил просто покурить! — с трудом сдерживая раздражение, вставил Гольдман.

— Неважно, не мешайте, пожалуйста, — остановил его Гуров. — Продолжайте, Люда.

— Я, собственно, даже не знаю, что продолжать, — захлопала та ресницами. — Ничего не происходило...

Гуров подошел к ней поближе, усадил в кресло и попросил принести девушке каких-нибудь успокаивающих капель. Так как никого более подходящего не было, это пришлось сделать самому Конышеву. Примерно минут через пятнадцать, когда девушка более-менее успокоилась, Гурову удалось выяснить, что ничего особенного в конторе не происходило. Что она практически не отлучалась со своего места, что никто посторонний не приходил и даже не звонил, несколько раз промелькнул Гольдман, но не приближаясь к двери кабинета директора, а около двенадцати заявился Красницкий.

— Я как раз в это время возвращалась из туалета и увидела, что он дожидается меня в приемной. Он очень спешил и попросил меня сделать ему чаю, после чего сразу же ушел в свой кабинет.

— Значит, Красницкий какое-то время все-таки оставался в приемной один? — уточнил Гуров.

— Да, но... Но не думаете же вы, что это он украл деньги? — глядя на Гурова с каким-то ужасом, спросила Люда.

Гуров лишь усмехнулся и повернулся к Конышеву:

— У него же нет ключа, верно?

— Нет и быть не могло! — твердо заявил тот и обратился к Гольдману: — Лев Абрамович, вы не давали запасной ключ Красницкому?

— Боже меня упаси! — со священным ужасом в глазах сложил руки на груди Гольдман.

— Где сейчас Красницкий? — спросил Гуров.

— Уехал на объект.

— Звоните ему! — потребовал полковник.

Конышев дрожащей рукой набрал номер и через полминуты сообщил, что Алексей Владимирович не отвечает. После этого директор конторы позвонил на объект и выяснил, что Красницкий там сегодня не появлялся.

— Да где же он? — с недоумением вопрошал Конышев, расхаживая по приемной взад-вперед. — Как сквозь землю провалился!

Гуров ничего не прокомментировал. Он отлично понимал, что с той суммой, что была похищена из сейфа Конышева, «провалиться сквозь землю» можно очень легко.

— Постойте! — сказала вдруг Люда. — Еще ведь Надя была!

— Как — была? — удивился Конышев. — Она же мне сказала, что уезжает на адрес!

— Ну, она и поехала, — оправдываясь, стала объяснять Люда. — Только это уже после вас было. Она что-то еще собирала в своей комнате.

— Час от часу не легче! — прошипел Конышев. — И что, она могла зайти в мой кабинет? Но у нее уж точно нет ключей! Люда, вы видели ее в приемной?

— Нет. Разве что...

— Разве — что? — надвинулся на нее Конышев.

— Разве что, когда я в туалет выходила, — шепотом добавила девушка и разревелась.

Гуров внимательно посмотрел на ее стол и на большую чашку, в которой плавал пакетик чая.

— С вашего позволения, — шагнул он к столу и взял чашку в руки, после чего передал ее эксперту со словами: — Миша, проверьте-ка этот чаек.

Эксперт кивнул, продолжая заниматься своей работой. Люда ревела, Гольдман хмуро переминался с ноги на ногу, и Гуров решил, что настало время побеседовать с Конышевым тет-а-тет, для чего и спросил, где это будет удобно сделать. Директор стал озираться — в его кабинете колдовал над сейфом эксперт, в приемной толпились сотрудники, посему он провел Гурова в кабинет риелторов, который постоянно делили Гольдман и Красницкий, а агенты по недвижимости, которые, вообще-то, зарабатывают свой хлеб ногами, были здесь нечастыми гостями.

Пока они шли к кабинету, Конышев еще раз набрал номер Красницкого, но тот снова не ответил.

— Странно, он же не отключен, — бормотал себе под нос Виктор Станиславович.

— Какая у него машина? — обратился к нему Гуров.

— «Тойота Лэнд-Крузер».

— Номер, — потребовал Лев, берясь за свой телефон.

Позвонив в службу ДПС, он попросил знакомого майора оповестить всех сотрудников на предмет засечения нужного автомобиля, если тот появится в поле зрения, после чего полностью переключился на беседу с Конышевым.

— Виктор Станиславович, вы утверждаете, что ключ от сейфа всегда при вас. Вы понимаете, что это означает?

— Нет, — искренне, как показалось Гурову, ответил директор конторы.

— Это означает, — вздохнул Лев, — что, кроме вас, никто открыть сейф не мог. А его явно отпирали. Я, разумеется, послушаю, что скажет эксперт, но и так ясно, что следов взлома нет.

— Но зачем бы я стал отпирать собственный сейф и брать собственные деньги, когда они и так мои! — раздраженно заявил Конышев.

— А ваши домашние? — Гуров смотрел на Конышев в упор.

— Мои домашние — это только моя дочь Рита. Она не интересуется моими делами и практически никогда не бывает в моей конторе.

— Но у нее есть доступ к вашим ключам?

— Теоретически — да, — сердито ответил Конышев. — Но это чушь собачья! К тому же, повторяю — Рита не бывает здесь!

Гуров ничего не ответил, вместо этого вышел из кабинета и прошел туда, где находился эксперт.

— Ну что у тебя, Миша? Что-то можешь уже сказать?

— Отпирали ключом, Лев Иванович, — уверенно сообщил тот. — Вот только, скорее всего, новым. Об этом говорят едва заметные свежие царапинки на замочной скважине. То есть явно не чуждым инструментом вскрывали, но, в то же время, и не постоянным ключом.

— Вот как? То есть кто-то сделал дубликат... — задумчиво проговорил Гуров.

— Это уже не мне выводы делать, — пожал плечами Заварзин. — Все отпечатки я зафиксировал, хотя они очень похожи — думаю, что принадлежат одному хозяину-директору. Но, на всякий случай, нужно дактилоскопировать всех сотрудников.

— Обязательно, — кивнул Гуров и направился обратно к Конышеву.

Звонок сотового телефона застиг его на полпути.

— Лев Иванович, нашли. — Гуров узнал голос майора Речкина из ДПС.

— Так быстро? Молодцы! И где он?

— Да здесь неподалеку. Только... — замялся майор.

— Что такое?

— Лучше бы вам самому подъехать. Записывайте координаты.

— Я, вообще-то, на деле, — ответил полковник.

— Да тут, боюсь, дело поважнее, — вздохнул Речкин. — Я сам лично выехал после того, как мне ребята по рации сообщили. Вас дожидаюсь.

Лев подумал пару секунд, потом заглянул в кабинет, где его ждал, сидя как на иголках, обокраденный директор, и бросил на ходу:

— Я отлучусь ненадолго.

Он свернул свой автомобиль в один из дворов, образованный двумя десятиэтажными домами. Там собрались несколько дэпээсников, среди которых Гуров заметил и майора Речкина. Они обступили черный джип «Тойота», передняя дверца которого была приоткрыта.

Подходя, Лев услышал, как собравшиеся переговариваются вполголоса, и увидел, что за рулем «Тойоты» никого нет. При этом открытая передняя дверца еще больше настораживала.

Дэпээсники при его появлении молча расступились. Подойдя вплотную к машине, Гуров все понял. На водительском сиденье, уткнувшись головой в панель, полулежало тело мужчины. Судя по всему, это был владелец автомобиля Алексей Владимирович Красницкий...

— Группу вызвали? — спросил он, автоматически берясь за руку Красницкого и пытаясь прощупать пульс.

Он знал, что дэпээсники наверняка уже сделали это, но поступал так всегда, взяв за правило самому удостоверяться, труп перед ним или человеку еще можно оказать помощь. Эта привычка возникла у него после одного случая, произошедшего не один десяток лет назад, когда он был совсем юным старлеем. Тогда Гуров выехал на вызов, поступивший от участкового, который сообщил, что в одной из квартир на его участке убита женщина. Приехав, он обнаружил тело женщины с размозженной головой. Рядом валялось и орудие преступления — молоток для отбивания мяса. Типичная бытовуха, и преступник, казалось, на месте — дражайший супруг, который в это время валялся на диване в полной отключке.

Гуров в ожидании приезда судмедэксперта уже сел и начал составлять протокол, когда прибывший врач вдруг побледнел и резко выкрикнул:

— В машину ее, быстро! Она же жива!

У Гурова и участкового — такого же зеленого пацана — вытянулись лица. А врач, матеря их обоих на чем свет стоит, пытался сам погрузить пострадавшую на носилки.

Женщина та, слава богу, выжила. Гуров тогда получил выговор за халатность. Участковый отделался замечанием, но потом все-таки сменил профессию. А Лев усвоил урок навечно: когда речь идет о человеческой жизни, нельзя полагаться на чьи-то слова, всегда нужно все проверять досконально и самому. Тот участковый, мальчишка, увидев тело, мало похожее на живого человека, автоматически записал женщину в покойницы, а Гуров поверил ему на слово. Сейчас, разумеется, он никогда бы так не поступил, но был благодарен судьбе за тот урок.

С Красницким все обстояло куда печальнее: Алексей Владимирович был мертв, и помочь ему уже не мог никакой врач. Так что до приезда опергруппы оставалось время спокойно осмотреть и место преступления, и труп.

Уже по первому взгляду было ясно, что имеет место явный криминал — то есть Красницкий был убит, о чем свидетельствовали следы на его шее — неровные полосы багрового цвета, оставленные удавкой. Само орудие преступления находилось здесь же.

Гуров осторожно ногтем подцепил его и едва сдержался, чтобы не выказать своего удивления: это был женский шарф — длинный, дымчато-серый, с каким-то перламутровым переливом. Особенно нелепо на орудии преступления выглядели кокетливые висюльки-помпончики, тянущиеся по краям шарфа...

Гуров не был экспертом и не имел медицинского образования, однако у него имелось кое-что не менее ценное — жизненный опыт. И он свидетельствовал о том, что с момента смерти Красницкого прошло около двух-трех часов.

Прибыла опергруппа, сразу сориентировалась, и каждый приступил к своей работе, методично и последовательно выполняя то, что требовалось: оперативник с собакой пытался направить своего питомца взять след, врач принялся осматривать тело и фиксировать данные, дактилоскопист занялся исследованием салона автомобиля на предмет взятия отпечатков пальцев — словом, каждый был на своем месте. Один из экспертов упаковал в полиэтиленовый пакет шарф.

Гуров, следя за работой группы, подумал о том, что ему больше нечего тут делать. Все, что хотел, он уже увидел, а профессионалы разберутся и без него. Вот потом, когда будут получены данные от экспертов и их работа закончится, наступит черед сыщика.

Он вернулся к своему автомобилю и отправился обратно в контору Конышева. Там ничего не изменилось, только эксперт Миша Заварзин, закончив свою работу, стоял наготове с чемоданчиком у дверей. Конышев с унылым видом сидел в кресле, Гольдман читал какой-то документ — видимо, он даже в форс-мажорных обстоятельствах старался не тратить время попусту, дабы потом не наверстывать упущенное.

Секретарша Люда, видимо, приняла слишком большое количество успокоительного, потому что сидела, уставившись куда-то в пустоту стеклянным взглядом.

— Лев Иванович. — При виде полковника Заварзин шагнул ему навстречу. — В чашке секретарши с остатками чая обнаружены следы мощного мочегонного средства...

— Что-о? — неожиданно встрепенулась Люда, выходя из ступора. — Какого еще мочегонного? Это дорогой чай!

— Нужно определить — входит оно в состав самого чая или попало туда отдельно от него, — сказал Гуров.

— Уже определил, — ответил Миша, и покосившись в сторону секретарши, усмехнулся: — Ну, чаек сам по себе паршивенький, но безобидный. Травки там всякие, ароматизаторы, красители... Так что мочегонное просто подсыпали, точнее, подлили, потому что обычно оно производится в жидком виде.

— Так, а где его можно достать? — нахмурил брови Гуров.

— В любой аптеке в свободном доступе, — сообщил Миша. — Стоит копейки, действует несколько часов. Неудивительно, что она несколько раз бегала в туалет.

— Вы хотите сказать, меня хотели отравить? — с выражением ужаса на лице спросила Люда.

— Ну что вы! — усмехнулся эксперт. — Этим не отравишься. Просто, видимо, хотели, чтобы вы почаще отлучались со своего места. Но это уже пускай Лев Иванович расследует. А то я, пожалуй, настрою тут ложных версий! Ну что, Лев Иванович, я закончил.

— Спасибо, Миша, можешь ехать, — кивнул ему Гуров, и эксперт, подхватив свой чемоданчик, скрылся за дверью.

— Виктор Станиславович, а ваша сотрудница не отыскалась? — спросил Лев у Конышева.

— Что? А, Надя... нет. Ума не приложу, куда они все запропастились! Ни ее, ни Красницкого! Я только что звонил ему...

— Не нужно! Не звоните ему. Красницкий нашелся.

— Где? — воскликнул Виктор Станиславович.

— В собственном автомобиле. Но не в том смысле, в каком вы думаете, — добавил Гуров, увидев вспыхнувшую в глазах Конышева радость. — Красницкий убит.

Конышев зачем-то потянулся к очкам и снял их, заморгав ресницами, словно ему что-то мешало. Гольдман оторвался от своего чтива и смотрел на Гурова, низко опустив длинную челюсть. Секретарша Люда вдруг стала оседать на пол и при этом тихо смеялась. Конышев бросил на нее ошарашенный взгляд, а Лев, поняв, что это истерика, шагнул вперед, рывком приподнял ее с пола и резко встряхнул. Люда издала захлебывающийся звук и умолкла, растерянно глядя на полковника.

— Не время для истерик, — мягко, но уверенным тоном произнес Гуров. — Да, события неприятные, но их следует принять как данность. Итак, подводя итог, скажу, что картина вырисовывается следующая: в вашей конторе похищены деньги из сейфа, после чего сразу исчезают двое сотрудников. Один из них найден задушенным в собственной машине, второй — точнее, вторая — до сих пор не обнаружена. Вот так обстоит дело на первый взгляд... Виктор Станиславович, мне нужен домашний адрес и все остальные данные на вашу Надю.

Конышев, у которого в голове словно переваривалась какая-то вязкая каша, действовал на автопилоте. Он отдал распоряжение Люде найти данные на их сотрудницу, и та вскоре подала Гурову отпечатанный листок. В нем было написано: «Круглова Надежда Павловна, восемьдесят седьмого года рождения, агент по недвижимости», далее следовал адрес девушки, которая была зарегистрирована по адресу на улице академика Янгеля.

Положив листок в карман, Гуров попрощался со всеми, сообщив, что будет заведено два дела — по факту убийства и по факту кражи, которыми ему и предстоит заниматься.

Позвонив по дороге в управление, он распорядился отправить на адрес Надежды Кругловой парочку сотрудников с приказанием доставить ее в главк, если она дома, а если нет — дожидаться появления девушки.

Прибыв в управление, Лев прямиком направился в кабинет генерал-лейтенанта Орлова. Петр Николаевич слушал четкий, последовательный доклад Гурова, и брови его хмурились все сильнее и сильнее.

— То есть ему действительно пытались навредить, — резюмировал он, когда Гуров умолк. — Причем навредили гораздо сильнее, чем предполагалось вначале. Кража и убийство — это уже не просто сорванные сделки, а?

— Вот только непонятно, как это увязывается с сорванными сделками, — задумчиво заметил Лев. — Если его изначально планировали ограбить, то к чему было устраивать эти спектакли? Ведь на этих сделках Конышев потерял деньги!

— А что, если собственные сотрудники — а получается, что, кроме них, ограбить его никто не мог, — сами и перехватили этих клиентов? — высказал предположение Орлов.

— Такое вполне допустимо, — кивнул Гуров. — Первая версия, которая у меня возникла — это кто-то из своих. И когда исчез Красницкий, я подумал, что это его рук дело. Но Красницкий убит. Остальные на месте, за исключением Нади Кругловой. И если она виновница кражи, я очень сильно сомневаюсь, что она обнаружится дома.

Однако оказалось, что тут Гуров ошибся. Не прошло и часа, как в кабинет Орлова постучал один из оперативников, посланных по адресу Кругловой, и сообщил, что девушка доставлена в управление. Правда, она постоянно твердит, что не понимает, в чем дело.

— Ведите ее сюда! — распорядился Орлов, а Гуров достал сотовый телефон, набрал номер Конышева и сказал:

— Виктор Станиславович, приезжайте в главк сейчас же. Тут ваша Надя обнаружилась, требуется ваша помощь...

Девушка, вошедшая в кабинет, была растеряна, но не выглядела слишком напуганной. Она стояла посреди кабинета генерал-лейтенанта и переводила взгляд с него на Гурова. В руках она держала мягкую замшевую шляпку с короткими полями.

— Вы — Круглова Надежда Павловна? — спросил Гуров.

Девушка кивнула.

— Присаживайтесь. — Он показал на свободный стул, и девушка осторожно присела на краешек. — Куда вы направились сегодня из конторы и во сколько?

— Простите, я не понимаю, о чем речь, — произнесла она высоким сопрано. — Из какой конторы?

— Вы работаете в риелторской конторе «Зодчество», возглавляемой Виктором Станиславовичем Конышевым? — уточнил Гуров.

— Вы что-то путаете, — покачала головой Надя. — Я никогда не работала в риелторской конторе. Я скрипачка. — Она машинально повела рукой, как бы имитируя движение смычка по струнам.

Гуров и Орлов переглянулись, и генерал попросил:

— Покажите ваш паспорт, пожалуйста.

Девушка достала из сумочки документ в красной обложке и протянула его. Орлов раскрыл паспорт и всмотрелся в фотографию, переводя взгляд на девушку и сравнивая изображение с оригиналом, потом протянул его Гурову.

Открылась дверь, и дежурный сообщил, что прибыл Конышев. Орлов кивнул, разрешая впустить, и Виктор Станиславович чуть ли не бегом вбежал в кабинет. На сидевшую на стуле девушку он не обратил никакого внимания, а сразу же обратился к генералу:

— Ну что, нашли? Что она говорит?

— Можете спросить сами, — усмехнувшись, кивнул Гуров в сторону скрипачки.

Конышев поправил очки и с недоумением уставился на девушку.

— Но это... Это не Надя! — воскликнул он. — Я никогда раньше не видел эту девушку.

— Скажите, Виктор Станиславович, — вздохнул Гуров, — а как вы вообще принимали Надежду Круглову на работу?

— Ну, она пришла по объявлению — я в нескольких газетах и в Интернете разместил вакансию. У нас как раз уволился предыдущий агент. Сказала, что с опытом работы, и вообще... произвела благоприятное впечатление.

— Вы лично с ней беседовали? — уточнил Лев.

— Нет... Помнится, я тогда был занят и поручил ее Красницкому, — ответил Конышев, и лицо его начало покрываться пятнами.

Повисла пауза. Сидевшая на стуле Надя Круглова кашлянула.

— Простите, просто уже много времени, а у меня вечером концерт. Может быть, я могу быть свободна, раз все разъяснилось?

— Ну, пока еще не разъяснилось! — ворчливо сказал Орлов. — Почему некая девушка устраивается в фирму под вашим именем?

Скрипачка развела руками, давая понять, что не знает ответа на этот вопрос.

— Виктор Станиславович, у вас есть фото вашей сотрудницы? — обратился генерал к Конышеву.

— Нет, — виновато ответил он и торопливо добавил: — То есть фото постоянных сотрудников, разумеется, имеются в деле. Но агенты... Они постоянно меняются. Я даже не всегда успеваю оформить их по ТК. Да они и не всегда настаивают, многие воспринимают работу в конторе как временную. Согласен, что они, как нижнее звено, зарабатывают не так уж много. Может быть, у кого-то остались любительские снимки? У нас недавно корпоратив был, Люда фотографировала, я могу спросить.

— Спросите, — отрезал Гуров и обратился к скрипачке: — А вы не теряли паспорт?

— Ой, полтора года назад то ли потеряла, то ли украли в поезде... Я потом его восстанавливала.

— А как же вы, Виктор Станиславович, не заметили, что на фото в паспорте изображена другая девушка? — укоризненно посмотрел на спонсора Орлов.

— Да я, собственно... — Конышев весь покрывался пунцовыми пятнами. — Я его даже не смотрел. Я думал, что все проверит Красницкий... Но он, видимо, как только увидел симпатичную девушку, забыл обо всем остальном. Знаете, о покойниках, конечно, не говорят плохо, но Алексей Владимирович страдал... Словом, он был очень большим охотником до женских юбок! И хотя Надя носила брюки, он... словом, вы понимаете, что я хочу сказать.

— Понимаю, — невесело усмехнулся Орлов. — А понимаете ли вы, что найти эту вашу Надю, которая на самом деле никакая не Надя, в Москве просто нереально?

— Я все понял, — заморгал глазами Конышев. — Я попался на удочку мошенницы! Она похитила мои деньги и скрылась. А Красницкий узнал об этом, и... И был убит ее сообщником!

— Каким еще сообщником! — раздраженно махнул рукой Гуров. — Виктор Станиславович, вы уж, пожалуйста, хотя бы не мешайте вести расследование и предоставьте нам выдвигать версии.

— Так я могу идти? — робко подала голос Надя.

— Да, идите, — ответил Гуров, подписывая пропуск.— Только будьте готовы к тому, что вас могут вызвать в ближайшее время — нужно просто записать ваши показания. Извините за беспокойство.

Девушка кивнула и поспешно вышла из кабинета. Разговоры о кражах и убийствах ей были явно неприятны. Мужчины остались втроем. Конышев ерзал на стуле и вздыхал, на лбу у него выступили капельки пота.

— Скажите, деньги реально найти? — с надеждой обратился он к Орлову.

Тот промолчал.

— Красницкий мог воспользоваться вашими ключами? Хотя бы ненадолго? — спросил Гуров.

— Вряд ли, — покачал головой Конышев. — Ведь они постоянно при мне!

— Что, никогда не оставляете свою огромную связку на столе? Даже в туалет с ней ходите? — с иронией проговорил Лев.

— Но это считаные минуты! А что вы хотите сказать?

— А то, что, скорее всего, вас ограбили Красницкий в сговоре с Надей Кругловой, то есть с мнимой Надей. Он сделал слепок с ваших ключей, а она проникла в кабинет в ваше отсутствие. Потом, по всей видимости, они встретились, деньги были у Надежды. Что между ними возникло, теперь неизвестно — скорее всего, спор по поводу того, как делить деньги. И Надежда убила Красницкого.

— Женщина? — недоверчиво спросил Конышев.

— Женщины порой бывают такие! — заметил Орлов. — Если она профессиональная мошенница, то могла и раньше совершать убийства. Мы же ничего о ней не знаем! Кто она, откуда... Может быть, это вообще работа банды, а Надя — член банды, под видом агента устроившаяся в вашу контору. Красницкий — всего лишь козел отпущения. Ему могли просто запудрить мозги, пообещав хороший процент. То есть он был нужен только для того, чтобы сделать ключ. Он думал, что Надя исчезнет, все подумают на нее, и никто не свяжет это преступление с ним. А сам вон как попал в оборот!

Конышев сидел молча, переваривая все услышанное. Видимо, этого было слишком много для одного дня, потому что он как-то на глазах начал бледнеть и никнуть.

— Ну что же, Виктор Станиславович, сегодня можете отправляться домой, — сказал Гуров. — Если появятся какие-то новости — я вам позвоню.

Конышев медленно кивнул, поднялся и пошел к двери неровной походкой, будто был слегка навеселе. Взявшись за ручку двери, он обернулся и сказал:

— То есть денег вы не найдете...

Гуров и Орлов ничего не ответили, и Конышев, тяжело вздохнув, вышел из кабинета.

Глава четвертая

Зажигалка не находила себе места. Ей казалось, что время движется слишком медленно, и девушка постоянно поглядывала на часы. Скоро должна была состояться встреча, которую можно было считать чуть ли не судьбоносной. Во всяком случае, от нее зависело решение всех ее проблем и будущая жизнь. Зажигалка сделала свое дело и теперь рассчитывала получить заслуженные дивиденды. А потом... Потом нужно непременно сообщить радостную новость Толику. Обязательно! Он ведь даже не знает, что его ждет избавление от болезни! Избавление и новая жизнь!

Не утерпев, она набрала номер Толика. Голос его звучал прерывисто, и она догадалась, что наступило состояние, в котором ему хуже всего. Сердце сразу заныло от жалости — так было всегда, когда Зажигалка видела, как мучается Толик, и ничем не могла ему помочь. Но сейчас может!

— Толик, дорогой, у меня для тебя отличные новости!

Неопределенное хмыканье наглядно показало ей, что Толик скептически отнесся к ее словам.

— Честное слово, — продолжала Зажигалка. — Давай с тобой встретимся сегодня, и я все расскажу. Тебе станет лучше, потому что у меня есть то, что тебе нужно! Точнее, будет, но это неважно!

— А где встретимся? — после паузы спросил Толик.

— Просто приезжай ко мне. Я одна...

— А когда?

— Пока еще сама не знаю, — замялась Зажигалка. — Я позвоню тебе и скажу. Это будет уже совсем скоро!

— Ну... Ладно, я жду. Давай звони, а то мне совсем край тут!

— Позвоню, позвоню. Держись там!

Едва она разъединила связь, как телефон запиликал, возвещая о входящем вызове. Увидев номер, Зажигалка тут же ответила.

— Привет, ждешь? — Оппонент разговаривал кратко, но голос его звучал весело.

— Разумеется, и очень. И Толик тоже.

— Он что, у тебя?

— Нет, но должен подъехать.

— Ты что, все ему рассказала? — воскликнула трубка.

— Ну, конечно же, нет! Только успокоила, что теперь у нас все будет хорошо.

— Про меня не говорила?

— Я совсем, что ли?

В трубке, казалось, о чем-то размышляли. Зажигалке было невмоготу ждать, и она спросила:

— Так когда ты будешь?

— Скоро! — бросила трубка.

— А у тебя... все с собой?

— Разумеется. Я же честная девушка. Так что жди, сейчас подъеду. Да! И никому больше не звони и вообще ни с кем не разговаривай до моего приезда. Так надо, поняла?

— Ну... Хорошо, — согласилась Зажигалка и пошла на кухню покурить.

Вскоре раздался мелодичный звонок домофона, а затем и в дверь. Зажигалка открыла, и лицо ее приняло недоуменное выражение.

— Не узнала? — улыбнулся гость.

— О Господи! — воскликнула Зажигалка и вздохнула. — Я уж испугалась... Проходи давай!

— Привет, дорогая!

Щелкнул замок, и входная дверь закрылась...

— Сыночек, ну как же так — не заводить дело? — настойчиво продолжала тетка. — Ведь серьезный случай!

— Да нет никакого случая! — твердил Станислав Крячко, стараясь скрыть досаду и раздражение.

Он все утро никак не мог отделаться от назойливой тетки, которую ему услужливо подвинтили дежурные. Причем преподнесли это так, будто совершают великое благо для Крячко. Когда утром в дежурку обратилась бабка с сообщением, что у нее пропала квартирантка, дежурный, которому нужно сдавать смену и, соответственно, было не до принятия заявлений, попытался было перекинуть ее на сменщика, сказав, что официально заканчивает рабочий день и просто не успеет оформить заявление. Сменщику же, понятное дело, тоже не хотелось загружаться лишней работой, и он заявил, что до начала его рабочего дня официально еще пятнадцать минут, а после принятия смены он будет долгое время занят другими делами. Бабка же была настроена решительно и ждать явно не собиралась.

Перемигнувшись, оба дежурных хором сообщили ей, что делами по исчезновению людей занимается полковник Крячко — оба видели, как тот минуты две назад прошествовал по лестнице в свой кабинет. Ударив по рукам, они с чистой совестью отправили бабку к Крячко, доверительно шепнув ему, что придумали, как избавить полковника от рутинной работы, которую взвалил на него генерал-лейтенант Орлов.

И вот теперь бабка сидела и ныла о том, какая ее квартирантка была молодая да хорошая и как ей странно и даже страшно, что та пропала.

— Бабуль, да сменила она адрес просто, сме-ни-ла! — устало увещевал бабку Крячко. — Новую квартиру нашла!

— Да как такое может быть? — не верила та. — Сменила без предупреждения? Да и зачем? Ей и у меня хорошо было!

— Ну, может, дешевле нашла! — раздраженно отозвался Крячко.

В другой раз он, может быть, и выслушал бы бабку до конца и даже принял у нее заявление, но сейчас ему не терпелось поговорить с Гуровым насчет того, как прошла его беседа с клавишником из рок-клуба и полученными сведениями по конторе Конышева. Гурова вчера он так и не дождался, а сегодня утром Льва почему-то тоже не было на месте, хотя Крячко, вытягивая шею и выглядывая в окно, видел, что автомобиль его уже припаркован у дверей управления. Рассиживать в буфете с утра Гуров не имел привычки, следовательно, скорее всего, находился в кабинете Орлова. И Крячко хотелось самому туда попасть, чтобы, во-первых, отчитаться перед Гуровым, а во-вторых, дать понять Орлову, что он занимается серьезным делом, и пора снять с него всю печатную чепуху.

В конце концов, ему удалось выпроводить бабку в коридор, сказав ей, что, если квартирантка не появится в течение следующих трех дней, пускай приходит снова. Но не к нему, а лучше сразу к генерал-лейтенанту Орлову. Вот тот обязательно выслушает и даже примет заявление. А пока нет достаточных оснований для заведения дела. Бабка осталась не слишком довольной таким поворотом, однако все-таки вышла из кабинета, подгоняемая потоком мощного торса Крячко, который куда-то срочно заспешил. Оставив ее в коридоре, он направился к дверям кабинета Петра Николаевича Орлова...

— С чего думаешь начинать? — задал Орлов Гурову вопрос, который задавал практически всегда в начале расследования дела, обещавшего быть крупным.

— Продолжать искать выход на эту мифическую Надю, — неопределенно повел плечами Лев. — Проверять окружение Красницкого — может быть, они давно знакомы.

— Можно разместить ее фото, — добавил Орлов.

— А смысл? — возразил Гуров. — Она наверняка гримировалась!

— Тоже верно, — вздохнул Орлов. — Тогда, может, поднять то дело о краже сумочки у настоящей Кругловой? Вдруг там что-то обнаружилось?

— С делом я ознакомлюсь, хотя не возлагаю на это надежд. Нет надежды найти Надежду, — скаламбурил Лев и невесело усмехнулся.

Они беседовали уже минут двадцать, прихлебывая чай, приготовленный бессменной секретаршей Орлова Верочкой. И Гуров, и Орлов приехали сегодня в управление пораньше, чтобы спокойно обсудить дело Конышева, принявшее такой крутой и неожиданный оборот. Со Станиславом Крячко Гуров еще не виделся, да и в свете новых событий беседы со всякими молодыми семьями и рок-музыкантами, отказавшимися от сделок, казались ему мышиной возней. Но все же, будучи профессионалом, он знал, что в делах о крупных кражах, а тем более убийствах, нельзя не принимать в расчет мелочи, и намеревался побеседовать с Крячко сразу после окончания разговора с Орловым.

Однако Станислав опередил его. Из приемной послышался знакомый бодрый баритон, затем тоненький голосок Верочки и ее смех, к кабинету протопали тяжелые шаги, щелкнула ручка, и в дверях показался сам полковник Крячко. Он сразу же прошел к свободному креслу, по пути пожав руку Гурову и протягивая ее Орлову.

— Лева, а я тебя везде ищу! Доложить хочу о результатах расследования!

При этом Крячко следил за реакцией Орлова, которого, без сомнения, должно было заинтересовать, каким это расследованием для Гурова занялся его лучший друг. Орлов ни единым мускулом не выдал своих чувств, решив выслушать обоих полковников.

— А что это ты такой взмыленный? Никак убегал от кого-то? — спросил Гуров, оглядывая Крячко ироничным взглядом. — Или ко мне так торопился, что даже шнурки развязались?

Крячко посмотрел на свои ботинки. Шнурки и правда болтались, грозя вот-вот повиснуть совсем. У Станислава вообще были проблемы по части внешнего вида, и никто, включая его самого, не мог понять, в чем тут причина. Если Гуров даже в самом простом и обычном одеянии всегда выглядел с иголочки, не говоря уже о костюмах с белоснежными рубашками или форме, то Крячко, что на него ни надень, не выглядел ухоженным. Он органично смотрелся только в каких-то потрепанных куртках и растянутых свитерах. А уж если намечался какой-нибудь официальный праздник или другое торжественное мероприятие, на котором было необходимо присутствие сотрудников управления в форме, то Орлов загодя начинал переживать и мучительно соображал, как ему поступить с Крячко, который, с одной стороны, портил ему всю картину, с другой — был одним из лучших и заслуженных людей в отделе...

Стас быстро зашнуровал ботинки и смущенно ответил Гурову:

— Да это бабка меня чуть с ума не свела! Достала совсем! У нее квартирантка съехала, так она теперь хочет, чтобы я ее по всей Москве искал! Искал непонятно где какую-то Надю Круглову! Вы представляете, сколько в Москве Надь Кругловых?

Крячко вдруг осекся, увидев, с каким выражением на него смотрят Гуров и Орлов. Причем Гуров даже поднялся со стула и быстро спросил с озабоченным видом:

— Где она?

— Да откуда я знаю-то? — стушевался Станислав. — Я ее и не искал! Я даже заявление пока не принял — еще и трое суток не прошло.

— Бабка где? — чуть ли не закричал Гуров. — Ушла уже?

— Не знаю, — растерянно отозвался Крячко. — По лестнице спускалась...

Лев стремительно вышел из кабинета и чуть ли не бегом побежал вниз. Ничего не понимающий Крячко, чувствуя себя виноватым неизвестно в чем, на всякий случай потопал за ним.

Возле окошка дежурного стояла пожилая женщина, которая явно собиралась уходить, но напоследок изливала свои обиды.

— ...Совсем без понимания, — долетел до ушей Гурова ее голос. — А ведь пожилой уже!

У Гурова не было ни времени, ни желания пройтись по адресу Крячко с язвительными замечаниями — несомненно, последняя фраза женщины относилась к нему. Он торопливо подошел к женщине, взял ее за руку и сказал:

— Простите, это вы по поводу исчезновения Нади Кругловой? Пройдемте, пожалуйста, со мной!

Женщина удивилась, потом увидела стоявшего за Гуровым Крячко, который быстро сменил виноватый вид на деловой и небрежно бросил:

— Да, генерал-лейтенант вас прямо сейчас примет. Я договорился.

На лице женщины появилось уважение, она охотно пошла вслед за Гуровым, объясняя по дороге, что ошиблась в отношении Крячко, сочтя его несерьезным человеком.

В кабинете Орлова она, наконец, по порядку рассказала о том, что около двух месяцев назад пустила в свою квартиру девушку, представившуюся Надей Кругловой, что паспорт той был в порядке, а сама девушка произвела на нее благоприятное впечатление. Вежливая, обходительная, единственное — голос грубоватый, потому что курила много, а так — хорошая, работящая и, главное, — по части мужчин строгая. Никаких личностей мужского пола к ней не таскалось, и это радовало Зинаиду Васильевну больше всего.

— А вы откуда это знаете? — уточнил Гуров. — Вы что же, вместе жили?

— Да что вы! Кому охота с чужой теткой жить? У меня отдельная квартирка есть, вот ее и сдаю.

Далее Гуров зафиксировал, что Надежда Круглова исправно вносила деньги за квартиру, точно в назначенный день, что для этой цели Зинаида Васильевна раз в месяц приезжала к ней, и Надя каждый раз передавала оговоренную сумму без задержек. А на этот раз Зинаида Васильевна, приехав, обнаружила, что ее нет. На звонки Надя тоже не отвечала. Странным казалось еще и то, что она платила всегда за месяц вперед. Так что могла совершенно спокойно жить и дальше — до нового платежа было еще далеко. На вопрос, зачем же тогда Зинаида Васильевна приехала, Гуров получил ответ, что съехать Надя никуда не могла, потому что практически все свои вещи оставила нетронутыми. А в Москве у нее никого нет.

— Адрес давайте, — потребовал полковник, дослушав женщину до конца.

Квартира, которую она сдавала, располагалась в девятиэтажке на Бакунинской. Туда-то Гуров и отправился немедленно. Станислав Крячко решил составить ему компанию, чтобы, во-первых, по дороге рассказать все-таки о данных на фирму «Зодчество», а во-вторых, поскорее скрыться с глаз Орлова, пока тот не вздумал снять его с дела, к которому Станислав так удачно примазался.

Генерал-лейтенант и не думал отзывать Крячко. Дело Конышева теперь стояло у него костью поперек горла. Крупная кража, убийство — уже этого было достаточно, чтобы как можно скорее разобраться в этом деле. Посему Орлову нужны были лучшие сотрудники, то есть Гуров и Крячко, и держать последнего на составлении отчетности было верхом нецелесообразности.

— Значит, статейка действительно есть в Интернете, — привалившись к спинке сиденья, рассказывал Крячко. — В ней, правда, имя Конышева не упоминается, зато говорится о его конторе и сотрудниках. Да вот, можешь сам почитать. Это я скачал и распечатал. — И Крячко положил перед Гуровым распечатанный на принтере текст, занимавший полторы странички.

Гуров тут же прочитал его. В нем говорилось, что многие риелторские фирмы, которые ныне процветают и преуспевают, начинали свой бизнес в мутные девяностые годы, когда людей просто выбрасывали из своих квартир на улицу, а некоторых даже убивали. И что, к примеру, фирма «Зодчество» и ее сотрудники выросли как раз из такого криминального прошлого. Далее шли советы держать ухо востро, дабы не стать очередной жертвой беспредельщиков...

— Автор статьи — некто Batman, — заметил Гуров. — Хотя понятно, что это нам ничего не дает, поскольку всего лишь ник-нэйм. Меня волнует вот какой вопрос — это целенаправленная акция против Конышева и его фирмы, либо же просто клиенты увидели эту статью в Интернете и решили от греха подальше не связываться с ним?

— Не знаю, — хмыкнул Крячко. — Видно, этот вопрос нужно задать автору статьи.

— Или модераторам сайта, — заметил Гуров. — Беда только в том, что их непонятно, где искать.

— Вот чем плохи эти сайты — сроду концов не найдешь! — пожаловался Крячко. — Кто их создает, где эти люди — одному богу известно.

— Ну, докопаться все-таки можно, хотя занятие это нелегкое и кропотливое. Может быть, лучше зайти с другого конца? Кто такой Андрей Марычев? Ты искал его?

— Съездил я в эту конторку, «Твой дом», вчера вечером, — сообщил Крячко. — Но там закрыто, никого нет.

— Так что ты сидишь? Езжай сейчас. Как раз утро, кто-то должен быть на месте. Поговори.

— О чем?

— Ну, ты же у нас гений по части налаживания контакта с представителем любой социальной группы, — усмехнулся Гуров. — К рок-музыкантам вон сразу нужный подход нашел. Сориентируешься и там, на месте.

— М-да, — почесал голову Крячко, который догадывался, что наркотики в кармане директора риелторской конторы он вряд ли обнаружит и, вообще, поразмахивать там пистолетом не удастся.

А Гуров уже притормаживал на светофоре, выпуская своего друга из машины, так что Крячко ничего не оставалось, как направиться к ближайшей станции метро...

— Вот здесь остановите, — показала рукой Зинаида Васильевна, сидевшая сзади.

Гуров остановил машину возле девятиэтажного жилого дома, совершенно обычного, построенного где-то в восьмидесятых годах прошлого века. Выйдя из машины, он вслед за женщиной направился к подъезду номер три. Они поднялись на лифте в квартиру, и Зинаида Васильевна отперла дверь. На всякий случай держа наготове пистолет, Гуров прошел в помещение первым и сразу же понял, что там никого нет.

Однокомнатная квартирка была небольшой. Откровенной грязи и бардака в ней не наблюдалось, но Гурову она почему-то не показалась уютной. Он сделал Зинаиде Васильевне знак, что можно войти, и та, осмотревшись с порога, сразу же сказала, что Надя здесь так и не появлялась.

— Все как лежало в прошлый раз, как я была, так и лежит.

Гуров кивнул и, пройдя в комнату, приступил к осмотру. Он, конечно, и сам не знал, что полезного может здесь найти, тем не менее, осмотреть вещи исчезнувшей «Нади Кругловой» было необходимо.

Компьютера в комнате не было — соответственно, Надя им не пользовалась, и это несколько усложняло задачу по установлению ее истинной личности и нахождению. Сотового телефона Гуров тоже не обнаружил, но это его не насторожило — видимо, девушка взяла его с собой. Не было также никакой сумочки, значит Надя захватила ее, а из этого уже следовало, что она покидала квартиру по собственной воле. Лев практически не сомневался, что это она, мнимый агент по недвижимости, приложила руку к краже денег из сейфа Конышева, после чего благополучно исчезла. Но вот почему не взяла никаких вещей?

Он открыл шкаф-гардероб. Вещей в нем было совсем немного: парочка джинсов, свободного кроя пиджак и несколько джемперов. Постельное белье, по словам хозяйки, принадлежало ей самой.

В углу у стены стоял туалетный столик, а на нем — косметичка и флакончик духов. На флакончике была надпись «Christian Dior». Гуров взял его в руки и, приоткрыв, поднес к носу. Духов было использовано совсем немного. Он положил флакон в пакетик и убрал в карман, после чего просмотрел косметичку, но в ней ничего особо примечательного не обнаружилось. Не слишком хорошо разбираясь в женской косметике, он решил прихватить и ее с собой.

Мягкий диван был накрыт пушистым покрывалом. Из мебели в комнате находился еще шкафчик для посуды со стеклянными дверцами, осматривать который Гуров счел излишним — по словам Зинаиды Васильевны, и шкаф, и его содержимое принадлежало ей, и Надя им, кажется, даже не пользовалась — не требовались ей вазочки и тарелки из сервизов.

Осмотр кухни тоже не дал особых результатов. Гуров с особой тщательностью приступил к проверке содержимого мусорного ведра — именно на него он возлагал основные надежды и радовался, что Зинаида Васильевна не выбросила мусор. Расстелив газету, он вывалил содержимое на нее и, надев перчатки, стал копаться.

Надежда Круглова питалась преимущественно полуфабрикатами и бутербродами, о чем свидетельствовали упаковки от готовых котлет и обертки колбасы и сыра. Помимо этого, в ведре валялась выброшенная сим-карта от мобильного телефона, которую Лев аккуратно достал пинцетом.

— Скажите, а фотографии вашей квартирантки у вас случайно нет? — спросил он, снимая перчатки.

— Нет, — ответила Зинаида Васильевна. — Да кому же в голову придет квартирантку фотографировать? А праздников мы с ней вместе не справляли — у нее своя жизнь, у меня своя. Да и разница в возрасте у нас большая. Правда, я ее жалела, с пониманием относилась — все-таки одна-одинешенька в большом городе. Помню, как сама приехала сюда сорок лет назад, ничего не знала, такая глупая была! Слава богу, быстро с хорошим парнем познакомилась, замуж вышла, тут и осталась. Муж-то умер два года как, я вот одна теперь. Сын взрослый, своей семьей живет, а я...

— Зинаида Васильевна, — оторвал Гуров женщину от ненужных ему сейчас воспоминаний. — А в паспорте у Надежды не значилась московская регистрация?

— Да, значилась, — кивнула та. — Но она сказала, что это ей за деньги сделали — ну, сами знаете, сейчас это запросто! А вот я, когда молодая была, пока меня в общежитие не прописали, то...

— Что она рассказывала о себе?

Зинаида Васильевна задумалась и рассказала, что девушка, назвавшаяся Надеждой Кругловой, по ее словам, приехала в Москву из Волгограда. По образованию она юрист, но работу по специальности не смогла найти, потому что опыта маловато и ее никуда не брали. Тогда она устроилась в риелторскую контору и сняла квартиру. Говорила, что родители у нее уже пожилые, волгоградского адреса не называла. Вообще о себе рассказывала мало, к тому же, они с Зинаидой Васильевной проводили вместе не так много времени.

Выслушав все это и взяв кое-что из вещей Надежды, показавшихся ему достойными внимания, Гуров вышел вместе с Зинаидой Васильевной, попросив ее пока ничего не трогать в квартире.

— А вам спасибо за бдительность, мы позвоним, когда будут новости, — сказал он на прощание и направился к своей машине.

Сев за руль, Лев набрал номер Крячко, надеясь, что тот уже управился в риелторской конторе «Твой дом». Крячко ответил, что картина там прежняя: дверь закрыта, внутри никого нет. Искать Андрея Марычева через адресный стол — дохлый номер.

— Понятно. Можешь возвращаться в управление, — сказал Гуров и тут же подумал, что по поводу таинственной риелторской конторы, занимающейся перебивкой клиентов, логичнее всего поговорить с человеком, который, что называется, ближе всех к теме — то бишь с Виктором Конышевым. По крайней мере, узнать, говорит ли ему что-нибудь название «Твой дом». Да и вообще, прояснить ситуацию со статьей — сколько процентов в ней соответствует истине? Что, если автор статьи не врет и что-то околокриминальное в прошлой риелторской деятельности Конышева все-таки было? А теперь объявились люди, обиженные им в те времена, и просто мстят успешному директору фирмы?

Так или иначе, а прояснить этот вопрос следовало, и он набрал номер Конышева, попросив о встрече. Вчера, за суетой, связанной с кражей и убийством, Лев не стал говорить на эту тему, к тому же, тогда он не обладал сведениями в полной мере — их ему сообщил Крячко только сегодня утром, да и то не досконально.

Виктор Станиславович от встречи не отказался — наоборот, был обрадован звонку и сказал, что готов видеть полковника хоть сейчас.

— Вы у себя в конторе? — уточнил Гуров, поскольку находился поблизости и за короткое время мог подъехать к Конышеву.

— Нет, я еду домой, — сообщил Виктор Станиславович. — Совершенно не могу работать! Понимаете, все валится из рук, голова не соображает — все мысли вертятся вокруг этих чудовищных событий вчерашнего дня. Поэтому я решил, что толку от меня в конторе все равно нет, и поехал домой. К тому же, Лев Абрамович был настолько любезен, что взял на себя переговоры по двум сделкам. Там, слава богу, мое присутствие необязательно. Так что, если хотите, подъезжайте ко мне.

— Вы будете один?

— Ну, дома, скорее всего, только моя дочь. Она нам не помешает. Пишите адрес...

Через двадцать минут Гуров подъехал к двенадцатиэтажному дому из числа новостроек в Сокольниках. Практически сразу он заметил автомобиль Конышева. Виктор Станиславович только что припарковал свой «Лексус» у одного из подъездов и теперь выходил из машины. Он пожал руку Гурову, и тот увидел в глазах Конышева немой вопрос. Но не стал ничего говорить, так как пока не имел какой-либо определенной информации.

Они поднялись на лифте на шестой этаж, и Конышев уже протянул руку с ключами к замку, чтобы отпереть его, как вдруг удивленно замер со словами:

— Странно, дверь не заперта...

Он толкнул дверь и прошел в квартиру, крикнув:

— Рита! Ты дома?

В квартире послышался какой-то шорох, доносившийся из гостиной. Конышев направился туда, вошел и стал озираться по сторонам. Вдруг из угла комнаты в прихожую метнулась какая-то тень, чуть не сбившая его с ног.

Тень, оказавшаяся высокой, долговязой фигурой, мчалась прямо на Гурова и стремилась выскочить в незапертую дверь. Лев среагировал мгновенно: выставив вперед ногу, преградил путь бежавшему, и фигура рухнула в прихожей, длинными ногами задев тумбочку, с которой с грохотом повалились вещи.

Гуров быстро наклонился и нанес удар по шее лежавшего, чуть ниже затылка. Затем схватил его руку — в ней было что-то зажато, и сильно дернул ее. Лежавший взвыл, а Лев, увидев в его руке пачки денежных купюр, крикнул:

— Виктор Станиславович!

Конышев уже спешил в прихожую, оправившись от первоначальной растерянности.

— Ничего себе! — воскликнул он. — Меня и дома пытались ограбить?! — И подскочил к человеку, руку которого Гуров продолжал держать вывернутой.

Тот голосил во весь голос, не стесняясь в выражениях. Конышев заглянул ему в лицо, вдруг побледнел и, заикаясь, проговорил:

— Т-ты?.. Ты посмел заявиться в мой дом? Я же тебе русским языком сказал, чтобы ты сюда не приближался!

— Вы его знаете? — спросил Гуров.

— Знаю... — тяжело дыша, чуть ли не с ненавистью ответил Конышев. — Только лучше бы не знать. Это знакомый моей... — Он вдруг осекся и побледнел еще больше: — А где Рита?

На этот вопрос ответа не было, и Конышев побежал к двери, располагавшейся справа, — туда, где, видимо, находилась комната его дочери.

Гуров,тем временем достал наручники и пытался надеть их на пойманного парня. Из комнаты, в которой скрылся Конышев, донесся отчаянный крик, и Гуров, поняв, что там его поджидает еще один неприятный сюрприз, быстро приковал парня за руку к ручке входной двери, а сам бросился в комнату.

Конышев стоял на коленях перед широким диваном. На нем плашмя, глядя вытаращенными глазами в потолок, лежала девушка, прямые каштановые волосы которой разметались по подушке. Едва Гуров бросил на нее взгляд, как сразу понял, что девушка мертва, рука его автоматически потянулась к телефону...

— «Скорую», «Скорую» быстро! — вопил Конышев, легонько хлопая девушку по щекам, а Гуров уже щелкал кнопками, хотя понимал, что это бесполезно.

Тем не менее повинуясь выработанному правилу, он шагнул вперед и взял ее за руку. Пульса не было. Глаза у девушки словно грозились вылезти из орбит, язык высунулся наружу и завалился на сторону. Слипшаяся прядь волос попала в рот. На шее виднелись багровые кровоподтеки. Судя по всему, ее задушили...

Он внимательно осмотрелся. Ничего похожего на удавку не заметил и решил предоставить опергруппе заниматься поисками улик. Сейчас же на его попечении был Конышев, который, кажется, чуть не тронулся умом, а также неизвестный парень в прихожей. Судя по звукам, которые оттуда доносились, он отчаянно пытался освободиться, но это было просто нереально.

Гуров выпрямился, положил руку на плечо Конышева и тихо произнес:

— Сейчас приедет группа. Это ваша дочь?

Конышев поднял на него лицо, и Лев был изумлен тем, как оно изменилось. Цвет стал каким-то тускло-серым, нос словно заострился, а глаза стали больше. Виктор Станиславович, что называется, на глазах спал с лица.

— Да, это моя, моя дочь, — скороговоркой выговорил он, продолжая трясти девушку за плечи. — Рита... Рита! Господи, ну где же ваша «Скорая», почему она так долго едет? Они же могут не успеть!

Гуров попробовал взять его за руку и увести от тела дочери, но Конышев был словно невменяем. Он чуть ли не вцепился в спинку дивана, словно это была единственная нить, еще хоть как-то связывавшая его с дочерью, которую он боялся отпустить... Он так и простоял возле дивана, не слушая ничего и лишь повторяя: «Ну скорее же, скорее!»

Только когда послышались шаги из прихожей, когда в комнату вошел врач с чемоданчиком в руке и прошествовал к дивану, когда он оттянул веко девушки и коротко произнес «конец», Виктор Станиславович, кажется, понял, что сопротивляться неизбежному бесполезно.

Он как-то сразу поник, плечи его опустились, и он заковылял к двери, ухватившись по пути за косяк, чтобы не упасть. Гуров подошел к нему и поддержал за плечо. Конышев слабо кивнул.

— Лев Иванович, а это что у вас тут за кадр? — раздался из прихожей голос одного из оперативников.

Эта реплика словно напомнила о чем-то Конышеву, он вдруг переменился в лице, в нем появилась злоба и ненависть, и он бросился в прихожую, вцепившись обеими руками в горло прикованного к двери «кадра».

— Ах ты, гад! — шипел он, сжимая руки все сильнее. — Подонок, мерзавец, ты на мою дочь руку поднял, я же тебя своими руками задушу!

Гуров с оперативником с обеих сторон пытались разжать руки Конышева, одновременно увещевая его не совершать глупостей. Парень хрипел и дергался, свободной рукой стараясь ухватиться за пальцы Конышева, впившиеся в его горло смертельной хваткой. Наконец Гурову удалось справиться с обезумевшим от горя отцом, и он вместе с оперативником оттащил его от парня.

— Воришка один, — отдуваясь, проговорил он, запоздало отвечая на вопрос оперативника. — За деньгами залез. Я у него их в руке нашел. Вот, смотрите.

Оперативник быстро пересчитал деньги — их оказалось около двадцати тысяч.

— Это ты, гад, чтобы деньгами моими воспользоваться, Риту убил? — простонал Конышев.

— Я... Не убивал, — проговорил парень слабым голосом. — Она до меня уже такая... лежала...

— Не убивал? А кто, по-твоему, ее убил, кто?! Ты, мразь, всю жизнь ей испортил, а теперь окончательно в могилу свел? — Конышев повернулся к Гурову и продолжил торопливо, брызгая слюной: — Он же в шкафу у меня шарил — там, где я деньги держу на повседневные расходы! Вон, дверка до сих пор открыта! А как услышал, что мы пришли, в угол забился, сбежать хотел, не знал, что нас двое! Он Рите голову задурил, разжалобил, вот она его и пустила, глупенькая, по доброте душевной! А он вон чем отплатил!

— Чем разжалобил? — уточнил Гуров.

— Да он же наркоман конченый! — с ненавистью проговорил Конышев. — Несколько лет уже на отраве своей сидит, постоянно у дочери моей деньги клянчил!

— Вы не говорите, чего не надо, — каким-то блеклым голосом выговорил парень. — Я любил Риту. И она меня любила...

— Ах ты, подле-ец! — свистящим шепотом прошипел Конышев. — Да что вы его слушаете, наркомана вонючего, у него же ничего святого нет! Вы на его руки посмотрите!

Один из оперативников задрал рукав куртки парня, и всем стали видны глубокие, страшные, кроваво-вишневые следы, тянущиеся по всей левой руке...

— Как его имя? — спросил Гуров.

— Анатолий... кажется, — трясясь от злобы, ответил Конышев. — Фамилию я не помню.

— Емельяненко, — подсказал сам парень. — Я не убивал Риту.

— А зачем ты тогда сюда пришел? — хищно оскалился Конышев. — Я же запретил тебе к ней приближаться!

— Потому что она сама меня позвала. Хотела денег мне дать. Сказала, что одна будет.

— Вот видите, видите! — с жаром заговорил Конышев, обращаясь сразу ко всей опергруппе. — Ясная же картина! Он обманул Риту, выяснил, что она будет одна, пришел сюда — еще неизвестно, приглашала ли она его! — проник в квартиру, убил мою дочь и полез шарить по шкафам в поисках денег! Все же очевидно!

Гуров задумчиво молчал. С одной стороны, картина, описанная Конышевым, действительно выглядела правдоподобно, если бы не обстоятельства, предшествовавшие сегодняшнему инциденту.

Похоже, дело обретало скверный оборот. Сорванные сделки, с которых все началось, теперь казались детскими шалостями по сравнению с двумя убийствами, успевшими произойти вокруг Конышева со вчерашнего дня. И принимать первую же версию за истину Гуров не мог. Следовало провести большую работу, взять показания у этого парня, проверить их, выяснить все дела и контакты Риты Конышевой, ее планы на сегодняшний день, выявить абсолютно всех возможных недругов Конышева — словом, предстоял обычный труд оперативника, совершаемый не им одним, а вместе с коллегами.

Пока группа осматривала квартиру и заносила данные в протокол, пока работали фотограф и несколько экспертов — а все это было делом очень небыстрым, — Гуров решил допросить Анатолия Емельяненко...

— А когда ты пришел, дверь была открыта? — уточнил Лев, записывая показания Емельяненко.

— Да, я еще подумал, что Ритка, может быть, в ванной, а мне специально открытой оставила — она же ждала меня.

Гуров задумчиво барабанил пальцами, анализируя услышанное, затем спросил:

— Ты говоришь, она тебе обещала дать денег. Сколько?

— Не знаю, она не сказала. Говорила только, что теперь будет все хорошо.

— Что она имела в виду?

Емельяненко сглотнул слюну и закатил глаза:

— Она хотела, чтобы я вылечился. Все мечтала, как устроит меня в элитную клинику, только денег не было. Папаша ей, конечно, на жизнь подкидывал, но для клиники этого мало. А она все надеялась, думала, где бы достать деньги...

— И что же она придумала?

— Не знаю, — покачал головой Анатолий. — Она ничего мне не рассказывала. Мы вообще в последнее время с ней редко виделись. Я... Мне постоянно плохо, ломает всего. А с деньгами туго. Ритка подкидывала на дозу, но... Я уже давно заметил, что мне даже после дозы лучше не становится. Так, двигаться могу, говорить, но не больше. Я не сплю уже почти год...

У Емельяненко явно были серьезные проблемы со здоровьем. Сильнейшая наркотическая зависимость, длившаяся, видимо, не один год.

— Давно на игле сидишь? — спросил Гуров.

— Четвертый год.

— Героин?

Емельяненко молча кивнул.

— Где товар берешь?

Анатолий не отвечал.

— Ты пойми, дурак, что я пытаюсь тебе помочь, найти смягчающие обстоятельства. А сдача сбытчика отлично может быть к ним приравнена.

— Какие смягчающие обстоятельства, я же не убивал Риту! — твердил Емельяненко.

— Может быть, и не убивал, — задумчиво сказал Гуров. — И я так думаю не потому, что поверил тебе, выслушав твою слезливую историю, а потому, что нет орудия убийства. Куда ты дел удавку? Да бросил бы возле тела, и все. А ее нет. Но если сейчас специалисты скажут, что она нашлась, твои дела плохи. Взяли тебя с поличным, в квартире с трупом, с ворованными деньгами в руке. Смерть Маргариты наступила совсем недавно, тело даже остыть не успело. Так что прикидывай сам.

Емельяненко вздрогнул. На лбу его выступили капли пота, он тяжело дышал. Гуров видел, что ему действительно сейчас очень плохо, и его обуревали противоречивые чувства. С одной стороны, по-человечески было жаль этого совсем еще сопливого пацана. С другой... Гуров повидал на своем веку немало наркоманов и знал, что это люди, потерявшие человеческий облик. Всем их существом управляет только доза, ради нее они готовы на что угодно. Гурову приходилось сталкиваться с такими представителями, которые в моменты ломки убивали родную мать, и все ради денег, которых порой хватало на один-единственный укол... А потом все, как один, твердили — не я, не убивал, ничего не знаю, хотя доказательства их вины были очевидными. Так что насчет показаний Емельяненко у Гурова оставались большие сомнения, и он, передав его другому оперативнику, пошел в комнату пообщаться с экспертами.

Конышева накачали препаратами так, что он впал в ступор. Сидел в кресле и бессмысленным взглядом смотрел в одну точку. Гуров решил пока что не трогать его и не задавать вопросов по поводу его риелторских дел, о которых была написана статья в Интернете. Он первым делом подошел к судмедэксперту, пожилому врачу, который сразу же ответил, что смерть наступила от асфиксии в течение последнего часа. Что касается содержания в крови Маргариты алкоголя или психотропных веществ, то пока что он не может ответить на этот вопрос — все анализы будут взяты в лаборатории, и там же проведено полное исследование. Обещал к вечеру доложить о них.

Гуров переключился на оперов, которые производили досмотр комнаты. И первый вопрос, который он им задал, касался орудия убийства. Однако никто из оперативников ничего похожего не находил — ни пояса, ни веревки. Получалось, что предмет, которым задушили Маргариту Конышеву, просто-напросто исчез из квартиры.

Осмотр места происшествия продолжался несколько часов. За это время в квартиру Конышева подтянулся Станислав Крячко, с которым Гуров созвонился и сообщил о случившемся.

— Вот что, Станислав, — проговорил Лев. — Дело под условным названием «Дело Конышева» получилось очень разветвленным. Мы имеем его проблемы в бизнесе, кражу денег в офисе, убийство одного из сотрудников, а теперь еще и дочери. И всем этим нужно заниматься. Расследовать каждое обстоятельство отдельно и в то же время без отрыва от остальных.

— Ловко ты загнул! — хмуро сказал Крячко.

— Посему, — продолжал Гуров, — тебе сейчас целесообразнее взять на себя убийство Красницкого. Ищи его связи с этой Надей, расспрашивай окружение, просматривай бумаги и пробивай телефонные звонки. Проверь компьютер в его квартире. И вообще, постарайся разузнать как можно больше об этом человеке. Словом, не мне тебя учить, как вести расследование убийства.

— Понял, — кивнул Крячко, поднимаясь и нахлобучивая кепку. — Созвонимся!

Когда он уехал, Гуров направился было к Конышеву, но обнаружил, что Виктор Станиславович заснул в кресле. И, вероятно, это было для него сейчас самое лучшее.

Тогда он подошел к эксперту-технику, который, сидя за столом, держал в руке сотовый телефон, и спросил:

— Это ее, Маргариты?

— Да. Я уже просмотрел все контакты и заказал распечатку вызовов. Но кое-какие сохранились и здесь. И вот что любопытно, Лев Иванович... Вот смотрите, в двенадцать сорок пять Маргарита позвонила вот по этому номеру. Я уже проверил — он принадлежит Емельяненко Анатолию Константиновичу, то есть вашему, так сказать, клиенту.

— Да, он говорил, что Рита звонила ему в это время, — кивнул Гуров.

— Но вот что еще интереснее! Разговаривали они две минуты пятнадцать секунд. А в двенадцать сорок восемь Маргарита позвонила на другой номер, вот на этот. — Эксперт протянул Гурову листок, на котором были записаны несколько цифр, обведенные красным маркером. — То есть сразу же после разговора с Емельяненко она позвонила кому-то еще.

— И кто же этот таинственный незнакомец? — спросил Гуров.

— Это я сейчас и пытаюсь выяснить, Лев Иванович. Видимо, кроме Емельяненко, Маргарита встречалась с кем-то еще. Я вовсе не за то, чтобы отмазать наркомана-убийцу от суда, просто хочу разобраться в этом деле полностью.

— Вот это правильно, Сережа, — одобрил Гуров. — Я вообще против того, чтобы искать козла отпущения и сажать невиновных, лишь бы закрыть дело. Но тут случай такой, что и это не поможет. На Конышева кто-то нацелился всерьез. Кто-то очень жестокий и хладнокровный. И посадив Емельяненко просто так, мы ничего не решим, потому что главный источник зла останется на свободе и будет продолжать свои дела. И кого он убьет в следующий раз, знает только бог. Или, скорее, дьявол, — закончил Гуров и отошел от эксперта.

Глава пятая

Гуров сидел в кабинете генерал-лейтенанта Орлова и докладывал обстановку. Обстановка была, мягко говоря, невеселой. Генерал-лейтенант постоянно хмурился, слушая Гурова, и, судя по его виду, кажется, уже вообще жалел, что попросил своего лучшего сыщика по-свойски заняться делом Конышева. Нынешние события не шли ни в какое сравнение с проблемами в бизнесе. А уж вчерашнее убийство его дочери и вовсе выглядело ошеломляюще.

Станислава Крячко в кабинете не было — тот как занялся убийством Красницкого, больше ни на что и не отвлекался. Да и времени прошло еще немного: лишь вчера вечером Гуров приказал ему выяснить все возможное об Алексее Владимировиче.

Крячко, правда, отзвонился и доложил, что переговорил с сотрудниками конторы Конышева по поводу отношений Красницкого и Нади и кое-что выяснил, посему намеревается подъехать в управление. Услышав короткое гуровское «ну так подъезжай!», Стас отключил связь и минут через десять появился в кабинете Орлова. Настолько быстро, что у Гурова возникло предположение, что звонил ему Крячко из местного буфета, где допивал кофе. Однако он не стал тратить время на выяснение подобной чепухи, а сразу перешел к делу. Крячко сообщил следующее.

Во-первых, судя по всему, псевдо-Круглова и Красницкий вряд ли были знакомы раньше. Во всяком случае, ничто в их поведении не заставляло так думать. Да, многие обратили внимание, что Алексей Владимирович положил глаз на новенькую, но это было у него в порядке вещей, и никого уже не удивляло. Всех занимал только вопрос — устоит новенькая перед обаянием одинокого импозантного риелтора или нет.

— Ну и как? — поинтересовался Крячко. — Устояла?

Женская часть коллектива разошлась в мнениях. Секретарша стояла на том, что нет, поскольку Красницкий и Круглова частенько выходили покурить вместе. Точнее, стоило выйти Надежде, как Красницкий тут же устремлялся за ней. Бухгалтер, женщина уже в возрасте, возражала и говорила, что несколько раз проходила мимо них в курилке и, судя по выражению лиц, Красницкий и Надя вовсе не испытывали друг к другу страсти.

— Они разговаривали, скорее, как деловые партнеры, — заявила она, и это обстоятельство насторожило Крячко, заставив его укрепиться в версии, что Красницкий с Кругловой изначально договорились «опустить» директора конторы на кругленькую сумму.

Но самую интересную и одновременно непонятную информацию предоставил, как ни странно, Лев Абрамович Гольдман, человек, далекий от всяких сплетен и амурных дел на рабочем месте. Человек, которого, кроме получения прибыли, вообще мало что интересовало в конторе.

— Тогда как раз случился, как сейчас модно говорить, корпоратив, — вспомнил Гольдман. — Ну, обычная пьянка на работе, — поморщившись, пояснил он.

Корпоратив был, по его мнению высосан из пальца, поскольку посвящался юбилейной сделке Виктора Станиславовича. Гольдман, будучи равнодушным к спиртному, отнесся к факту его проведения скептически. Коллективная пьянка означала, что если не на спиртное, то на закуску уж точно придется раскошелиться, а Льву Абрамовичу этого очень не хотелось. Он вообще считал все это пустой тратой времени и денег. Но его отказ мог негативно сказаться на его отношениях с директором фирмы — Виктор Станиславович ратовал

105

за единение коллектива, корпоративный дух и прочую чепуху, которую в последнее время стало модно исповедовать. Конечно, чем-то серьезным отказ последовать пожеланиям начальства Гольдману не грозил — Виктор Станиславович, разумеется, не стал бы по этой причине штрафовать или, тем более, увольнять одного из самых ценных своих сотрудников, — но Льву Абрамовичу хотелось избежать любых осложнений. Зануда-Конышев потом еще долго прочищал бы ему мозги, сокрушался о несознательности, подсовывал, чего доброго, всякую дурацкую американскую литературу, с обложек которой белозубо улыбались типичные представители «успешного» поколения, а Гольдман всего этого терпеть не мог. И дабы сохранить душевный покой, скрепя сердце, согласился-таки пойти на вечеринку, предварительно сдав в общую кассу пятьсот рублей.

«Корпоративка» началась как обычно. Сначала Конышев с бокалом шампанского в руках пафосно произнес грешащую помпезностью речь, пожелал всем успехов и плодотворного сотрудничества, мимоходом похвалил каждого и, довольный собой, осушил бокал. Потом полились льстивые речи сотрудников и сотрудниц, каждый из которых кричал, что Виктор Станиславович — лучший в мире руководитель и что все они готовы за него жизнь положить. Конышев слушал и расцветал, млея от восторга, Лев Абрамович досадливо морщился от такого неприкрытого лицемерия, Красницкий липким взглядом скользил по длинным ногам Нади Кругловой, а сама Надя сидела с каким-то сосредоточенным видом. По ней нельзя было сказать, разделяет она мнение коллег или нет, но Льву Абрамовичу казалось, что вся эта вечеринка ей глубоко неинтересна и что мыслями она где-то далеко отсюда.

Красницкий, выпив несколько бокалов подряд, раскраснелся и почувствовал себя совсем раскрепощенным. Он сегодня был в ударе: ухаживал одновременно за всеми дамами сразу, сыпал удачными комплиментами, не забывал то подливать вино, то подкладывать салат той или иной офисной прелестнице — словом, превзошел самого себя. При этом больше всего внимания он уделял именно новенькой. Надя равнодушно относилась к его откровенным заигрываниям, отвечала ровно и сухо и никак не велась ни на какие уловки Красницкого. А потом все окончательно расслабились, включили какую-то разухабистую музыку и бросились танцевать. Красницкий сунулся было к Наде, подав ей руку с масленой улыбкой, но получил решительный отказ. Но на плече Алексея Владимировича уже повисла секретарша Люда, питавшая, кажется, к нему тайные симпатии, и Красницкий, тут же избавившись от смущения, закружился с ней в какой-то смеси вальса и ламбады...

Гольдман с кислым видом сидел в углу и потягивал минералку — спиртное он не употреблял по религиозным соображениям, как декларировал, хотя на самом деле виной тому была язва желудка, мучившая риелтора уже полтора десятка лет. Ему было откровенно скучно, однако и уходить вроде еще неудобно — «корпоративка» только вступала в самый разгар.

Наблюдая за всеми со стороны, Гольдман заметил, как уже отмечал не раз, насколько преображаются обычно благообразные на рабочем месте сотрудники на таких вот мероприятиях. И в очередной раз недоумевал — кому это надо? Ну что хорошего смотреть на то, как отплясывает немолодая бухгалтер Ирина Семеновна, при этом намеренно задирая подол широкой юбки, или как хихикает секретарша Люда, слушая бредни, которые нашептывает ей на ухо пьяненький Красницкий? Только новенькая Надя Круглова ведет себя приличнее всех — сидит спокойно, отпивая вино микроскопическими глотками, больше для вида, в пляс не пускается, на шее у мужиков не виснет. Ну и Виктор Станиславович Конышев, находясь в каком-то идиотическом восторге, сидит за столом, подперев подбородок, и поглядывает на своих подопечных с умильной улыбкой.

Гольдман обратил внимание, что Надя через некоторое время поднялась, достала из сумочки сигареты и выскользнула из комнаты. Спустя буквально минуту вслед за ней вынырнул и Красницкий. Гольдман заерзал на стуле: ему давно уже приспичило сходить в туалет, а теперь эта парочка отправилась в курилку, и придется пройти мимо них. Нет, ничего страшного, конечно, но Льву Абрамовичу уже и так опостылели лица пьяных сотрудников, а Красницкий раздражал его особенно, так что он хотел избежать всяческих контактов. А подвыпивший Красницкий отличается излишней болтливостью и обязательно к нему привяжется, надеясь в разговоре удачно ввернуть пару своих фирменных шуточек, таких же глупых, как и он сам, и благодаря этому подняться в глазах Нади. Тьфу!

Но мочевой пузырь прихватило конкретно: Гольдман успел выпить три бутылки минералки — зря, что ли, деньги платил? Немилосердно ворча про себя, все-таки поднялся со стула и направился к двери. Проходя мимо курилки, Лев Абрамович услышал негромкий тенорок Красницкого, мерно журчащий и несущий, как обычно, какую-то чепуху. К его радости, Красницкий не пристал к нему с расспросами, напротив, он, кажется, был даже раздосадован появлением Гольдмана в столь неподходящий момент. А момент назрел довольно пикантный: Алексей Владимирович будто бы невзначай положил Наде левую руку на плечо, а правой, едва касаясь, поглаживал ее бедро.

Стараясь делать вид, что не замечает этого, и не задерживаться, Гольдман, ссутулившись, прошмыгнул в туалет. Когда он вышел оттуда и свернул за угол, до него долетел возмущенный голос Надежды:

— Руку убери!

Алексей Владимирович засмеялся тихим, вкрадчивым смехом, будто принял сопротивление девушки за изящное кокетство. Неизвестно, что он предпринял дальше, только Гольдман услышал резкое: «Отвали, тебе сказано!»

Не желая ввязываться в пьяный конфликт, Гольдман вкатился в комнату, где вовсю шло торжество. Через пару минут появилась Надя. На лице ее застыло выражение досады и какой-то злости. Сев на свой стул, она вдруг быстро опустошила свой бокал, наполненный вином, и о чем-то крепко задумалась, глядя перед собой.

Еще через некоторое время в комнате показался Красницкий, причем в очень и очень странном виде. Таким Лев Абрамович не видел его никогда. Нет, внешне он был в полном порядке — чистый, подтянутый, наглаженный, и даже красного пятна от пощечины или фингала под глазом Гольдман у него не заметил. Но вот лицо... Точнее, выражение этого лица! Оно было таким, словно Красницкий повстречал в коридоре привидение. На нем застыли одновременно несколько чувств: недоумение, изумление и даже страх. Ошарашенно озираясь по сторонам, он прошел вперед и сел на первый попавшийся стул.

«Совсем чокнулся, — подумал Гольдман. — Промеж глаз, что ли, она ему двинула, что у него последние мозги вылетели? Ну и поделом!» Он отвернулся, поскольку потерял к Красницкому всякий интерес, как вдруг произошло нечто непредвиденное.

Надя Круглова, поставив пустой бокал на столик, резко поднялась, подошла к Красницкому и решительно сказала:

— Алексей Владимирович, а не подвезете ли вы меня домой? Думаю, нам с вами есть о чем поговорить.

Красницкий вздрогнул и опасливо посмотрел на Надежду. Потом неуверенно склонил голову, выдавил из себя кислую улыбку и произнес:

— Конечно-конечно... Надя. Прямо сейчас?

— Ну а что тянуть-то? — усмехнулась Надя, накидывая длинный пиджак. — Поехали! — И двинулась к выходу.

Красницкий повернулся ко всем, снова улыбнулся натянутой улыбкой, стараясь казаться небрежным, помахал рукой и направился вслед за Надей. Когда он проходил мимо Гольдмана, Лев Абрамович обратил внимание, что в глазах его застыл страх...

— Вот я и думаю, — рассуждал вслух Лев Абрамович. — Чем она могла его так напугать? И что вообще могло между ними произойти там, в курилке, за те секунды, что они оставались вдвоем после того, как прошел я? Ну, допустим, она оказалась мастером спорта по карате и двинула ему так, что отбила все мужские предметы гордости — так ему и надо, господи меня прости! Допустим, это повергло его в такой шок, что он спал с лица и потерял аппетит — это тоже понятно и вполне объяснимо: такой мелкий человек, как Красницкий, только подобную утрату и может переживать всерьез. Для него это равносильно потери смысла жизни. Он никогда не понял бы, до какой степени все это суета, мир его праху!

— Ну и? — поторопил его с выводами Крячко.

— Но меня поражает поведение самой Нади! Ведь это не поддается никакой логике! Зачем она, умело отшив этого кобеля, потом подходит и на глазах у всех просит его отвезти ее домой? Ведь это же явная провокация!

— Может, она хотела ему по дороге доходчиво объяснить, чтобы впредь не лез? — предположил Крячко.

— Помилуйте, да куда же еще доходчивее? — загорячился Лев Абрамович. — Она после такого вообще должна была его игнорировать! И этот его взгляд, знаете... Я никак не могу забыть взгляд Красницкого, когда он вернулся в кабинет! Будто он черта живьем увидел, ей-богу!

— А он, этот ваш Красницкий, часом, не того был? — покрутил пальцем возле виска Стас.

— Абсолютно нормальный человек! — заверил его Гольдман. — Ну, если, конечно, закрыть глаза на его нездоровое увлечение слабым полом, который, как выясняется, порой оказывается весьма сильным!

— М-да, — чмокнул губами Крячко. — В общем, ничего не понятно. Абсолютно нелогичное поведение двух абсолютно нормальных людей. А что потом?

— Ну откуда же я знаю? Они уехали, и все!

— Я имею в виду дальше, в другие дни? Как они вели себя на работе?

Лев Абрамович наморщил лоб и зашевелил губами, что-то обдумывая.

— Вы знаете, надо отдать должное, вели себя очень корректно. Даже подчеркнуто корректно, я бы сказал! Ни о каких ухаживаниях, поглаживаниях со стороны Красницкого больше и речи не было! Вот только в курилку стали вместе выходить часто. Но без всяких намеков, без! — Гольдман помахал указательным пальцем прямо перед носом Крячко. — И домой он ее ни разу не подвозил — во всяком случае, я такого не замечал. Но я вообще много мотаюсь по городу, у меня, знаете ли, работа на первом месте стоит. Я бы и на эти шашни внимания не обратил, просто очень уж характерный эпизод тогда получился, вот я и запомнил. Может, и подвозил. Но об этом вам лучше у наших дам проконсультироваться, вот уж они-то всегда в курсе, кто с кем домой возвращается, да! Знаете, готовы интересоваться чем угодно, только не работой. Ну это ж дамы, им простительно! Творение вторичное, созданное специально для Адама исключительно для любовных утех, да! Какой с них может быть спрос? А уж тем более в продаже недвижимости!

Крячко оставил Гольдмана и дальше вздыхать на интересные ему темы, а сам еще раз опросил женщин. Однако все они заявили, что Надя и Красницкий всегда выходили из конторы порознь. Это подогревало интерес женской части коллектива к их отношениям и вводило дополнительную интригу...

— И интрига эта разрешилась убийством, — закончил за Крячко Лев. — Такого даже поклонники «Санта-Барбары» вряд ли ожидали. Что-нибудь еще выяснил?

— А что, этого мало? — обиделся Станислав.

— Я имею в виду жизнь Красницкого вне дел конторы, — пояснил Гуров. — Чем жил человек, чем увлекался? Такой обольститель вряд ли проводил свои дни в уединении и размышлении о смысле жизни. Дамочки наверняка водились.

— Как говорят соседи, дамы у него менялись регулярно, — ответил Крячко. — Но никого отдельно выделить они не могут. То есть постоянной не было, что вполне укладывается в его характер.

— А похороны его когда?

— Завтра. Хоронить родители будут. Ни жены, ни детей у него не было. А что? — Крячко покосился на Гурова, и взгляд друга ему не слишком понравился.

— Хорошо бы тебе, Станислав, туда наведаться, — задумчиво произнес Лев. — И на поминки попасть. Наверняка кто-то из его пассий будет там присутствовать. А в подобной обстановке можно многое услышать, если уши держать востро. Дамочки подвыпьют, пустят слезу, начнут выяснять, кто да что для него значил...

— Ну и что? — скептически перебил его Крячко. — И тут же выложат, кто его убил? Они сами этого не знают! И вообще, Лева, ты знаешь, я не очень люблю все эти кладбища и похоронные дела!

— Они могут что-то сообщить о Кругловой, — возразил Гуров.

— С какой это стати? — хмыкнул Крячко. — Вряд ли они пересекались! И вряд ли Красницкий делился со своими дамами рассказами друг о друге. Иначе они бы уже глаза друг другу выцарапали, да и ему заодно.

— А может... — предположил Гуров, но Стас тут же перебил его:

— Убийство из ревности? Чушь!

— Да, я тоже полагаю, что убийство Красницкого вряд ли имеет отношение к его амурным делам, — поддержал Крячко Орлов, хотя в последнее время такое случалось нечасто. — Вряд ли дамы Красницкого смогут пролить свет на обстоятельства его гибели. Нет, тут с других концов нужно начинать!

В этот момент открылась дверь, и на пороге показался один из экспертов.

— Товарищ генерал-лейтенант, полковник Гуров просил сообщить о результатах экспертизы. У меня готовы распечатки телефонных звонков, а также сведения о владельцах их номеров.

— Отлично, докладывай! — удовлетворенно кивнул Орлов, надевая очки, и эксперт, присев на стул, стал говорить:

— Значит, повторяющихся номеров в телефоне убитой Маргариты Конышевой несколько. Чаще всего она звонила отцу, потом часто мелькает номер Анатолия Емельяненко, ну и есть еще один номерок.

— А что по тому номеру, на который она звонила сразу после беседы с Емельяненко в день гибели? — перебил его Гуров.

— Вот я о нем и говорю, — кивнул эксперт. — Мы выяснили, что номер зарегистрирован на Круглову Надежду Павловну...

— Что-о?! — не удержался от изумленной реплики Гуров, хотя за свою практику научился ничему не удивляться.

— Круглова Надежда Павловна, — невозмутимо повторил эксперт. — А что такое?

Гуров, Орлов и Крячко переглянулись.

— Но и это не все, — продолжал эксперт. — Тот же самый номер обнаружен и в телефонной книжке Алексея Красницкого, убитого позавчера. Он тоже разговаривал с Кругловой незадолго до своей смерти. Вот, входящий вызов это подтверждает, причем вызов принятый. То есть Круглова звонила Красницкому в тринадцать часов двенадцать минут.

— Час от часу не легче! — беспокойно потер виски Орлов.

— Еще что-нибудь интересное есть? — спросил Гуров, быстро вернувшийся к своему обычному хладнокровному состоянию.

— Да как сказать, — пожал плечами эксперт. — Есть некий номер, с которого звонили и Маргарите Конышевой, и Анатолию Емельяненко. Номер принадлежит некоему Воронову Михаилу Анатольевичу. Но это может ничего и не значить — если Конышева и Емельяненко дружили, у них должны быть общие знакомые.

— А кто он, этот Воронов?

— Этого я уже не знаю, — развел руками эксперт. — Устанавливать личности — не по моей части. Но думаю, что данные на него вы и без моей помощи получите, это несложно. У меня пока все.

— Ладно, иди, — махнул рукой Орлов, продолжая растирать виски. Когда эксперт вышел, он пожаловался: — У меня в голове какая-то свистопляска начинается! Ничего не понимаю!

— Ну, что-то, кажется, начинает проясняться, — задумчиво проговорил Гуров. — Не слишком приятные выводы, но тут уж никуда не денешься.

— Хочешь сказать, что дочь Конышева была связана с этой Кругловой?

— Без сомнений, — кивнул Лев.

— А может, это какая-то ее подружка? — озарился идеей генерал, которому очень не хотелось сообщать Конышеву нелицеприятные факты о его дочери, тем более когда спонсор отдела находился в упадническом настроении. — Часто бывала в их доме, вот и решила воспользоваться ключами Конышева, сделала слепок, потом устроилась к нему в контору под видом агента...

— А он ее почему-то не узнал, — со вздохом закончил Гуров.

— Но тогда непонятно, при чем тут мой Красницкий? — задал вопрос Крячко. — Если Маргарита решила «опустить» собственного папашу, причем сделала это с помощью Нади Кругловой, для чего он им был нужен?

— А может быть, он и не был им нужен, но как-то узнал об их замысле? За это его и убили, — предположил Орлов.

— Ты делаешь тот же самый вывод, что высказал вчера Конышев, но ты первый его раскритиковал, — заметил Гуров.

— Так, давайте разбираться по порядку! — решительно заявил Орлов. — В телефоне Маргариты есть номер Кругловой. Круглова звонила как Маргарите, так и Красницкому. Но номера Маргариты у Красницкого нет! И у нее тоже. То есть Красницкий и Маргарита между собой не перезванивались и, судя по всему, не общались. Неизвестно даже, виделись ли они вообще. Это, конечно, нужно уточнить у Конышева. Но я это к чему: у Красницкого и Кругловой могли быть свои дела, а у Кругловой и Маргариты — свои.

— Какая все-таки вездесущая личность эта Круглова! — восхитился Гуров. — И таинственная... Дорого бы я дал, чтобы узнать, кто она такая на самом деле. Причем, мне кажется, что связь с бандой исключается: вряд ли бандиты связались бы с Маргаритой. Они не стали бы делать ставку на дочь человека, которого собираются ограбить.

— Так, а номер самой Кругловой! — осенило вдруг Орлова. — То есть мнимой Кругловой! У нас же он теперь есть, следовательно, мы можем заказать у специалистов распечатку всех звонков с него и таким образом пробить другие ее контакты! А уж они выведут нас на ее боссов. Все-таки вряд ли женщина работает одна. Банда не банда, но какая-то шайка за этим определенно стоит. Или один человек, главарь шайки.

— И интуиция мне подсказывает, что это мужчина, — согласился с ним Гуров.

— Да, одна женщина, то бишь Круглова, вряд ли смогла бы развернуть такой план, в деталях которого мы и сами еще не разобрались. У нас пока есть несколько версий. Первая — Круглова сговорилась с Маргаритой Конышевой ограбить фирму ее отца. После чего убила Маргариту, дабы та уже никогда ничего не смогла рассказать.

— Но непонятно, каким боком тут убийство Красницкого, — вставил Крячко.

— Далее, — сделав Крячко знак не перебивать, продолжал Орлов, — некто мог нацелиться конкретно на Конышева с целью отомстить, застращать, выжить с рынка, лишить ума и тому подобное. Тогда этот некто, используя Круглову, грабит его фирму, убивает заместителя, а следом и дочь, чтобы окончательно запугать.

— Какая-то фантастическая версия, — заметил Гуров. — Дочь-то зачем убивать, если деньги уже получены?

— Но кто-то же ее убил!

— Вы забыли про самый простой вариант, — снова вмешался Крячко. — И самый правдоподобный. Маргариту убил этот наркоман, которого застали над трупом. А была она связана с Кругловой по ограблению или нет — в этом случае неважно. Скорее всего, эти две подружки, Конышева и Круглова, действительно решили ограбить папашу. Рита на радостях поделилась со своим дружком новостью, что у них теперь до фигища денег, а тот пришел и кокнул ее.

— Все очень логично, — серьезно кивнул Гуров. — Вот только где деньги? Те двадцать тысяч, что нашли у Емельяненко, — малая лепта. Это на мелкие расходы Конышев дома держал.

— А Круглова просто не успела передать их Маргарите! — поскреб затылок Стас. — Они же наверняка были у нее. Может быть, она еще и будет ей звонить по этому поводу, не зная, что Маргариты нет в живых! И вот, кстати, за этим нужно тщательно следить! Телефончик Конышевой изъяли? Или дома оставили?

— Ну ты уж совсем меня за лоха держишь, — усмехнулся Гуров. — Разумеется, изъяли!

— Так следите! Фиксируйте все входящие! Я не знаю — может, даже имеет смысл кого-то из наших сотрудниц подключить? Чтобы отвечала якобы за Маргариту, если позвонит кто-то подозрительный?

Орлов с Гуровым посмотрели друг на друга заинтересованным взглядом. В словах Крячко был смысл, а вот им, признаться, такая идея пока не приходила в голову.

— У тебя есть кто-нибудь подходящий, кто бы мог голос сымитировать? — поинтересовался Орлов у Гурова.

— Разве что моя жена,— усмехнулся тот. — Она, напоминаю, профессиональная актриса. Среди наших сотрудниц... Не знаю. Хотя проблема еще и в том, что непонятно, что имитировать. Мы же не знаем, как звучал голос Маргариты!

— Все равно что-нибудь придумать можно, — кивнул Орлов. — Платок там, насморк или что-то еще.

Крячко с весьма довольным и самоуверенным видом слушал диалог своих коллег.

— Но не забывайте, что все это имеет смысл только в том случае, если Круглова не в курсе смерти Маргариты! — Поднял палец Гуров. — То есть если виновен Емельяненко. А у меня есть сомнения на этот счет, и я как раз собирался пообщаться с экспертами по этому поводу.

— Все равно нужно экспериментировать! — уверенно заявил Крячко. — Мы ведь не знаем доподлинно, что там произошло? Вдруг будет важный звонок?

— Обязательно проследим, — заверил его Орлов, берясь за трубку телефона. — Сейчас я лично займусь этим вопросом — нужна опытная сотрудница, не только артистичная, но и способная сориентироваться по ситуации, чтобы ничем не выдать, что она не Маргарита!

— Ну а я к экспертам, — поднялся Гуров.

— А я — на обед! — заявил Крячко. — На голодный желудок я плохо соображаю!

И он вышел, не расслышав бурчание Орлова: «Ты всегда плохо соображаешь!»

Гуров сидел в своем кабинете и просматривал материалы одного дела, которое весьма его заинтересовало. Он уже успел побеседовать с экспертом и выяснил, что орудие убийства в квартире Конышевых так и не обнаружено. Отпечатки Анатолия Емельяненко имеются на ручке входной двери и на дверце шкафа — больше нигде. В той комнате, где нашли тело Маргариты, их не было. И вообще, показания Емельяненко не разваливались. По фактам все выходило так, как он говорил. Гуров попробовал профессионально надавить на него, но не перегибая палку, — это не дало результата. Емельяненко стоял на своем и отказываться от

116

своих показаний не намеревался. Даже странно, обычно наркоманы ломаются и готовы взять на себя все, что угодно, только бы получить вожделенную дозу. Полковник Гуров, конечно, никогда не опускался до того, чтобы добыть удобные для него показания, посулив подозреваемому инъекцию героина, однако намекнул, что, если Емельяненко признается, есть шанс отпустить его под подписку. И будь Анатолий виновен, он согласился бы мгновенно — на воле его ждала возможность получить дозу, а что будет потом, его бы не волновало. Однако Емельяненко отказался...

Гуров успел задать ему еще один вопрос, который его волновал, и, к своему удивлению и радости, получил на него ответ. Полученные сведения настолько взволновали полковника, что он поспешил в свой кабинет, дабы поскорее их проверить. И теперь, листая старое дело, внимательнейшим образом вчитывался в детали...

Потратив на чтение более часа, Гуров перевернул последнюю страницу, дочитал до конца, потом поднялся и в задумчивости прошелся по кабинету. Картина вырисовывалась весьма интересная, заслуживающая самого пристального внимания. Да и не только внимания: следовало разобраться во многих деталях, которые отсутствовали в деле. И помочь в этом ему могли два человека...

Обдумав, с кого лучше начать, Лев еще раз заглянул в дело, затем взял телефонную трубку и, набрав номер, произнес:

— Добрый день. Соломатин Дмитрий Константинович?

— Да, слушаю, — ответили на том конце трубки.

— Полковник Гуров, главное управление МВД. У меня к вам есть несколько вопросов срочного порядка — не хотелось бы вызывать вас повесткой, тратить ваше и свое время. Может быть, встретимся в неофициальной обстановке?

Повисла пауза. Потом собеседник уточнил:

— А чего конкретно касаются ваши вопросы?

— Не волнуйтесь, вам они ничем не грозят, — успокоил его Гуров. — Так, небольшие уточнения, по поводу инцидента, произошедшего с вами четыре года назад. Вы ведь тогда ограбили, верно?

Собеседник снова умолк, потом сказал:

— Но все давно закончилось. Почему вы сейчас интересуетесь?

— Дмитрий Константинович! — Гуров был сама доброжелательность. — Ей-богу, по телефону неудобно об этом говорить. А я не хочу вызывать вас повесткой. Иду вам же навстречу.

Соломатин посопел немного, после чего проговорил:

— Я сейчас на работе. Можете подъехать ко мне. Покажете на входе свое удостоверение — охрана вас пропустит.

— Замечательно, — улыбнулся Гуров. — Вы по-прежнему работаете в фирме «Аркос»?

— Да, офис на Покровском бульваре.

— Я понял, буду в течение часа, — сказал Гуров, после чего запер свой кабинет и спустился вниз. Сев в свой автомобиль, полковник направился в офис фирмы «Аркос», занимавшейся производством безалкогольных напитков. Цех, в котором велось производство, располагался по другому адресу, на самой окраине Москвы, центральный же офис, где восседал один из учредителей ОАО «Аркос», находился практически в центре столицы и представлял собой несколько кабинетов на четвертом этаже старинного дома.

На входе стоял охранник в форме. Гуров молча протянул ему свое удостоверение, тот так же молча кивнул, отодвигаясь, и Гуров прошел к лестнице. Дмитрий Константинович Соломатин оказался высоким, крепко сбитым черноволосым мужчиной с усами, лет сорока пяти. Его карие глаза настороженно смотрели на полковника из-под кустистых бровей. Он предложил Гурову сесть в кресло, сам же остался стоять.

— Буду краток, Дмитрий Константинович, — раскрывая папку с делом, начал Лев. — Четыре года назад вы были ограблены. Преступника, по счастью, взяли с поличным на месте преступления, потом он предстал перед судом и получил заслуженный срок. Похищенное вам вернули.

Соломатин слушал молча. Когда Гуров закончил фразу, он утвердительно кивнул, давая понять, что все верно.

— Однако, — продолжал Гуров, — на суде не всплыл тот факт, что на самом деле преступников было трое. Трое, Дмитрий Константинович, — подчеркнул он, внимательно глядя на Соломатина. — Меня сейчас совершенно не интересует мотив наказания этих двоих. Я просто хочу узнать подробности этого дела. Словом, чтобы вы рассказали мне правду. Мы с вами не у меня в кабинете разговариваем, а на вашей территории. И разговор этот неофициальный — я не собираюсь ничего фиксировать документально. Впоследствии вы можете от всего отказаться, хотя обещаю, что никакого «впоследствии» не будет. Скажу вам даже больше — участникам этого дела, избежавшим наказания, вы не навредите. Им уже ничего не грозит. Немного позже, если хотите, я объясню вам почему. Могу открыть причину даже сейчас, если вы по-прежнему отказываетесь говорить.

Гуров замолчал, следя взглядом за лицом Соломатина. Замдиректора слушал полковника, слегка нахмурив густые брови. Потом как-то невесело усмехнулся и сказал:

— Нет, отчего же... Я могу рассказать. Тем более что мне-то уж точно это ничем не грозит. Был суд, виновные наказаны. Не понимаю только, зачем вам это надо теперь? Хотя если вы даете слово...

— Слово офицера, — заверил его Гуров.

— Хорошо, слушайте. Я тогда за город собирался, да у меня, как на грех, машина сломалась, пришлось вернуться. Теперь получается — на счастье...

...Рассказ Дмитрия Константиновича занял минут пятнадцать, и картина, описанная им, выглядела так, как примерно и представлял себе Гуров. Неожиданно для себя, Соломатин разговорился, вспомнив детально все, что произошло четыре года назад.

— Пожалел я их тогда, — со вздохом закончил он свой рассказ. — Особенно девчонку. Молодая совсем, глупая. Пожалел. Не ради денег, не подумайте, — у меня у самого дочь подрастает.

— Но от денег все-таки не отказались? — заметил Гуров.

Соломатин снова протяжно вздохнул, потом вдруг слабо улыбнулся:

— Мы, кажется, договаривались о неофициальной беседе, которая мне ничем не грозит?

— Я держу свое слово, Дмитрий Константинович.

119

— Ну так вот... Такие дела. — Соломатин развел руками, словно говоря, что Гуров должен его понять, и вдруг неожиданно эмоционально добавил: — Но к тому уроду у меня не было ни жалости, ни сочувствия! Не было и нет по сей день! Мне сразу стало понятно, что он собой представляет! Он все равно бы кончил тюрьмой — прямо рвался в нее всеми силами! Так что мне его не жаль.

— Все понял, спасибо вам за откровенность. — Гуров поднялся с кресла.

— Не за что, не за что, — пожимая протянутую им на прощание руку, кивал Соломатин. И только когда Гуров уже взялся за дверную ручку, спохватился: — А почему все-таки вы меня расспрашивали об этом?

— Потому что, боюсь, те события могли стать причиной нового преступления, совершенного совсем недавно, — ответил Гуров и, не вдаваясь больше ни в какие подробности, вышел из кабинета.

После беседы с Соломатиным оставался еще один человек, которого Гуров очень хотел бы послушать, — Виктор Станиславович Конышев, до сего момента ни словом не обмолвившись ни о чем подобном. Ну это можно понять — Конышеву и в голову не могло прийти, что то, что он считал пройденным и забытым этапом, может вдруг всплыть сейчас, после убийства его дочери, на которое Гуров теперь уже смотрел под иным углом.

Делиться своими соображениями Лев пока не стал ни с Орловым, ни с Крячко. Сначала нужно было поговорить с Конышевым, а потом уже делать выводы и выстраивать новые версии. И полковник из офиса Соломатина направился прямиком к Конышеву домой. Он был убежден, что тот явно не поехал сегодня в контору. Тело Маргариты находилось в морге судебно-медицинской экспертизы. Эксперты уже потрудились над ним и передали все результаты следствию, а это означало, что тело Маргариты можно забирать для захоронения. И похороны должны были состояться завтра. Кстати, никаких наркотических веществ и даже следов алкоголя в крови Маргариты обнаружено не было. Одним словом, Гуров не стал звонить Конышеву, а отправился прямиком к нему домой. Однако по дороге в Сокольники неожиданно раздался звонок от самого Виктора Станиславовича.

— Лев Иванович... — Голос звучал тускло и вяло — наверное, Конышев сегодня тоже принял какой-то седативный препарат.

— Да, слушаю.

— Нам надо поговорить, это очень важно. Возможно, вчера я не отдавал себе отчета в том, насколько это важно — я вообще был оглушен. Я и сейчас, конечно, не в самом лучшем виде, но считаю своим долгом сообщить эти... эти сведения.

— Отлично, Виктор Станиславович, я скоро буду, — заверил его Гуров.

Конышев встретил Гурова, одетый в костюм, в котором он обычно ездил в свою контору — видимо, этот человек даже не в самые приятные минуты своей жизни соблюдал порядок и следил за своим внешним видом. Костюм, правда, выглядел не слишком свежим и даже помятым, из чего полковник сделал вывод, что Виктор Станиславович, скорее всего, в нем и заснул.

Он подал полковнику руку для пожатия, после чего пригласил его в комнату, двигаясь какой-то шаркающей походкой. Гуров сел в кресло, обдумывая, с чего лучше начать — со своих вопросов или дать Конышеву возможность поделиться тем, чем он хотел. На ходу решив, что второе предпочтительнее, полковник сказал:

— Так о чем вы хотели мне сообщить, Виктор Станиславович?

Однако Конышев почему-то медлил с ответом. Он сидел в кресле, обеими руками вцепившись в подлокотники, и о чем-то напряженно размышлял. Потом неожиданно резко спросил:

— Что там с этим наркоманом? Он уже сознался?

— Пока нет, — развел руками Гуров. — И, честно говоря, я сомневаюсь в том, что признается.

— Куда он денется! — уверенно заявил Конышев. — Все улики против него!

— Я бы так не сказал, — покачал головой Гуров. — Орудия убийства так и не нашли. А это главная улика.

— А может быть, он ее голыми руками задушил! — воскликнул Конышев.

— Эксперты утверждают, что душили удавкой, — возразил Лев. — И потом, деньги. По словам Емельяненко, Маргарита обещала дать ему денег.

— Да он вам что угодно наплетет, чтобы шкуру свою спасти! — с ненавистью процедил Конышев.

Гуров подавил вздох и внимательно посмотрел на него:

— Виктор Станиславович, пока что факты подтверждают показания Емельяненко. И я лично склонен думать, что он говорит правду.

— Вы что же, еще отпустите его? — с издевкой спросил Конышев.

— Пока об этом говорить рано, но даже если передать материалы в суд, их могут вернуть на доследование. Да и я не уверен в его вине, вот в чем дело. Виктор Станиславович, давайте говорить, положа руку на сердце: вы взъелись на Емельяненко потому, что и раньше не любили его. Попробуйте абстрагироваться от этого чувства хотя бы на время. Нам с вами обоим, — подчеркнул Гуров, — важно, чтобы был наказан настоящий убийца. Ведь так?

Конышев помолчал, потом медленно кивнул.

— Вот и давайте разбираться вместе. Во-первых, скажите, у вашей дочери были какие-нибудь отношения с Красницким?

— С Красницким? — глаза Конышева поползли на лоб. — С чего вам такое в голову пришло?

— Ну, учитывая его слабость к прекрасному полу... А ваша дочь была молодой привлекательной девушкой.

— Но моя дочь даже не пересекалась с Красницким! — воскликнул Виктор Станиславович, явно озадаченный вопросами полковника. — Я не уверен, что они вообще были знакомы — я уже говорил, Рита крайне редко бывала у меня в фирме. Не чаще раза в год, а может, и реже.

— А когда вы ложитесь спать, борсетку с ключами куда кладете?

Конышев удивленно поморгал глазами, потом сказал:

— Ну, в прихожей оставляю. На тумбочке, на видном месте, чтобы не искать впопыхах утром.

— Понятно.

— А вот мне непонятно, почему вы все-таки спросили про Красницкого? Только потому, что он был убит за день до гибели Маргариты?

— Виктор Станиславович, вы сами, как мне думается, не до конца уверены в виновности Емельяненко. Потому и позвонили мне, чтобы сообщить что-то важное. Вот давайте и сообщайте сейчас, а потом я вам кое-что скажу. У нас с вами вообще, чувствую, предстоит долгий разговор...

Конышев вздохнул, набрал побольше воздуха, приготовившись к длинному рассказу.

— Помните, при нашей с вами первой встрече я мимоходом упомянул о своей бывшей жене? — посмотрел он на Гурова воспаленными глазами.

— Ну, что-то такое припоминаю, — наморщил лоб Лев. — Вы, кажется, развелись лет восемь назад?

— Да, у вас отличная память, вы помните даже такие мелочи, — грустно усмехнулся Виктор Станиславович. — История тогда получилась не слишком красивая, и мне не хотелось рассказывать подробности, тем более что при первой нашей с вами встрече я не считал нужным сообщать все эти детали — думал, что они не имеют отношения к тому, что происходит сейчас. Но теперь... Теперь, думаю, стоит об этом рассказать. Вы готовы меня выслушать? Рассказ будет не слишком коротким, чтоб вы все поняли досконально...

— Что ж, я готов, — кивнул Гуров. — Если вы действительно считаете, что это важно.

Тогда, восемь лет назад, Альбина Конышева, будучи, в общем-то, уже достаточно зрелой женщиной — на тот момент ей было тридцать семь, но сохранившей молодость и привлекательность благодаря тщательному уходу и посещению многочисленных салонов красоты и фитнес-клубов, оплачиваемых, к слову сказать, ее мужем, неожиданно возомнила себя юной девочкой и влюбилась в своего массажиста, к которому ездила на сеансы четыре раза в неделю.

Ну, всякое бывает, конечно, на свете, и подобная напасть вполне может накрыть любую женщину в любом возрасте и статусе. Но вот несколько нюансов делали этот момент весьма щепетильным...

Во-первых, избранник Альбины был моложе ее на пятнадцать лет. То есть если и не годился в сыновья, то совсем чуточку недотягивал до этого. Во-вторых, Альбина очень скоро перешла с ним от эмоциональной близости к физической — она вообще была не из тех женщин, что довольствуются платоническими чувствами и тихо упиваются своей любовью, помалкивая при этом в тряпочку. Нет, она совершенно не заботилась о том, чтобы скрывать их, ее не останавливало ни то, что она, вообще-то, замужняя дама, ни разница в возрасте, ни перешептывания и откровенные смешки коллег ее избранника за спиной. Когда Альбина входила в салон, свысока взирая на массажисток и других сотрудников и походкой королевы шествуя в кабинет, где священнодействовал ее «божественный» мальчик, все замолкали, а едва дверь кабинета захлопывалась, принимались вовсю обсуждать связь «богатой престарелой тетки с протекающей крышей» с альфонсом.

Альбину все эти пересуды мало заботили. Скорее всего, она даже не догадывалась об их существовании — просто не задумывалась об этом. Она вообще мало о ком думала, кроме себя.

Муж, Виктор Станиславович, поначалу ничего не замечал — он не так давно открыл свой бизнес, который в первое время продвигался со скрипом, и пропадал на работе до поздней ночи. К тому, что жена уделяет большое внимание своей внешности, он давно привык, так что его не удивляло, что она проводит в салоне слишком много времени. Да он и не мог отследить количество этого времени в силу своей занятости. Дочь Маргарита как раз вступала в переходный возраст, была занята собственными проблемами и только радовалась, что мать не лезет в ее жизнь, поглощенная собой. Хотя... Может быть, сама того не осознавая, в тот момент она как раз очень нуждалась в родительской любви и внимании. Но отец пропадал на работе, а мать все внимание переключила на любовника, так что девочка была предоставлена сама себе.

Виктору Станиславовичу, как ни странно это прозвучит, повезло. Повезло в том смысле, что он был избавлен от унизительной сцены, когда обманутые мужья застают неверных жен с любовником в постели. Что еще хуже — в собственной постели. Альбина сама заявила ему о том, что больше не любит его, более того, подает на развод и соединяет свою судьбу с любимым человеком. Кто предполагался в роли нового мужа, догадаться нетрудно.

Виктор Станиславович сейчас вспоминал, что тогда он был настолько вымотан работой, что у него даже не было сил страдать. Сидя один в квартире после полученного известия и прихлебывая коньяк — Альбина, сказав, что ему сейчас лучше побыть одному, «чтобы привыкнуть к мысли о разводе и подготовиться к нему», упорхнула к своему мачо, — он анализировал произошедшее. И с удивлением отмечал, что особой боли от разрыва с Альбиной не испытывает. Оказывается, он сам не заметил, как они с женой отдалились друг от друга, и сейчас, без нее, ему даже свободнее психологически...

Единственное, что его волновало — это судьба дочери Маргариты. Виктор Станиславович категорически протестовал против того, чтобы Рита жила у матери. Может быть, подспудно его тревожило то, что новый муж по возрасту ближе Маргарите, нежели Альбине. Так или иначе, но он поставил условие — дочь должна остаться с ним.

Альбину же такой поворот дела вполне устраивал. Она была наполнена своими чувствами, и присутствие дочери плохо вписывалось в сценарий ее новой семейной жизни. Однако повернула она все это по-своему, с выгодой для себя — иначе Альбина просто не умела. Сказала, что ее материнское сердце будет плохо переносить разлуку, что душой она за то, чтобы быть вместе с Маргаритой, но умом понимает, что, возможно, бывший муж прав — девочке будет лучше у него. А думать нужно в первую очередь об интересах дочери. Отец, конечно, обеспечит ей гораздо лучшую материальную базу, чем возлюбленный Альбины, поскольку доход массажиста ниже, чем у директора риелторской конторы. Сама же Альбина не была создана для того, чтобы работать. И она, в общем, согласна пойти навстречу Виктору

Станиславовичу и пожертвовать материнскими чувствами, но, чтобы хоть как-то унять душевную боль, бывший муж должен ей это компенсировать. На обычный язык это переводилось так: если тебе нужна дочь — забирай ее, но при этом обеспечивать ты должен не только ее, но и меня. Короче, давай денег.

Виктор Станиславович пошел на это. К счастью, жена не претендовала на раздел имущества, поскольку квартира, в которой они жили в браке с Альбиной, была приобретена им еще до свадьбы — впоследствии в ней лишь был сделан капитальный ремонт. С машиной тоже получилось удачно: Конышев как раз продал свою старенькую «Ладу», так что никакого автомобиля, чтобы жена могла претендовать на него, не было. А белый «Лексус» он купил спустя год после развода, когда жена уже не имела на него никаких прав.

Однако сразу после развода всплыл еще один неприятный нюанс, омрачавший счастье молодоженов: выяснилось, что новый избранник Альбины располагает лишь съемным жильем, так что новоявленным супругам тупо некуда идти. Скрепя сердце, Виктор Станиславович выкроил им небольшую квартирку, благо риелторский бизнес позволил ему это сделать. Ну и ежемесячно переводил на счет бывшей супруги энную сумму — чтобы отстала и не пыталась отнять дочь. Но все это он считал не столь уж высокой платой — зато Рита осталась с ним.

К сожалению, немного позже Конышев понял, что слишком много времени упущено... Отсутствие любви и поддержки со стороны матери, вечная занятость отца, развод родителей — все это не лучшим образом отразилось на неокрепшей психике подростка. Маргарита выросла не такой, какой бы хотелось ее отцу. Сомнительные компании, алкоголь, курение, ранняя половая жизнь, закончившаяся подпольным абортом в шестнадцать лет, — всего этого Маргарита хлебнула с лихвой. Виктор Станиславович помнил, как неоднократно краснел в кабинете директора, а также в инспекции по делам несовершеннолетних, куда его периодически вызывали после очередного «косяка» дочери.

Маргарита же вела себя невозмутимо, словно ничего особенного не происходило. Потом, уже когда они с отцом воз-

126

вращались домой и хмурый Виктор Станиславович молча обдумывал, как поступить с непутевой дочерью, Маргарита лишь обезоруживающе разводила руками, а затем повисала на шее отца и виновато говорила: «Ну прости меня, папочка! Я не нарочно! Вот такая глупая у тебя дочь... Но я все равно очень тебя люблю!»

После этого у Виктора Станиславовича опускались руки, и он забывал о всех репрессивных мерах, которые успел придумать для вразумления Маргариты. Он отлично видел, что Рита, к сожалению, унаследовала от матери любовь к красивой жизни и полное отсутствие желания работать, что ее не интересуют ни учеба, ни возможное раскрытие себя, а нужны лишь развлечения и деньги. Она ленива, лжива, безалаберна и тянется к людям, ведущим явно неправедный образ жизни...

Увы, исправить все кардинальным образом уж вряд ли получится, в двадцать один год поздно заниматься воспитанием девушки. С момента развода с Альбиной прошло восемь лет. Та по-прежнему жила со своим мужем в квартире, приобретенной для них Конышевым. Правда, теперь уже не так хорошо, как вначале.

Во-первых, отношения «молодых» к нынешнему моменту претерпели целый ряд существенных изменений. Как ни крути, а теперь Альбине было уже не тридцать семь, а сорок пять. Возможно, кто-то и становится в этом возрасте «ягодкой», однако бывшая супруга Конышева могла именоваться разве что перезрелой... Она познакомилась со своим мачо в период, когда находилась на пике женской привлекательности. Вскоре ее кривая, увы, объективно и неуклонно поползла вниз, и за восемь лет Альбина сильно изменилась внешне: набрала с десяток лишних килограммов, потеряла талию, зато приобрела морщины и мешки под глазами, которые уже не могли скрыть никакие дорогие современные кремы и спа-процедуры.

Она, конечно, старалась, как могла, вернуть былую форму, но, будучи от природы довольно ленивой, не была способна выдерживать физические упражнения или жесткую диету. Все надежды возлагала на чудодейственные средства извне, на которые тратила деньги, причем порой в ущерб каким-то приобретениям, так как денег в последнее время стало значительно меньше...

Это было связано с тем, что Маргарита окончательно вступила в возраст совершеннолетия. Окончательно — значит, что ей исполнился двадцать один год. И если на восемнадцатилетие дочери Альбина еще могла кричать о том, что дочь еще ребенок и не вправе делать осознанный выбор, то в дальнейшем Виктор Станиславович был непреклонен: по достижении Маргаритой двадцати одного года он полностью прекращает спонсировать бывшую супругу, а также ее мужа, жившего, по сути, все эти годы за его счет.

Женившись на Альбине, ее избранник, и раньше-то не отличавшийся трудолюбием, полностью утратил всякий интерес к работе. Сначала он твердил, что делать массаж богатым дамочкам — это не его призвание, что он способен на многое и достоин большего. И Альбина охотно подхватывала эти высказывания, руководимая двумя мотивами: во-первых, ее внутри очень тревожило, что муж проводит много времени в кругу особ женского пола. Став женой, она уже не могла одновременно быть его клиенткой и торчать в массажном кабинете с утра до вечера. Во-вторых, деньги, которые муж просил на раскрутку собственного дела, предполагалось также взять из казны Виктора Станиславовича. А быть щедрым и добрым за чужой счет, как известно, очень легко.

С этим предложением Альбина и заявилась как-то к Конышеву. Виктор Станиславович принял ее холодно, эмоционально высказанные аргументы выслушал скептически и выделять деньги на сомнительный бизнес нового мужа бывшей жены отказался, сказав, что он и так с лихвой оплачивает возможность проживания с дочерью. Альбина ушла ни с чем, но, боясь потерять мужа, выделила ему личные средства. Бизнес, к слову сказать, у начинающего предпринимателя так и не пошел — а может быть, он и не пытался его открывать. Никто не проверял, чем он занимается, а Альбине можно было вешать любую лапшу на уши. Влюбленная женщина предпочитает верить в то, что ей хочется. Так или иначе, теперь у молодого альфонса была железная отмазка от работы — «я честно пытался, но ничего не получилось, а на новое дело нужны новые деньги». «Новых» денег у Альбины не было. Виктор Станиславович выделял ей столько, сколько сам считал нужным, поскольку запросы бывшей жены были, мягко говоря, не слишком адекватными ситуации. Альбине пришлось отказаться от многого: от дорогих салонов, фирменных нарядов, ресторанов и прочих удовольствий, к которым она привыкла.

Снижение материального уровня привело и к ухудшению отношений между супругами. Альбина, потеряв главные достоинства в глазах своего избранника — внешность и деньги, уже мало его интересовала. Держало его возле нее только бесплатное проживание в квартире, которую Виктору Станиславовичу хватило ума оформить все-таки в собственность на себя, а Альбина и ее муж были там просто зарегистрированы, то есть, по сути, были приживалами. Но все же это лучше, чем съемное жилье, тратиться на которое молодой муж не собирался.

Он стал все чаще проводить время вне дома, по возвращении далеко за полночь от него попахивало дорогими женскими духами, причем разными, так что нетрудно было сообразить, что муженек нашел себе дополнительный доход в виде удовлетворения потребностей обеспеченных дам. Альбина бесилась, приходила в отчаяние, подозревая, что, в случае чего, муж найдет более богатую леди и уйдет на содержание к ней, но никак не могла представить себе подобного, поэтому терпела все его выходки и явно пренебрежительное и потребительское обращение. От былой любви не осталось и следа, а вместе с ней исчезло и еще нечто не менее, а может быть, и более важное — уважение. Массажист свою супругу откровенно презирал и не считался с ее чувствами. Альбина чувствовала себя совсем одинокой, усталой, постаревшей и никому не нужной, но никогда в жизни не призналась бы, что осталась в дураках.

Вот с таким багажом подошли все участники этой истории к весьма важному моменту — исполнению дочери Конышевых Маргариты двадцати одного года. Удивительно, но эта дата, имеющая прямое отношение именно к Маргарите, для нее была куда менее значима, чем для ее окружения. И виной тому — извечный мотив. Деньги. Ведь именно с этого момента Виктор Станиславович Конышев отказывался платить деньги на содержание бывшей супруги.

Конышев помнил, что час «х» близок, понимал, что и Альбина помнит об этом, но думал, что бывшая супруга, которой заранее было объявлено о сроке прекращения спонсирования, успела смириться с этой мыслью и усвоить, что источник дохода ей теперь придется искать в другом месте. Однако оказалось, что смирение Альбине совсем не присуще.

День рождения Маргарита отмечала в компании друзей. Отец, правда, нашел время и заехал среди дня, чтобы поздравить ее, привез букет из двадцати одной красной розы и новенькую видеокамеру — с недавних пор Рита часто стала заявлять, что у нее появился интерес к видео- и фотоискусству и она хочет заняться этим всерьез. Отец был даже рад такому повороту событий, поскольку предшествовал ему весьма неприятный момент: нынешним летом Маргарита была отчислена из юридического института с третьего курса, до которого она с трудом добралась стараниями папы. Отчисление грозило легкомысленной дочери еще сразу после первой сессии, но Виктор Станиславович быстренько подсуетился, прочистил мозги Рите, вовремя заплатил где нужно, Маргарита Конышева была восстановлена в статусе студентки. На втором курсе ситуация повторилась, и Конышеву вновь пришлось раскошеливаться и увещевать дочь различными методами, от кнута до пряника, от обещаний в случае успешной сдачи сессии премировать путевкой в Таиланд до угроз отнять ноутбук, компьютер и даже мобильный телефон...

И тогда ситуация была с грехом пополам улажена. На третьем курсе все было тихо, и Виктор Станиславович успокоился, даже стал думать, что его непутевая дочь взялась, наконец, за ум. Однако выяснилось, что все совсем не так. Маргарита просто взяла академический отпуск, а когда срок его подошел к концу, заявила, что не собирается возвращаться в институт, что от мыслей о будущей профессии юриста ее тошнит и что вообще она творческая натура и у нее иное призвание. Какое именно, она, правда, четко сформулировать так и не смогла и, в конце концов, отделалась фразой: «Я намерена искать себя».

Уставший от выкрутасов дочери, Виктор Станиславович махнул рукой — бог с ней, пусть ищет. Он в состоянии ее прокормить и одеть, а там видно будет. Не может же, в самом деле, она всю жизнь сидеть сложа руки на папиной шее! В случае чего, выйдет замуж. Девушка она выросла видная, так что желающие найдутся.

Так тешил себя Конышев, хотя замечал, что в теперешнем окружении Маргариты как-то не наблюдается людей, подходящих для кандидатуры мужа. В основном оно, это окружение, состояло из ее ровесников, таких же, по сути, бездельников и лоботрясов, живущих за счет средств родителей. Но и это еще не самое страшное. Тревог у Виктора Станиславовича прибавилось, когда он обнаружил, что среди довольно близких приятелей Риты есть люди откровенно сомнительные — явно из неблагополучных семей, необразованные, грубоватые и хамоватые, к тому же с криминальными наклонностями. Тут Конышев забеспокоился всерьез и решил провести с дочерью профилактическую беседу. Маргарита, как обычно, сложила руки лодочкой, закатила большие глаза и «честно-пречестно» заверила папу, что все отлично понимает, что эти приятели — просто так, от скуки, и что она не воспринимает их всерьез. Впоследствии оказалось, что все гораздо хуже, но было уже поздно. Виктор Станиславович сам себе признавался, что при всем желании воспитать дочь в добропорядочных традициях, все-таки не усмотрел за ней, многое упустил из-за вечной занятости на работе, стараясь обеспечить материальное благополучие их неполной семьи. А может быть, многое было упущено раньше, и причину следовало искать в этом. Но причины причинами, а их следствие уже никуда не денешь.

Ну да ладно, с тех пор прошло уже несколько лет, многое забылось, и Маргарита, кажется, все-таки поняла, что отбросы общества, как выражался отец, — не самые лучшие друзья для нее. К своему двадцать второму году жизни она подошла довольно избалованной, взбалмошной, но при этом себе на уме девицей, без высшего образования и при этом с большими амбициями, самомнением и невероятным

131

оптимизмом и уверенностью, что у нее все сложится так, что всем вокруг останется только грызть ногти от зависти...

Мать утруждать себя приездом поздравить дочь не стала, ограничилась телефонным звонком, добавив, что подарок ей купит отец «от них троих», имея в виду своего нынешнего супруга, от которого никто никогда не видел никаких подарков.

Виктор Станиславович не стал пенять бывшей жене на это — он был несказанно рад уже тому, что теперь она не станет ни на что претендовать и они, скорее всего, вообще не будут пересекаться. То, что Альбина захочет тесно общаться с дочерью, никто и в мыслях не держал.

Однако буквально на следующий день после дня рождения Маргариты Альбина собственной персоной предстала пред очами бывшего супруга, причем не нашла ничего лучшего, чем заявиться к нему в контору. Напрасно секретарша убеждала ее, что Виктор Станиславович принимает только по предварительной договоренности, а бесед на личные темы в офисе не ведет вообще, напрасно доказывала, что в настоящий момент директора нет в фирме — Альбину это не останавливало. Заявив, что дождется Конышева, когда бы он ни вернулся, она уселась в приемной, закинув ногу на ногу, и принялась стеклянной пилочкой полировать длинные ногти.

Именно за этим занятием и застал ее Виктор Станиславович, приехавший спустя часа полтора после прихода бывшей жены. Признаться, он был сильно удивлен, увидев ее в собственной приемной, и сразу же сообразил, что ничего хорошего этот визит ему не сулит. Скорее всего, ожидаются какие-то требования, условия и, упаси боже, ультиматумы. Больше всего Виктор Станиславович опасался, что Альбина может закатить истерику — она была склонна к демонстративным выходкам, и поскорее провел ее в свой кабинет, плотно закрыв дверь.

Альбина бросила несколько дежурных фраз насчет того, как здоровье и жизнь вообще, колко отметила, что в возрасте Виктора Станиславовича следует уделять больше внимания своей физической форме, рассеянно выслушала его вежливые, но холодные ответы, и перешла от слов к делу.

— Мне нужны деньги, Виктор, — без обиняков заявила она.

— Прекрасно тебя понимаю, — кивнул Конышев. — Мне тоже...

— Я считаю, что в этом вопросе мне должен помочь ты! — слегка повысила голос Альбина.

— И на чем же основывается твое мнение? — сдержав усмешку, уточнил бывший муж.

— Ну, мы, вообще-то, не чужие люди... — привела Альбина лучший, как ей казалось, аргумент, но он тут же был прерван сухим смешком — Конышев все-таки не сдержался.

— Вот тут, думаю, ты ошибаешься, — покачал он головой. — Кто мы друг другу? Ты замужняя дама, и, полагаю, это забота именно твоего мужа — обеспечивать тебя деньгами.

— Я считаю, что нам нужно продлить наш контракт касательно Маргариты, — прямо заявила Альбина о своих желаниях.

Конышев закатил глаза и вздохнул.

— Мы это уже обсуждали задолго до сегодняшнего дня, — напомнил он. — Я и так достаточно сделал для тебя за эти годы. Хватит спекулировать Маргаритой и своими якобы материнскими чувствами. В это не верит никто, включая саму Маргариту.

Мыслительный процесс у Альбины занял очень мало времени, однако выражение лица с напряженно сдвинутыми бровями выдавало всю его интенсивность.

— То есть денег ты мне не дашь, — сообразила она.

— Очень правильный вывод, — кивнул Конышев. — Не люблю тратить их впустую.

— Но Маргарита — моя дочь! Не только твоя, но и моя! — взвилась Альбина.

— И ты полагаешь, что я должен платить тебе за это? — съязвил Конышев, который обычно не был склонен к иронии, но сегодня едкие замечания так и лезли из него.

— Я... Я могу забрать ее к себе! — с жаром принялась высказывать Альбина версию, спонтанно, видимо, возникшую в ее голове. — И я давно собиралась это сделать, но все не было подходящего момента. Теперь, как мне кажется, он наступил. Она уже вполне взрослая, и мы с ней могли бы стать отличными подругами — ну, ты понимаешь, что я имею в виду. Когда она была маленькой, мне было трудно с ней. Ты ее знаешь, она очень упряма и своенравна, к ней невозможно было найти подход. Сейчас же все пойдет по-другому. Маргарита будет жить у меня, ну а ты, как любящий отец, уж помоги нам немного. Я считаю, это справедливо, и прошу тебя понять. Я прошу о помощи, понимаешь? — Альбина старалась говорить как можно убедительнее, заглядывая Виктору Станиславовичу в лицо, которое хранило невозмутимое выражение.

Однако в душе Конышев был сильно задет и даже разозлен наглостью бывшей супруги. Честно говоря, он не предполагал, что у нее хватит нахальства обращаться к нему с подобным требованием, да еще приводить столь хлипкие и лживые доводы.

— Хватит! — резко прервал он разглагольствования Альбины о том, как прекрасно они заживут втроем. — Ты сама понимаешь, что несешь бред! Если бы ты действительно хотела подружиться с Маргаритой, то сделала бы это восемь лет назад! И вообще, хочу тебе заметить, что с детьми надо не дружить, а воспитывать их! И потом, ты что, сама веришь в то, что Маргарита пойдет к тебе? Ты отлично знаешь, что этого не будет! И это правильно!

— Но она моя дочь! — продолжала твердить Альбина, как заклинание.

Конышеву оставалось лишь сокрушенно вздохнуть. Он даже достал из ящика стола пачку сигарет и закурил, хотя обычно делал это только в ситуации сильного стресса и то не в помещении. Сделав несколько длинных затяжек, Виктор Станиславович почувствовал, что понемногу успокаивается. Ему хотелось поскорее прекратить этот бесполезный и неприятный разговор.

— Достаточно! — произнес он, стряхивая пепел в коробку из-под нового wi-fi-роутера. — Говорить не о чем. Я все тебе изложил еще несколько лет назад, и изложил внятно. Я вообще мог тебе ничего не платить все эти годы! И делал это лишь для того, чтобы ты не трепала нервы ни мне, ни Маргарите!

— Витя! — Альбина тоже поднялась со стула и сложила руки на груди. Тон ее голоса стал мягким и просительным. — Ну давай поговорим как близкие люди. У меня действительно сейчас трудный период. Я нуждаюсь в поддержке, в том числе и твоей. Я знаю, как ты любишь Маргариту, и не хочу лишать тебя общения с ней. Давай сделаем так: продлим наш контракт еще немного. Ну... года на два... на три...

— Ни на час! — резко оборвал ее Конышев. — Это уже похоже на шантаж! Тебе все равно не удастся лишить меня дочери — теперь уже нет! Она взрослый человек, так что не пытайся меня запугивать тем, что убедишь ее уйти от меня. Она хоть и бывает порой опрометчива, все-таки любит меня и понимает, сколько я для нее сделал. И сделаю впредь!

— Но я...

— Молчи! — перебил попытавшуюся что-то возразить Альбину Конышев. — Я и так знаю все, что ты скажешь. Мне неинтересны твои бредни. И не трать время — ты меня не уговоришь!

Он демонстративно отвернулся к окну, давая понять, что разговор закончен. Альбина некоторое время постояла в молчании, а потом вдруг медленно произнесла:

— Хорошо... Ты сам это выбрал. Видит бог — я не хотела ничего плохого. Хотела разрешить вопрос миром, но раз не получается... Мне придется на это пойти!

— Что ты там несешь? — поморщившись, повернулся к ней Виктор Станиславович. — Ты о чем вообще?

— Я запомню то, как ты поступил со мной! — продолжала Альбина. — И отплачу тебе тем же! Ты лишил меня дочери — я тоже лишу тебя самого дорогого!

— Ты... Ты что городишь? — Конышев побагровел. — Ты вообще ума лишилась?

— Ты сам меня вынуждаешь! — громко произнесла Альбина.

— Ты... Ты мне еще угрожать смеешь? — Виктор Станиславович подскочил к бывшей жене и, не отдавая себе отчета, крепко схватил ее за руку. — Ты мне угрожаешь? Ты? После всего, что я для тебя сделал?

— Отпусти! — Альбина, никогда раньше не видевшая мужа в таком состоянии, кажется, испугалась. Конышева начало трясти.

— Вон! — выдохнул он. — Убирайся вон! И запомни: если еще раз заикнешься о чем-нибудь подобном, я тебя вышвырну из своей квартиры! Тебя вместе с твоим тунеядцем! Убирайся!

— Я уйду, уйду, только пусти! — заголосила Альбина, пытаясь выдернуть руку.

Из приемной послышался стук в дверь, и встревоженный голос секретарши осторожно спросил:

— Виктор Станиславович, у вас все в порядке?

Конышев слегка пришел в себя, обнаружил, что по-прежнему крепко стискивает запястье Альбины, разжал кисть и увидел проступившие красные пятна на белой коже бывшей супруги. Альбина бросилась к двери и попыталась ее открыть, но она была заперта — Конышев сам ее запер, дабы скрыть от посторонних нелицеприятный разговор на личные темы. Тогда Альбина принялась дергать ручку, и Конышев, опомнившись, подошел и отпер дверь. Альбина резко рванула ее на себя и пролетела в приемную, чуть не сбив с ног перепуганную секретаршу.

— Ты еще пожалеешь, запомни! — прошипела она, выскакивая в коридор.

Конышев в три шага перессек приемную, выглянул за дверь и прокричал вслед:

— Чтобы больше не смела здесь показываться! И к Маргарите не приближалась! — После чего резко захлопнул дверь и с силой сжал виски, в которых часто пульсировала кровь.

Секретарша смотрела на него с изумлением и страхом — она даже представить себе не могла всегда уравновешенного шефа в таком состоянии.

Конышев отдышался, махнул рукой и проговорил:

— Все в порядке, Люда, простите. Идите, работайте спокойно.

— А... вы? — неуверенно произнесла та.

— А я... Я, пожалуй, поеду домой. Наверное, сегодня не смогу работать.

— Может быть, имеет смысл попросить Алексея Владимировича вас подвезти? — предложила Люда. — У вас руки
трясутся.

— Ничего, ничего, — делая глубокие вдохи и выдохи,
успокоил ее директор. — Со мной все будет в порядке.

Его вдруг охватило непреодолимое желание оказаться
дома, рядом с дочерью, убедиться, что с ней все хорошо.
И он, даже не заперев свой кабинет, поспешил покинуть
контору. Альбины поблизости не было видно.

«Испугалась, негодяйка! — думал он, выводя свой «Лексус» на проезжую часть. — Что она там несла? «Лишу самого
дорогого»? Да ну, бред! Не стоит воспринимать слова этой
идиотки всерьез!»

Однако чувство тревоги не покидало его всю дорогу, и,
только оказавшись дома и увидев Маргариту целой, не-
вредимой и даже веселой, Виктор Станиславович немного
успокоился. Маргарита собиралась в какой-то клуб с друзьями — «зажигать», как она выражалась. Конышев знал, что
ее даже прозвали Зажигалкой. Ему не слишком нравилось
это увлечение, однако оно все же казалось ему довольно
безобидным, и обычно Виктор Станиславович не препят-
ствовал дочери ходить туда, где ей было весело.

Но сегодня Конышев вдруг стал убеждать дочь никуда
не ходить. Чего он испугался? Он и сам не мог объяснить.

Маргарита, разумеется, восприняла предостережения
отца с недоумением и отнеслась к ним, как к причудам.
Быстро нарядившись, она чмокнула Виктора Станиславовича в щеку и упорхнула. Тот же долго не мог избавиться от
чувства тревоги, постоянно смотрел на часы и несколько раз
набирал номер сотового Маргариты. Та, конечно, не отвечала — видимо, просто не слышала за музыкой и разговорами.
Конышев даже достал из бара бутылку коньяка и выпил в
общей сложности граммов триста — очень приличную для
него дозу. Но никакого опьянения и долгожданного покоя
не наступало. Он долго не мог заснуть, ворочался, вставал,
снова наполнял рюмку и, только когда в двери в четвертом
часу забрякал ключ и на пороге появилась чуть усталая и под
хмельком, но вполне довольная Зажигалка, смог наконец
провалиться в тяжелый сон. Наутро мучила головная боль и

сухость во рту, в офис Конышев приехал лишь к полудню. Потом, за рабочими делами, он немного забылся, а вскоре вся эта неприятная история стерлась из памяти. Альбина больше не докучала ему своими визитами и звонками, и Виктор Станиславович окончательно пришел к выводу, что это были пустые угрозы обиженной женщины...

Глава шестая

— А теперь, значит, вы так не считаете? — спросил Гуров, после того как Конышев наконец умолк. — Раз так подробно мне все это изложили...

— Не знаю, — медленно ответил Виктор Станиславович. — Я просто счел своим долгом упомянуть об этом.

Гуров постучал согнутым пальцем по подлокотнику кресла и задумчиво произнес:

— Но вы же не хотите сказать, что ваша жена, дабы насолить вам, решила убить свою собственную дочь?

— Нет-нет, конечно! — испуганно замахал руками Виктор Станиславович. — Альбина, конечно, женщина весьма... невысоких моральных качеств, но она все же не чудовище! Просто... Просто мне вдруг вспомнились ее угрозы, и все!

— Ох, что-то вы темните, Виктор Станиславович, темните! И, вообще, рассказали мне не все. Кое-что скрыли вы от меня, Виктор Станиславович.

У Конышева забегали глаза. По всей вероятности, он скрыл от Гурова достаточно нелицеприятных фактов и сейчас пытался понять, что именно полковник имеет в виду.

— Я вам помогу, — кивнул тот. — Вопросов у меня к вам накопилось много, и сейчас мы будем последовательно получать на них ответы. И первый вопрос касается прошлого вашей дочери. Вы тут упоминали о детской комнате милиции, так?

Конышев вздрогнул, потом осторожно качнул головой.

— Ну, взятие на учет в инспекции по делам несовершеннолетних — это еще не самое страшное, что может произойти с подростком, — продолжал Гуров. — А вот уголовное преступление, совершенное уже по достижении совершеннолетия, — куда круче. Вы, наверное, знаете, что, вообще-то, возрастом, с которого начинается уголовная ответственность, считается восемнадцать лет. Но есть ряд преступлений — точнее, их двадцать, — за совершение которых предусмотрена ответственность уже с четырнадцатилетнего возраста. Это, без сомнения, тяжкие преступления, совершенные с умыслом. К ним относится, к примеру, убийство, изнасилование... — Перечисляя, Гуров продолжал следить за лицом Конышева, которое менялось на глазах. — Но это не ваш случай, к счастью. Однако разбой — тоже тяжкое преступление. А вашей дочери на момент его совершения было уже почти семнадцать лет...

Конышев продолжал молчать, только вибрирующие желваки на скулах выдавали состояние крайнего волнения. Гуров достал из портфеля папку, раскрыл ее и зачитал:

— Дело номер сто двадцать восемь. Двадцать пятого мая две тысячи восьмого года в доме предпринимателя Соломатина было совершено ограбление. Проникнув в дом, преступник похитил у Соломатина деньги на сумму пятьдесят тысяч рублей, а также на сумму шесть с половиной тысяч долларов, дивиди-проигрыватель, драгоценности общей суммой девяносто восемь тысяч рублей, меховую шубу, принадлежащую его супруге... Всего похищено имущества на сумму триста сорок восемь тысяч рублей. — Он оторвал взгляд от папки и посмотрел на Конышева. — Дальше читать?

— Не надо! — хрипло ответил Виктор Станиславович, махнув рукой. Он тяжело дышал, щеки его набрякли и повисли, и весь его вид сейчас напоминал собаку бульдожьей породы. — Зачем вы мне это говорите? Моей дочери больше нет! Ее нет! И неважно теперь, какая она была! Неважно все, все неважно, потому что ее нет! — Громко выплеснув эти реплики, Конышев сжал виски, пытаясь взять себя в руки. Потом, уняв дрожь в голосе, добавил уже ровнее: — И могу сказать, что мне тоже неважно все это, потому что это моя дочь. Хорошая она или плохая, я все равно ее люблю.

— Я отлично вас понимаю, Виктор Станиславович, — кивнул Гуров. — Возможно, вы и правы в своей безусловной любви к вашему ребенку и готовности защищать его до конца, что бы он ни сделал. И я вам говорю об этом вовсе не для того, чтобы показать, какой ваша дочь была незаконопослушной, или сделать больно — это вообще удел жестоких детей из детского сада. Я это говорю для того, чтобы помочь вам же. Я хочу разобраться вместе с вами и понять, имеет ли отношение эта история к тому, что происходит с вами сейчас.

— А... А почему вы решили это связать? И, кстати, как узнали об этом?

— На ваш вопрос я отвечу позже, — серьезно проговорил Гуров. — Для начала вы скажите мне, что известно вам. Интересно послушать вашу версию и сравнить с тем, что рассказал потерпевший.

— Я знаю эту историю только со слов Маргариты, — опустив голову, тихо сказал Конышев. — Но если вам так надо — слушайте.

Зажигалка, Ворон и Омлет сидели в машине. Ворон был за рулем, хотя это была не его машина. Просто он единственный из компании умел водить, благо его отец был неплохим водителем и работал в гараже по починке автомашин. Там Ворон машину и позаимствовал. То есть она и отцу-то не принадлежала — машину пригнал на ремонт какой-то мужик, из числа тех, кого Ворон презрительно называл лошарами. Мужик был интеллигентного вида, а где и кем он работал — Ворона не интересовало. Мужик попал в ДТП, авария была несильной, но машинку слегка помяло. Отец все основное уже исправил, оставался мелкий косметический ремонт — подкрасить, замазать, словом, вернуть машине товарный вид. И забрать мужик ее должен был послезавтра. Ворон рассудил, что за это время машина может сослужить ему неплохую службу.

Квартиру предпринимателя Соломатина он заприметил давно. Ворон вообще присматривался к подобного рода людям, держа в голове план выбрать подходящий момент и «опустить» какого-нибудь богатенького Буратино на нехилую сумму. Нехилую по его, Ворона, понятиям. Для того и крутился в соответствующих кругах, выспрашивал, высматривал, даже что-то приплачивал местной шантрапе за информацию — сколько человек живет в квартире, когда бывают дома, нет ли собаки...

Квартира Соломатина подходила идеально. Он жил там с женой и дочерью, которые теплое время, с мая по сентябрь, проводили за городом, где у Соломатина была дача. На это время бизнесмен оставался в квартире один. И часто пропадал на работе с утра до вечера. Правда, в дневное время совершать налет было опасно — слишком людно, соседи могут обратить внимание, да и вообще мало ли что! К тому же, и с замком придется повозиться, потому что у Ворона, хоть он и строил из себя крутого, опыта в подобных делах не было. Но он выяснил, что по выходным предприниматель иногда тоже уезжает за город. И вот в эти выходные как раз намечался такой случай — разведка донесла Ворону стопудово. Соломатин недавно сделал ремонт, а сигнализацию установить не успел. Так что квартира могла быть в полном распоряжении Ворона — заходи и бери что надо.

А в квартире, надо думать, было чем поживиться... Одна только машина, на которой разъезжал Соломатин, не оставляла сомнений, что он не бедствует. Потом сама четырехкомнатная квартира с евроремонтом, загородный дом, жена с дочкой опять же в шмотках из бутиков разгуливают... Да и вообще, директор фирмы, которая «разливуху» производит — ясное дело, что бабки у него есть! А если у кого-то их слишком много, то почему бы не поделиться с тем, у кого их нет вовсе? Это же справедливо! Так рассуждал Ворон, так внушал и своим помощникам. Те слушали и ушами хлопали.

Ворон снисходительно посмотрел на них и усмехнулся. Помощнички, мать их! Девка-подстилка и лошок недоученный! Неизвестно, чего от них больше — помощи или помехи. Да и делиться придется... Одному, конечно, лучше, что и говорить. Но одному Ворону не справиться. Не унести одному все, что он наметил. А оставлять жалко — добро, как-никак, бабок стоит! И вообще, на стреме кто-то стоять должен. Так что придется втроем.

Разговоры о том, как жируют сейчас всякие бездельники, Ворон начал травить уже давно — готовил психологическую почву, так сказать. Он, Ворон, хоть без образования, а кое в чем шарит, будь здоров! Зажигалка вон, хоть и «мажорка», а и то слушает, уши развесив. Омлет, правда, менжуется, но это и понятно — он всегда трусливым был. Недаром кликуха в точку попала — омлет, он и есть омлет. Да еще в кулинарный техникум поступил учиться — вот смеху-то у пацанов было! Бывало, спросишь — ну, что сегодня кашеварили-то? Омлет — отвечает. Хохот стоит! Но глазенки и у него блестят в предвкушении крупных денег. А у кого бы не заблестели, тем более что Ворон тысячу раз повторил, насколько просто «опускать» таких зажравшихся козлов. Главное — все грамотно сделать, подготовиться заранее, а там уже — дело техники, как говорится. Хату вскрыли, вещи взяли, в пакеты упаковали, быстро вынесли, в машину погрузили — все! Нет их! Ищи-свищи — не досвистишься! Только светиться не надо, в носу ковырять на ходу и сопли жевать. И вести себя естественно, будто они просто в гости сюда идут. Дом большой, квартир много — кто догадается, что они на дело сюда пришли?

Разговоров таких пришлось провести немало — помощнички все сомневались да жались. Особенно Омлет доставал — а вдруг то, а вдруг это... Ворон даже хотел послать к чертовой матери нюню этого, да Зажигалка вступилась, защебетала — ой, Ворон, он же не трус, он просто осторожный, он хочет, чтобы все наверняка было... Сама-то она уж давно была согласна, по глазам видно! Ну Ворон и согласился. Втроем управиться по-любому быстрее выходило.

Поздно вечером подъехали на метро, дошли до гаража, Ворон ключ достал — у папаши вытащил, тот к выходным нажрался с чистой совестью и дрых себе на диване. Ключом спокойно открыл замок, вошел в гараж... Гараж небольшим был — три машины только умещалось. Отец, понятное дело, не в крупной автомастерской работал — кто запойного алкоголика держать станет, хоть он и специалист «золотые руки»? Вот тут, в гараже, на пару с таким же напарником, и работали на одного дядьку, Михалычем звать. Михалыч — мужик жадный. Он ни на сигнализацию, ни на сторожа, ни тем более на камеру видеонаблюдения сроду не разорится, его жаба скорее задушит. А может, думал, что никто на его гараж не позарится, потому как крутых тачек сюда ремонтировать не пригоняли. Словом, в гараж попали беспрепятственно.

Ворон открыл светло-зеленую «Дэу», завел мотор — работает! Прав папаша, только дверца и бампер остались пошарпанными, а движок в полном порядке! Кивнул своим помощничкам, чтобы усаживались, выехал из гаража — и покатили они по столичным улицам. За бабками покатили, за туманом это всякие лошары из древних песен ездят.

До места добрались за полчаса, Ворон заглушил мотор. На всякий случай немного посидели, чтобы еще раз все обсудить, а заодно и присмотреться. Примерно минут через десять решили — пора! У подъезда никого, в окнах Соломатина света нет. Самое время!

Вышли из машины и, стараясь идти спокойно, не привлекая внимания — не смеялись, не переговаривались, не курили, — двинулись к подъезду. Соломатин жил на восьмом этаже, что тоже хорошо — тут меньше народу шастает. Доехали на лифте, стали возле двери, прислушались. Ворон на всякий случай в дверь позвонил — тихо. Тогда он вставил в замочную скважину заранее приобретенную отмычку, которой очень гордился. Отмычку ему подогнал один старый знакомый, имевший две ходки по малолетке. Хвастался, что вскрывает любой замок, как золотой ключик потайную дверцу! На вопрос, почему продает такую полезную штуку, ответил, что с него хватит — двумя сроками здоровье подорвал нехило, теперь на заслуженном отдыхе.

Однако дверь почему-то не поддавалась. Ворон упорно продолжал свое занятие, хотя некий холодок все-таки уже бежал между лопатками. Скворец, гад, чтоб ему! «Как золотой ключик»! Насвистел, папа Карло хренов!

Ладони, как назло, вспотели, и Ворон, выматерившись сквозь зубы, вытер их носовым платком. Потом снова взялся за дело. Азарт подгонял его, и он, изловчившись, как-то ловко крутанул отмычку — и дверь легко открылась, только скрипнула чуть-чуть.

Ворон поднял палец, прижал его к губам и показал Ритке на лестничную клетку. Та кивнула и спустилась к окну. Насчет нее заранее договорились, что она на стреме будет стоять, а Омлет — помогать вещи укладывать. Вдвоем вошли внутрь. Свет Ворон зажигать не стал — на всякий случай, чтобы внимания не привлекать. Фонарик достал, им и светил. Да и за окном еще висела беловатая майская муть.

Первым делом к бару сунулся — и не прогадал. Деньги между каких-то бумажек лежали — и рубли, и доллары! Сунул их в карман и к гардеробу направился. Там сразу, не глядя, шубу сгреб — главное богатство. Ну, всякие джинсы-юбки даже трогать не стал — мороки много их продавать, а выгода копеечная. Вот часы прихватил, да. И ди-ви-ди оставлять не хотелось — у самого не было, а он давно мечтал. И комп на столе... Тяжелый, собака, но штука нужная. Все это принялись вместе с Омлетом отсоединять от проводов и грузить по сумкам. У Омлета руки дрожали, да и коленки тоже, когда на корточках сидел, — Ворон видел. Только бы не спалил все дело, дошел бы до конца. Нет, вроде все в порядке, сумки упакованы... Так, теперь Омлета с ними спровадить, самому напоследок еще раз глянуть на предмет бабок, дверь закрыть — и валить.

Подтолкнул Омлета к двери, тот уже высунулся в нее, как вдруг оба услышали громкий кокетливый голос Зажигалки:

— Мужчина, а у вас спички не найдется? Прикурить нечем!

Оба разом вздрогнули. Омлет чуть сумки из рук не выронил, заменжевался в дверном проеме...

— А тебе не рано курить, девочка? — послышался насмешливый мужской голос.

— Да что вы, я уже взрослая, — продолжала Зажигалка. — Могу паспорт показать! Да и... Одиночество ваше скрасить, если что.

Мужчина ничего не ответил, послышался щелчек зажигалки — настоящей, не Ритки, конечно, а следом раздался ее, Риткин, возглас:

— Парни, валим!

Ворон услышал, как взвыл невидимый из квартиры мужик и как Омлет, преодолев страх, наконец-то решился. Рванув из двери и бросив сумки, он, козел, улепетывал вместе с Зажигалкой по лестнице, и до Ворона долетал только грохот их каблуков. Сбежали, гады, бросили его одного!

— Стой, шалава! — послышался мужской голос, но никто, разумеется, не остановился. Шагов погони почему-то не было слышно.

Ворон метнулся к двери. На лестничной площадке, согнувшись пополам, стоял мужик, сжав кулаки внизу живота — Зажигалка, видно, врезала ему промеж ног, это у нее всегда хорошо получалось. Преодолевая стон, он пытался разогнуться. Ворон заметался на пороге, не зная, что делать. С одной стороны, нужно было валить как можно скорее. С другой — мужик явно один, к тому же, покалеченный, а вещи бросать жалко. Зря, что ли, сюда лезли? Он уже не думал о деньгах, лежавших в кармане куртки, — это казалось ему слишком мелкой добычей. И Ворон подхватил сумки, надеясь на бегу припечатать мужику в челюсть. Он уже занес кулак, но мужик, гад, — как только извернулся? — сумел подставить ему подножку, и Ворон, выругавшись, рухнул на выложенный плиткой чистенький подъездный пол. Мужик тут же размахнулся и опустил ему на голову тяжелый кулак, а сам уже вопил во все горло соседям, чтобы вызывали милицию...

Ворона повязали. Зажигалка и Омлет успели ускользнуть. Их, правда, тормознули внизу, потребовали документы, но они в один голос залопотали что-то насчет того, что пришли сюда в гости, но ошиблись адресом и никакого отношения к ограблению квартиры на восьмом этаже не имеют.

Доказательств против них не было. Работали в перчатках, так что Омлет своих пальчиков не оставил, а Зажигалка и вовсе в квартире не была, хотя перед хозяином и засветилась. Но тут уже папаша ее, Зажигалки, подключился. Ворон сразу это понял, когда его же адвокат начал петь ему песни о том, насколько Ворону выгоднее взять все на себя и стоять на том, что он был один. В противном случае ему «групповуха» светит, а за это больший срок. А Зажигалку папа все равно вытащит, так чего ж ему, Ворону, зря страдать? Что касается Омлета, так против него вообще ничего не было. Нет, если постараться, конечно, то и его можно бы было упечь, но никто стараний в этом направлении не предпринимал — тут, конечно, тоже заслуга Зажигалки, повисла на своем папе, поди, слезы по смазливому личику размазывала, умоляла своего «чмурика» спасти от тюрьмы... Только его, Ворона, никто спасать и отмазывать не собирался. Папаша родной — тот вообще, как узнал, что Ворон машину из его гаража угнал, так и заявил на суде:

— Сажайте его, к чертовой матери. Заколебал он. Все равно, не сейчас — так через год посадят. Раньше сядет — раньше выйдет. — И еще добавил тихо, со вздохом: — Хотя лучше б не выходил...

Словом, папаша Зажигалки денег сунул кому надо, и мужик этот, хозяин квартиры, заяву написал как надо — ни про какую Зажигалку там не упоминалось, говорилось лишь, что он, неожиданно вернувшись домой, поскольку у него в тот вечер сломалась машина, лично застал в своей квартире вора, которого быстро поймала и обезвредила оперативно сработавшая милиция — менты, суки, разумеется, себе лавры-то присвоили за такой расклад. Каждый свой интерес имеет, понятное дело...

А Зажигалка с Омлетом пошли как свидетели — как влюбленная парочка, случайно оказавшаяся поблизости. Ворон, сидя в камере, покумекал, да и решил — ему срока все равно не миновать. А Зажигалка... Да пусть на воле остается, хрен с ней! Она ему там даже полезнее будет. Когда Ворон вернется — а время быстро летит, — вот тогда он к ней и наведается. Тогда и рассчитается с ним девочка сполна, за все рассчитается. За его, Ворона, молодость погубленную! А пока пусть денежки папашины копит — папаша за это время много накопить сможет. Вот Ворон и попользуется. Справедливо? Справедливо!

Суд дал Ворону четыре года, хотя адвокат и плел, что можно условным сроком отделаться. Не отделался... Адвокат же бесплатный, государством выделенный — понятно, что он тоже в доле! Сдался ему Ворон бескопеечный, чтобы защищать его как надо! Ну а дальше, как говорится, — по тундре, по железной дороге... Зажигалка, стерва, даже попрощаться не пришла. И на последнем заседании не была, не слышала, как приговор выносили. И на «маляву» его, что с зоны отправил, не ответила. Папаша в спешном порядке ее на какой-то курорт крутой отправил — нервы подлечить. А лошок ее и вовсе везучим оказался — без всякого

146

адвоката выкрутился! Без бабок, без ничего! Откуда у него, голодранца нищего, бабки? Мать одна больная, а он в своем кулинарном техникуме на стипендию еле-еле концы с концами сводил, вечно самый нищий был, даром что морда смазливая. И что Зажигалка в нем нашла? Тьфу! Ну, каждый выбирает свое. Она — выбрала...

— О всех этих событиях я знаю со слов Маргариты, — напомнил Конышев. — Хотя боюсь, что она рассказала мне не всю правду. Она клялась, что понятия не имела о том, зачем Ворон лез в квартиру. Он якобы сказал, что это квартира его знакомого, который просил что-то там взять.

— И вы поверили? — усмехнулся Гуров.

Конышев не ответил на этот вопрос. Он мрачно смотрел перед собой и выглядел совсем потерянно и жалко.

— Скажите, у вас есть дети? — неожиданно спросил Виктор Станиславович.

— Нет, — просто ответил Гуров.

— Тогда мы, возможно, говорим с вами на разных языках. Поймите, для родителя его чадо — самое лучшее в мире. Потому что любимое. И что бы оно, это чадо, ни сотворило, родители будут видеть не его проступок, а только хорошее, чего, возможно, кроме них, не видит никто. Когда я смотрел на все дурные поступки Маргариты, я видел ее другой. Вспоминал ее маленькой девочкой, которую забирали из детского сада последней, и она сидела в кабинете заведующей на стульчике, рисуя какие-то каракули, потому что других детей уже разбирали к этому моменту и воспитатели расходились по домам. А ее отец был на работе, мама задерживалась в салоне красоты или кафе, полагая, что если детский сад официально работает до семи, то можно не спешить... Я видел, что Маргарита груба с учителями — и тут же говорил себе, что зато она душа компании, любимица друзей и подруг. Знал, что она способна на обман — и при этом очень добрая и отзывчивая. И меня удивляло, почему другие не видят, не замечают этого, а в глаза им бросается только плохое!

Конышев говорил эмоционально, в каждом его слове сквозила неприкрытая любовь к дочери, и Гуров не стал его перебивать, хотя знал, что тот, как и любой любящий человек, необъективен. А Конышев продолжал:

— Знаете, она вообще была удивительно доброй девочкой! Только проявлялось это у нее порой своеобразно, может быть, поэтому это качество и не бросалось в глаза другим. Например, всегда помогала своим друзьям, чем могла. Раздаривала вещи, которые я ей покупал, покупала на всех сладости... У нее было остро развито чувство дружбы и семьи, как бы странно это ни прозвучало. Даже, может быть, не столько семьи, сколько родственных отношений — ну, этим она явно пошла в меня. Да что там далеко ходить — есть у нее, к примеру, двоюродный брат, мой племянник, сын родной сестры. Сестра, к сожалению, умерла рано, с отцом Антона она давно развелась, так что остался мальчишка один. Ну, по юности накосячил, конечно, покуролесил — всякое бывало. И вся родня привыкла его костерить, но при этом ничем не помогала. Так вот, Маргарита была единственной, кто всегда заступался за него. И не только на словах — она не раз просила меня выручить, когда Антон влипал в очередную передрягу. А он часто в них влетал раньше: в девятнадцать лет бросил театральное училище — а ведь в Щукинское поступил, сам, без всякого блата! — какое-то время мотался по свету, то там осядет, то здесь... И как очередная проблема возникнет — звонил моей Рите! А она тут же мчалась ко мне, просила выручить... Я, хоть и нехотя, признаюсь, а давал деньги. Маргарита сама ему их пересылала. Защищала его, говорила, что парню просто нужно время и поддержка, тогда он обязательно встанет на ноги. И что в итоге? Оказалось, что из всех родственников и знакомых права была одна моя дочь! Прошло время, Антон действительно остепенился, живет сейчас в Сургуте, возглавляет какую-то компанию, связанную с нефтью... Уже не он, а я к нему могу за помощью обращаться! А никто в него не верил, кроме моей Риты! — Конышев вдруг погрустнел, вздохнул и добавил: — Жаль только, что приезжает теперь редко. Последний раз я его лет пять назад видел. Ну, это понятно — из Сургута часто не наездишься. Я ему звонил, сообщил о смерти Маргариты, он сказал, что прилетит. Вот, жду с минуты на минуту. — Конышев взглянул на часы и снова вздохнул: — Будет мне теперь вместо сына, раз уж дочери я лишился... А почему вы все-таки сейчас заговорили об этом? — спросил вдруг Виктор Станиславович, очнувшись от своих мыслей. — Я имею в виду, про... ограбление Соломатина?

— Потому что, многоуважаемый Виктор Станиславович, вы, вычеркнув из памяти этот неприятный инцидент, вместе с ним забыли и об очень значимой в нем фигуре. А я эту фигуру держу на прицеле.

— Вы имеете в виду... — спал с лица Конышев, — этого Воронова? Он имеет отношение к нынешним событиям?

— Виктор Станиславович, я оперирую фактами, — ответил Гуров. — А они говорят следующее: десятого октября нынешнего года Михаил Воронов звонил вашей дочери. Кстати, за две недели до этого он освободился из колонии. И десятого же числа они встретились. Как вы думаете, зачем Ворон назначал вашей дочери встречу?

Гуров смотрел прямо в глаза Конышеву, который оторопел от услышанного, и лицо его стало совсем растерянным.

— Я... Я н-не знаю, — заикаясь, проговорил Виктор Станиславович. — Наверное, по старой дружбе? Этот глупец наивно полагал, что моя дочь сохранила к нему дружеские чувства и их приятельские отношения возобновятся после его возвращения? Я вас уверяю, что он мог так думать исключительно в силу своего крайне низкого интеллектуального уровня! Уверен, что Маргарита сразу же поставила его на место и дала понять, что между ними не может быть ничего общего!

С каждой фразой голос Конышева взвивался все выше и выше, а сам он становился все более раздраженным и взволнованным. Лев слушал его, поглядывая снисходительно и в то же время с сочувствием. Наконец Конышев выдохся, и он, воспользовавшись паузой, сказал:

— Удивительно. Вы, взрослый, умудренный опытом человек, имеющий по работе постоянные контакты с людьми и, по идее, знающий их, вдруг становитесь таким наивным! Неужели вы сами верите в то, что все было именно так?

Конышев, только что исторгнув целый ряд гневных тирад, теперь молча смотрел на Гурова.

— Воронову вовсе не нужны никакие приятельские отношения с вашей дочерью, — проговорил тот, пряча досаду. — Ему нужно было только одно — деньги. Именно с этим он и обратился к Маргарите. А она не могла разговаривать с ним так, как вы тут нафантазировали, потому что элементарно боялась этого человека. Он ее не на дискотеку пригласил и не вспомнить молодость по-соседски...

— Этот... Этот негодяй требовал у Маргариты денег? — задохнулся Конышев.

— Виктор Станиславович, ну хватит бросаться пафосными фразами — ей-богу, утомило уже, — поморщился Лев. — Можно сколь угодно разглагольствовать о безусловной любви к своему дитятке и ностальгически вспоминать сентиментальные картинки из его детства, только не нужно забывать, что дитятко давно выросло. Кстати, заметьте, что Воронов — тоже чей-то сын и когда-то был маленьким. Однако же это обстоятельство почему-то не вызывает у вас умиления... И у меня тоже. Да, Воронов требовал денег от Маргариты, и она согласилась их ему дать. А потом стала мучительно изыскивать способ с ним расплатиться. Кроме того, ей нужны были деньги на лечение Анатолия Емельяненко, которого она любила и собиралась за него замуж. Не нужно сейчас выпучивать глаза и восклицать: «Этого не может быть!» Может и было, — жестко говорил Гуров. — Да, ваша дочь была влюблена в наркомана и хотела связать с ним жизнь. Но без наркотиков.

Конышев пытался переварить услышанное. В душе, возможно, он и понимал, что Гуров говорит правду, но, отказываясь ее принимать, воскликнул:

— А откуда вам вообще все это известно? И про звонки, и про встречи, и про... планы Маргариты?

— Ну, кое о чем я догадался сам, сопоставив факты, кое-что дополнил Емельяненко.

— И вы ему верите? — скривился Конышев.

— Верю, потому что сам так думаю и потому что это подтверждают факты. Звонок от Воронова в телефоне Маргариты. Звонок с его же номера зафиксирован у Емельяненко. Вы вообще понимаете, к чему я веду?

150

Конышев уже ничего не понимал. Он просто смотрел на полковника и хлопал глазами.

— Вашей дочери нужны были деньги. И она сделала слепок с ваших ключей от сейфа, который передала Надежде Кругловой — точнее, той, кто выступал под этим именем. Вот так ваша дочь в сговоре с сообщницей «опустила» вашу фирму. И этот факт не вызывает у меня сомнений.

Новое откровение о собственной дочери почему-то уже не заставило Виктора Станиславовича схватиться за сердце. Кажется, где-то в глубине души он уже признал факт, что совершенно не знал собственную дочь. И сейчас, медленно проводя рукой по щеке, он произнес:

— Но среди знакомых моей дочери никогда не было Нади Кругловой — я имею в виду, девушки, внешне похожей на ту, что работала у меня.

Гуров развел руками, давая понять, что это обстоятельство еще предстоит выяснить. Конышев посидел молча, потом вскинул на Гурова взгляд и тихо спросил:

— И где же... деньги?

— Этого я пока не знаю. Как и того, кто убил вашу дочь. Звонок Воронова, а также рассказ Емельяненко заставляют меня подумать о версии, что это связано с ним.

— Воронов убил мою дочь? — прошептал Конышев. — Сейчас, четыре года спустя?

— Само по себе это не слишком удивительно. Но это пока только версия. Хотя она многое объясняет — например, почему при Маргарите не было найдено денег, украденных из вашей конторы. Их забрал Воронов, убив ее. А следом пришел Емельяненко и застал вашу дочь уже мертвой...

— То есть... Вы уже точно это знаете? — медленно спросил Конышев, утирая лоб.

— Я же говорю, что это пока версия, но я обязательно узнаю. Просто думаю, кто мог бы мне в этом помочь. Я держал в уме два варианта — вас и Емельяненко. Но теперь, побеседовав с вами, делаю ставку все же на него.

— Но почему? — воскликнул Конышев. — Кто, как не я, отец, потерявший дочь, могу помочь найти ее убийцу?

— Вот именно, что вы, как убитый горем отец, можете не совладать со своими эмоциями, — возразил Гуров. — Они и так у вас через край. Не стоит брать вас на это дело, успокойтесь. У меня к вам еще только один вопрос, и я пойду.

Однако Гуров не успел задать свой вопрос: раздался звонок в домофон. Конышев пошел к двери, бормоча про себя с радостью: «Ох, ну вот, наверное, и Антон!»

Гуров на всякий случай прошел в прихожую. Конышев открыл дверь и дождался, когда приедет лифт. Наконец створки его раздвинулись и оттуда вышел молодой мужчина лет двадцать восьми, одетый в стильную куртку, под которой виднелся хороший костюм. В правой руке мужчина держал небольшой чемоданчик, взгляд его был взволнованным.

— Дядя! — шагнул он навстречу Конышеву. — Вот и я!

— Антон... — Конышев, преодолев секундное замешательство, также шагнул навстречу и обнял племянника, оставшегося единственным ему близким человеком. — Антон, господи! — отступив на шаг, заметил он. — Как же ты изменился! Возмужал, выглядишь отлично... Вот что значит человек с положением! Сколько же мы с тобой не виделись?

— Почти пять лет, дядя, — напомнил Антон. — Вот, приехал по твоему звонку...

— Да, да, — мгновенно опечалился Конышев. — Так бы и не встретились, если бы не это... горе. Ах какое горе, Антон, ты не представляешь!

— Представляю, дядя, — посерьезнел Антон. — Сам в шоке был, потому и прилетел сразу. Хорошо, билет удалось взять без проблем. Прямо из Сургута и рванул к тебе.

— Спасибо, дорогой, — вздохнул Конышев. — Ты уж прости, если что раньше... — он запнулся.

— Да ладно! — Антон похлопал Конышева по плечу. — Я и сам виноват. Таким болваном был — вспомнить страшно!

— Ну, теперь все будет по-другому! — твердо проговорил Конышев. — Теперь я тебя не оставлю. В любой момент — слышишь, в любой! — можешь приезжать, жить сколько угодно... Если что еще понадобится — знай: у тебя есть тот, кто подставит тебе плечо.

— Спасибо, — кивнул Антон и тут увидел Гурова. Во взгляде его повис вопрос.

— Да! — спохватился Конышев. — Это полковник Гуров из МВД, он как раз занимается... убийством Риты.

— Рад познакомиться. — Антон протянул Гурову прохладную после улицы ладонь, прошел в комнату и сел в кресло. — Как ваше... расследование? Простите, что вмешиваюсь, просто Рита была моей сестрой, и мы очень дружили.

— Расследование идет, — заверил его Гуров.

— Если понадобится моя помощь, можете рассчитывать. В том числе и материально, — сказал Антон. — На расходы там и все такое... Я и так в долгу перед дядей, да и перед Ритой тоже. Хоть после смерти ее долг верну.

— Благодарю, этого не требуется, — успокоил его Гуров. — Если не возражаете, мы договорим с вашим дядей, и я оставлю вас вдвоем. Это ненадолго.

— Конечно, разумеется! — живо отозвался Антон, подхватил свой чемоданчик и скрылся за дверью.

— Единственная родная кровь, — вздохнул Конышев. — А повзрослел-то как! Кто бы мог подумать?

— Виктор Станиславович, — вернул Гуров Конышева к действительности. — Последний мой вопрос касается проблемы, с которой вы обратились ко мне изначально. А именно, сорванных сделок в вашей конторе. Мы провели проверку по этому вопросу и вот что выяснили. — Гуров положил перед Конышевым распечатку статьи, в которой рассказывалось о криминальной направленности фирмы «Зодчество».

Конышев надел очки и стал читать.

— Что за бред! — воскликнул он, отбрасывая листок в сторону. — Кто это написал?

— Некто Бэтмен, — усмехнулся Лев и, поймав недоумевающий взгляд Конышева, пояснил: — Это псевдоним. Неизвестно, как зовут этого человека на самом деле и кто он таков — возможно, это коллективное творчество.

— Бред! Какой бред! — Конышев в волнении заходил по комнате. Потом быстро подошел к Гурову, склонился над ним и сказал: — Я вас уверяю, что никогда в жизни не занимался ничем подобным! Это все чьи-то происки! Меня желают вывалять в грязи, чтобы... — Он неожиданно замолчал, резко выпрямился и прошептал: — Я понял. Меня хотят извести. Уничтожить, растоптать... Не только как бизнесмена, но и как человека. Распускают грязные сплетни, убивают сотрудников, убивают дочь... Кто-то нацелился на меня всерьез...

Гуров задумчиво посмотрел на него:

— А имя Андрей Марычев вам незнакомо?

— Никогда не слышал.

— Ладно, Виктор Станиславович, спасибо за то, что ответили на мои вопросы, не стану вас больше задерживать. Я и так отнял у вас много времени. К тому же, к вам приехал родственник, и вам есть о чем поговорить.

Гуров поднялся и направился к двери. Конышев вышел проводить его, следом потянулся и Антон. Лев зашнуровал ботинки и хотел уже выйти, но остановился и попросил:

— Подайте, пожалуйста, мои перчатки. Они вон там, на тумбочке.

Антон взял с тумбочки, возле которой стоял, кожаные перчатки и протянул их Гурову. Полковник поблагодарил, вышел в подъезд и, сев в свою машину, направился в управление.

Поделившись с Орловым тем, как прошла его беседа с Конышевым, он спросил:

— С телефоном Маргариты ничего?

— Пока тихо. Были звонки, но все «левые». Воронов не объявлялся.

— Пора подключать Емельяненко.

— Уверен? — только и спросил генерал-лейтенант.

— Да, — твердо ответил Гуров. — Хотя бы эту линию нужно доработать до конца.

— От меня что нужно?

— Деньги, — улыбнулся Лев. — Остальное я сам.

Зайдя в свой кабинет, он сразу позвонил и попросил привести к нему Анатолия Емельяненко.

— Главное, держись спокойно, — напутствовал он парня.

Тот кивал, однако глаза его были огромными и перепуганными. Крячко прикрепил к его куртке диктофон, придирчиво осмотрел, отойдя на пару шагов, и довольно произнес:

— Ажур! Ничего не заметно. Да не дрейфь! — толкнул он в бок Емельяненко, который совсем было поник. — Мы рядом будем, понял? Тебе главное — разговаривать как можно убедительнее, чтобы он поверил. А остальное уж наша забота.

154

— Да, — поежился Анатолий. — Вы его отпустите, а он меня потом прирежет! Вы не знаете, что это за человек!

— От тебя многое зависит! — строго поднял палец Крячко. — Если все сделаешь грамотно, мы его упрячем так, что достать тебя у него никак не получится.

По виду Анатолия было видно, что он сильно в этом сомневается. Но выхода у него не было, и Емельяненко, тяжело вздохнув, взял в руки телефон и набрал номер.

— Алло! — проговорил он, и даже стоявший рядом Гуров услышал, как колотится его сердце. — Ворон, ты? Здорово! Это Толян Емельяненко. Ну, Омлет...

— О-о-о! Здорово, здорово, — послышался насмешливый голос. — Сам объявился, значит. Это хорошо... А куда же подружка твоя подевалась ненаглядная?

— Слышь, Ворон, встретиться бы надо. Поговорить. Тут дело такое — по телефону не могу, одним словом.

Повисло молчание — Воронов, видимо, размышлял.

— Она бабки приготовила? — наконец спросил он.

— Да, только они у меня. Она не может... не хочет сама тебе их нести.

— Ладно, — чуть подумав, согласился Ворон. — Неси ты. Давай-ка «стрелочку» забьем с тобой в «Междусобойчике».

— Ворон, зачем нам лишние глаза и уши? — возразил наученный Гуровым и Крячко Емельяненко. — Давай лучше где-нибудь в аллейке. Все-таки бабки немаленькие...

— А ты всегда был осторожным, — расхохотался Ворон. — Ладно, ты прав. Подгребай в сквер на Страстном бульваре.

— Когда? — уточнил Емельяненко.

— Бабки при тебе?

— Да.

— Тогда чего тянуть? Через час и подгребай. Давай, Омлет, до встречи!

Емельяненко разъединил связь. Сердце его гулко бухало в груди.

— Молодец! — хлопнул его по плечу Крячко. — Ну вот, а ты боялся!

— Да-а-а, мне еще с ним встречаться, — заныл Анатолий. — Слушайте, может, дальше вы сами, а? Ну, вы же знаете, где он будет, вот и возьмете его.

— Взять его, брат, — нехитрая задача, — весело назидал Крячко. — Брать ведь тоже надо с умом! У нас ворье все наперечет известное — бери, не хочу! А попробуй возьми просто так. Они сразу — а на каком основании? И замучаешься потом объяснительные писать! Я вон сколько за последний месяц настрочил, гляди! — Он кивнул на свой стол, заваленный так и не доделанной отчетностью. — И твой Воронов тоже человек грамотный. Скажет — а что вы, граждане дорогие, от меня хотите? Я месяц как освободился, теперь веду добропорядочный образ жизни, так что у вас не может быть ко мне никаких претензий.

— А я-то при чем? — продолжал канючить Емельяненко.

— А ты, — ласково приобнимая его за плечи, продолжал Крячко, — ты самый важный в нашей операции инструмент! Тонкий и хрупкий, ибо от тебя зависит ее успешный исход! Знаешь, как у хирургов? Благодаря тебе встреча с Вороновым превратится в вымогательство, понял? Он же с Риты деньги вымогал?

Емельяненко осторожно кивнул.

— А с тебя вымогал? — наседал Крячко. — Или ты по доброте душевной решил ему бабок подкинуть?

— Вымогал, — выдавил Анатолий.

— Вот и налицо криминал, — довольно подвел итог Станислав. Потом наклонился к Емельяненко и заметил: — Но смотри, Толя! Если ты вдруг потом от своих показаний откажешься — я тебя лично на зону отправлю! И слух пущу, что этот вот кент Миху Ворона ментам вложил! Знаешь, сколько ты там проживешь после этого?

— Ладно, хватит его стращать, у него и так штаны на мокром месте, — поморщился Гуров.

— На мокром месте глаза бывают, — поправил его Крячко. — Вот видишь, Толян, даже полковник Лев Иванович из-за тебя путаться начал. А ведь высокообразованный человек! Ладно, хватит байки травить, нам на дело пора. Поднимайся! — И, подтолкнув Емельяненко, первым направился к двери.

Следом нехотя поплелся Анатолий, а Гуров, замыкавший шествие, запер кабинет.

Емельяненко стоял в сквере, прижимая к груди потертый полиэтиленовый пакет, и озирался по сторонам. Гуров и Крячко, сидевшие в полицейской машине неподалеку, отлично его видели. Толя переминался с ноги на ногу, крутил головой и поминутно вздыхал, ковыряя носком ботинка разрыхленную землю вокруг аккуратно подстриженного деревца на клумбе.

— Плохо играет! — со вздохом констатировал Крячко. — Ох, боюсь, запорет он нам все! Надо было с Конышевым договариваться!

— С Конышевым тоже не все так просто. И его звонок Воронову, кстати, выглядел бы очень неправдоподобно и даже провокационно. Ворон не повелся бы.

— А то прямо он такой умный, Ворон твой! Дурак какой-то, по малолетке срок получивший за дурацкое преступление!

— Дурак не дурак, а четыре года на зоне оттрубил, — заметил Гуров и сделал резкое движение рукой, давай знак Крячко умолкнуть — к Анатолию небрежной походкой приближался человек...

Гуров видел, как Емельяненко протянул Ворону руку, как тот снисходительно пожал ее, едва коснувшись, после чего длинно сплюнул на асфальт.

— Хреново выглядишь, Омлет, — послышалось в динамике диктофона. — Что, Зажигалка плохо тебя обслуживает?

Емельяненко не отвечал.

— Что она сама-то постремалась прийти? — спросил Ворон. — Боится, что ли?

— Нет, просто... плохо чувствует себя, — торопливо проговорил Анатолий.

— А-а-а. Сердце, наверное, прихватило? От переживаний? Ну ты скажи, что в следующий раз я хочу ее лично видеть!

— Какой следующий раз? — побледнел Емельяненко. — Я же принес тебе деньги.

— Сколько? — быстро спросил Воронов, протягивая руку к пакету.

Емельяненко назвал сумму.

— Этого мало, Омлет! Обижаешь ты меня, — удивленно присвистнул Ворон.

— Чем обижаю-то? — растерялся Емельяненко. — Я же деньги принес!

— Чего он зациклился на этом — деньги принес, деньги принес! — с досадой повернулся Крячко к Гурову. — Сейчас испортит все!

Гуров не отвечал, напряженно наблюдая за собеседниками.

— Слишком дешево ты жизнь мою оценил, Омлет, — со вздохом проговорил Ворон. — Четыре года жизни — за такие паршивые бабки?

— Но у нас нет больше, — испуганно проговорил Емельяненко.

— Найдете. Зажигалка тоже твердила, что нет, — нашла же! Значит, так. На месяц мне хватит, а через месяц принесет мне столько же. Сама принесет, лично! — подчеркнул Ворон. — И пусть не вздумает наколоть! Понял?

— Понял, — обреченно прошептал Емельяненко.

— Вот и молодец. А пока эти давай. — Воронов протянул руку и взял пакет.

— Ну что, покеда тогда? — торопливо проговорил Емельяненко, поворачиваясь, чтобы уйти.

Ворон бросил на него быстрый взгляд. То ли поспешность друга юности, то ли его страх вызвали в нем подозрение, и он быстро сунул руку в пакет, достал плотно упакованные пачки купюр, рванул бумажку на одной из них — и по голому асфальту веером посыпались аккуратно вырезанные прямоугольнички...

Ворон наблюдал за их падением и матерился сквозь зубы. Взгляд его налился злобой. Емельяненко, дрогнув, бросился бежать.

— А ну стой, гад! — Воронов в два прыжка настиг его, замешкался на полсекунды, а затем сам кинулся наутек.

Емельяненко упал.

— Ах, чтоб твою мать! — рявкнул Крячко, хлопнув себя по коленке. — Так и знал! Лева, давай за ним!

Он выскочил из машины и побежал к неподвижно лежавшему Емельяненко. Добежав, приложил палец к его шее, потом сунул руку в карман, достал сотовый телефон и принялся нажимать на кнопки. Гуров, поняв, что Емельяненко жив, надавил на газ, выезжая на проезжую часть.

Однако Воронов, предполагая, что его могут преследовать на машине, не спешил к дороге. Развернувшись, он наискосок побежал через сквер. На автомобиле попасть туда не получится, но и бросаться за Вороновым на своих двоих было опрометчиво — он в любой момент мог выбежать на проезжую часть.

Воронов тем временем подбежал к витой чугунной ограде сквера, перемахнул через нее и оказался на соседней полосе. Улица, на которой все это происходило, представляла собой бульвар, и по обеим сторонам от сквера тянулась дорога. Гуров оказался на правой ее части, и Воронов таким образом был отрезан от него. Попасть на ту сторону можно было только в объезд, потратив несколько минут времени, за которые Воронов сто раз успеет уйти, тем более что движение тут было интенсивным и полковнику не миновать пробок.

Воронов выскочил прямо на проезжую часть. Не обращая внимания на недовольно сигналившие автомобили, он, лавируя между ними с неожиданной ловкостью, пробирался на противоположную сторону, стремясь к маячившей впереди букве «М» станции метро и надеясь там затеряться в толпе. Сейчас он скроется — и его уже не поймать...

Однако в тот момент, когда Гуров уже потерял всякую надежду, он увидел, что Воронов вдруг резко затормозил и заметался на месте.

— Стоять, сучонок! — услышал он знакомый голос, а затем увидел подбегавшего со всех ног к Воронову Станислава Крячко.

Тяжелый кулак Крячко впечатался в левую скулу Воронова, и тот, издав короткий гортанный крик, упал на асфальт. В ужасе шарахались проходившие мимо люди, а Крячко, уже застегивая наручники и отдуваясь, напутствовал их:

— Идите, уважаемые, идите по своим делам спокойно. МВД России работает четко, никому ничего не угрожает! — Потом с видимым удовольствием пнул Воронова в бок и проговорил: — Заставлять пожилого человека стометровку сдавать — никакого уважения к возрасту! Вставай давай!

Он рывком поднял Воронова с земли и теперь гнал его впереди себя к машине Гурова. Затолкнув внутрь, повернулся к своему другу и сказал:

— Порядок, Лева!

— Что с Емельяненко? — спросил тот.

— Ножевое. Но он жив. Вон «Скорая» уже подъехала, — кивнул Крячко в сторону притормозившей машины и врача с санитаром, идущих к Емельяненко. Затем повернулся к Воронову, все это время сыпавшему сквозь зубы ругательствами и угрозами, и сказал: — Короче, нагулял ты себе новый срок — мама не горюй!

Глава седьмая

— Молчит, собака! — грустно доложил Станислав Крячко, проходя в кабинет генерал-лейтенанта Орлова, где тот сидел в компании Гурова.

Собакой Крячко именовал Михаила Воронова, которого вызвался допрашивать лично, заявив, что знает, как разговаривать с такими людьми.

— Подобный контингент не для тебя, Лева! — убеждал он своего друга, пока Воронов парился в предвариловке. — Тут твои интеллигентские штучки не пройдут! Тут иной подход нужен. Это мой клиент! Я тебе обещаю, что выверну его наизнанку и он все мне расскажет. Если виноват — я это из него вытяну, будь спокоен.

— Ну ладно, действуй. Я особо и не настаиваю, — пожал плечами Гуров, и Крячко, заранее предвкушая успех, умчался допрашивать Воронова.

Однако спустя два с половиной часа он появился в кабинете генерал-лейтенанта с не слишком веселым видом и со вздохом констатировал факт, что Воронов на убийство Маргариты Конышевой не колется. Не признал он себя виновным и в том, что вымогал деньги, хотя это, по словам Крячко, был вопрос времени. Это Ворону придется признать, а если даже он откажется — значения не имеет. На нем было доказанное вооруженное нападение на Емельяненко, который, к счастью, остался жив и сейчас находился в больнице.

— Так что причинение тяжкого вреда здоровью он точно имеет! — уверенно заявил Крячко, радуясь хоть какому-то результату. — Но вот насчет убийства... — развел он руками, — даже не знаю, ей-богу! Обычно, если человек виноват, я сразу это чувствую. У меня нюх на такие вещи! А тут — сомнения меня берут.

— Так, а если мы будем опираться не на крячковскую интуицию, а на факты? — строго спросил Орлов. — Что тогда получается?

— Тогда ничего хорошего не получается, — ответил Гуров. — Отпечатков пальцев Воронова в квартире Конышева не обнаружено.

— Но он мог быть в перчатках, — заметил Орлов.

— Это в случае, если заранее имел намерение убить Маргариту, — кивнул Гуров. — Но камера наблюдения, установленная на доме Конышева, не зафиксировала никого, похожего на него, кто заходил в тот день в подъезд. Вообще, из всех, кто был там в это время, есть только некий неопознанный субъект в куртке с натянутым по самые глаза капюшоном. Непонятно, к кому он приходил — никто из жильцов дома не подтвердил, что он у них появлялся.

— Так Воронов мог замаскироваться, — предположил Орлов.

— Не подходит, — покачал головой Гуров. — Ни по росту, ни по комплекции не подходит. Тот человек ниже и стройнее. Но кто он — выяснить пока не представляется возможным.

— Да и Воронов кричит, что в тот день сидел в кафе и это могут подтвердить его многочисленные завсегдатаи. Я, конечно, в лоб ему время не называл, но он тут не попался. И вообще проявил сильное удивление, узнав, что она убита. Даже, как мне показалось, расстроился — не с кого больше деньги тянуть.

— Да, тут явная нестыковка, — согласился Гуров. — Мотива нет. Маргарита была куда полезнее Воронову живая, чем мертвая.

— И что? — исподлобья посмотрел на своих сыщиков Орлов. — У нас опять тупик? Нет никого, мало-мальски подходящего на роль убийцы? Емельяненко будем дожимать?

— Вряд ли это Емельяненко, — покачал головой Гуров. — А насчет тупика... — Он повернулся к Крячко. — Станислав, у тебя есть новости по поводу переполоха в риелторской среде? Что там с этими бэтменами, марычевыми? Хоть что-то выяснил?

— А то! — с готовностью ответил Крячко, радуясь, что есть моменты, в которых он может проявить себя на высоте. — Значит, Марычев Андрей работает в фирме «Твой дом» недавно, всего три месяца. Сама фирма организовалась тогда же. Директор — Ломов Илья Аркадьевич. Человек с незапятнанным прошлым. Я прошелся по другим конторам, послушал сплетни и пересуды, но ничего криминального на него не нашел. Ни у кого на риелторском рынке претензий к Ломову нет! Равно как и к Марычеву. То есть если это они состряпали статейку, то непонятно, почему нацелились именно на Конышева, есть конторы и покрупнее его. Опять же, Марычев из клиентов Конышева переманил только музыкантов, причем они сами признали, что увидели статью в Интернете и, заволновавшись, решили порвать дела с Конышевым. Лева, а что говорит твой клиент? Ну тот, кто первым ушел от Конышева? С ним ведь ты беседовал!

— Таранов? Он практически ничего не сказал. Во всяком случае, имени того, кто его переманил, не назвал. И про статью не упоминал. Думаю, что он тоже либо увидел ее, либо услышал что-то и решил перестраховаться.

— Да, слухи насчет нечистоплотности Конышева уже гуляют, — подтвердил Крячко. — Репутацию ему подмочили! Причем, что интересно, все говорят много, а конкретных фактов назвать не могут. То есть нет ни единого реального случая, который бы показывал, что Конышев кидает своих клиентов.

— Так в статье и говорится, что это прошлые дела, — заметил Гуров. — Причем ссылаются на его теперешних сотрудников.

— Но имен не упоминают! — поднял палец Крячко. — И фактов тоже. Одна болтология! Такое впечатление, что кто-то просто из вредности решил ему насолить. А ограбления и убийства — это куда серьезнее. Я, вообще-то, не думаю, что за всем этим стоит один и тот же человек.

— Я тоже, — склонил голову Гуров.

— О как! — с сарказмом произнес Крячко. — Записывай, Петр! Лева согласен с моей версией — надо запомнить эту дату, красным карандашом ее на календаре выделить!

— Хватит прибедняться, что я тебя недооцениваю, — махнул рукой Гуров.

— Меня недооценивает Министерство внутренних дел, — вздохнул Крячко. — Если судить по зарплате, которую оно мне платит...

— Так, давайте не уклоняться от темы, — тут же вставил Орлов. — Лева, что конкретно вы намерены делать дальше? У тебя есть хоть какие-то варианты?

— Есть, — твердо ответил Гуров. — И кандидатура убийцы есть. Причем она мне кажется наиболее реальной.

— Ну, не томи душу, поделись, — заерзал на стуле Крячко, с интересом глядя на Гурова.

— Ты знаешь, я не люблю бежать впереди паровоза, — уклончиво ответил тот. — Версия эта сейчас проверяется. И вообще, я считаю, что нужно действовать последовательно. Сначала разобраться до конца с этими кознями и происками в риелторской среде. Ты, Станислав, кстати, связывался с нашими гениями из компьютерного отдела? Смогли они установить, кто такой этот Бэтмен?

— Пока молчат, — вздохнул Станислав.

— Понятно, — поднялся Гуров. — Ладно, мне пора.

— Куда? — хором спросили Орлов и Крячко.

— Версию отрабатывать, — усмехнулся Гуров, идя к двери. — Хочу сюрприз вам преподнести в ближайшее время.

— Надеюсь, приятный, — проворчал Орлов, провожая его озабоченным взглядом.

Девятиэтажный дом у метро «Семеновская» не выглядел так богато, как тот, в котором проживал Конышев. Да и квартирка, как отметил Гуров еще в прихожей, не отделана столь качественно. Хотя было видно, что, начиная в ней ремонт, люди явно ориентировались на высокий стандарт.

163

Потом, видимо, то ли денег не хватило, то ли терпения, но многое осталось недоделанным. Современные пластиковые окна — и содранные из-за их установки обои, которые так и не поменяли. В комнате место под барную стойку, как принято при евроремонте — а самой стойки нет. И многие другие детали указывали на то, что люди замахивались на масштабную операцию, а вынуждены были довольствоваться тем, на что хватило средств.

Удивительно, но и женщина, принимавшая Гурова у себя дома, была словно под стать помещению: она явно старалась произвести благоприятное впечатление, нацепив украшения, которые были бы уместны в другой обстановке — и при этом прятала пальцы с короткими, неухоженными ногтями. Предложила полковнику сварить кофе — и в итоге налила дешевый растворимый суррогат. Из всего этого Гуров сделал вывод, что у жильцов этой квартиры больше показухи, чем реальных возможностей.

Он сидел на стуле, отпивая невкусный кофе и стараясь делать глотки пореже. Женщина устроилась напротив него, закинув одну полную ногу на другую. Ее обесцвеченные волосы уже отрасли, и у корней были значительно темнее. То, что она была без макияжа, соответствовало моменту: Альбина Конышева недавно потеряла дочь. Правда, искреннее горе не написано на ее лице. Альбина, словно сама чувствуя это, периодически спохватывалась и принималась добирать его искусственно, но это получалось слишком ненатурально, даже театрально: она принималась рыдать, но выдерживала не дольше трех минут, после которых разговаривала с Гуровым обычным голосом.

Когда-то эта женщина, по всей видимости, была красивой: довольно высокая, с пышным бюстом и округлыми формами, женственная... Но годы, лишний вес и общая неухоженность лишили ее этого качества. Совсем немного оставалось до момента, когда на смену привлекательной женщине придет толстая, обрюзгшая тетка в растянутом халате...

Но Гурова это не слишком заботило, он пришел к Альбине по другому вопросу. И пытался вывернуть разговор на интересующую его тему. Альбина же, словно не слыша полковника, рассказывала о тех временах, когда дочь ее была маленькой и милой, но почему-то постоянно сбивалась на события, связанные с ее знакомством с теперешним мужем. Расписывала его достоинства, словно оправдываясь перед полковником и желая дать понять, что ее уход от Конышева был закономерен и оправдан, что она нашла нечто гораздо лучшее, мимо чего нельзя было пройти, не остановившись...

— Виктор сообщил мне сегодня утром эту ужасную новость, — говорила Альбина. — Ах, я прямо ушам своим не поверила! Хорошо еще, что Руслан был дома, иначе я бы не перенесла! Он даже на работу не пошел из-за этого, так расстроился. Какая может быть работа, когда тут такое? — всплеснула она руками.

— А где работает ваш муж? — мимоходом поинтересовался Гуров.

— Он... У него свой бизнес, — ответила Альбина, отводя глаза. — Он начинающий бизнесмен.

— То есть он сейчас дома? Я бы хотел побеседовать и с ним тоже.

— С Русланом? Но зачем? — светло-голубые глаза Альбины округлились.

— Я опрашиваю всех, кто так или иначе общался с вашей дочерью, — пояснил Гуров. — Вашего бывшего супруга я выслушивал несколько часов.

— Виктора? А, ну это понятно, — махнула рукой Альбина. — Он же жил с ней.

— Я думаю, — продолжал полковник, — что вы как мать не менее близкий человек Маргарите.

— Разумеется. Конечно! — тряхнула головой Альбина. — Спрашивайте. Только я не знаю, что могу сказать полезного... Мы не так часто общались, как мне хотелось бы. Виктор... Он запрещал мне видеться с дочерью! Говорил ей про меня гадости. А все из-за того, что я с ним развелась! Как будто я не имею права на личное счастье! Как будто я его собственность! И потом всячески настраивал девочку против меня. Слава богу, у Маргариты имелись собственные мозги, и она понимала, как я ее люблю! Я вообще хотела забрать ее к себе, но Виктор не позволил! — Альбина пустила слезу. Она говорила с таким пылом, что, кажется, сама верила в собственную историю.

— Скажите, Маргарита делилась с вами своими настроениями, планами, событиями из жизни? — спросил Гуров.

— Конечно! — не задумываясь, ответила Альбина.

— И что же она вам говорила?

Та захлопала глазами, растерянно убрала длинную прядку со лба.

— Ну, так сразу всего и не вспомнишь! Она столько всего рассказывала! Ведь у нее была интересная жизнь, самый лучший возраст — двадцать один год! Куча свободного времени, друзья...

— Она никогда не упоминала подругу по имени Надя?

— Надя? Нет. Точно нет. Да и имя какое-то старомодное, сейчас так и не называет никто. Она вообще больше с мальчиками дружила. А я считаю — и правильно! От женщин ничего хорошего ждать нельзя. Вот у меня подруг тоже нет, и слава богу! Зато у меня есть муж, самый лучший на свете. Правда, милый? — пропела Альбина ласковым голосом, и Гуров увидел, как в кухне появился мужчина лет тридцати, мускулистый, смуглый, довольно симпатичный. Однако выражение лица его было какое-то сонное, ленивое, да и само лицо выглядело одутловатым.

Несколько лет назад он, наверное, сводил с ума всех девушек в радиусе двухсот метров вокруг себя. Сейчас же, обленившись и привыкнув жить за чужой счет, несколько сдал позиции. Мускулы, когда-то, наверное, накачанные и упругие, от отсутствия тренировок обмякли, образовался подвисающий животик, да и вокруг талии появились жировые отложения. В лице уже не было той юношеской свежести. Словом, некогда герой-любовник, любимец посетительниц массажного кабинета, становился обычным мужчиной и к сорока годам рисковал совсем потерять форму и уступить даже тем своим ровесникам, что в молодости не пользовались особым успехом у дам из-за своих внешних данных.

Он не отозвался на последнюю фразу Альбины, но недовольство ею сдержал, увидев присутствие постороннего человека. Поздоровавшись, налил себе сока из коробки и уже хотел было ретироваться, как Гуров остановил его:

— Останьтесь, пожалуйста, буквально на несколько минут.

166

— Руслан, это из полиции. По поводу смерти Риточки, — скорбно произнесла Альбина.

Руслан развел руками, словно говоря: ну надо — так надо, хотя я тут ни при чем — и сел на стул, всем своим видом давая понять, что эта беседа его не касается. Гуров пока что задал следующий вопрос Альбине:

— А в день смерти или накануне Маргарита не звонила вам?

— В день смерти? Вчера, значит? Нет. Хотя... Я сейчас возьму свой телефон и уточню, — сказала та, доставая красно-белую трубку. — Нет, последний звонок от нее был неделю назад.

— И о чем вы тогда говорили? — Гуров даже не рассчитывал получить от этой женщины полезной информации. Ему было очевидно, что она ничего не знала о своей дочери, что общались они с ней дежурными фразами и что Маргарита абсолютно ничем не делилась с матерью. Уж тем более она не стала бы посвящать ее в планы ограбить отца или уехать с Толиком Емельяненко за границу. Но он все-таки спрашивал, чтобы после этого естественным образом перейти к беседе с Русланом, который с отсутствующим видом потягивал сок из высокого бокала.

— Поймите, Альбина — не знаю вашего отчества, простите...

— Можно просто Альбина.

— Так вот, дело-то серьезное. Вашу дочь убили, и это сделал кто-то, кто хорошо ее знал.

— И... Что вы этим хотите сказать? — воскликнула Альбина.

— Только то, что самые близкие ей люди меня интересуют больше всего.

— Но... Как можно так все переворачивать! Разве близкие люди могли желать ей зла?

— Ей, думаю, нет. А вот ее отцу... — Гуров выразительно посмотрел на Альбину, которая под его взглядом стала пунцовой.

— Это вы о чем? — спросила она.

— Вы, кажется, приходили в офис Конышева с угрозами в его адрес?

— Я? Когда? Не было такого! — тут же пошла на попятную Альбина.

— Ну как же не было! Сотрудники могут подтвердить. Секретарша, к примеру.

— Секретарша все не так поняла! Ее не было в кабинете в тот момент! — выкрикнула Альбина и осеклась, закусив губу.

— Так, значит, вы все-таки были в офисе мужа? — терпеливо и вежливо уточнил Гуров.

— Да, я была там. Ну и что с того? Я приезжала просто поговорить!

— Но вы угрожали Конышеву?

— Господи, ну, конечно же, нет! — Альбина прижала руки к груди. — Я просто была взвинчена! Да, я, может быть, наговорила лишнего, но это же не всерьез! Вы должны меня понять! Он запрещал мне встречаться с дочерью!

— Вы знаете, что у вашего бывшего мужа сорвалось несколько сделок подряд? — спросил Гуров.

— Нет! — по инерции ответила Альбина и тут же добавила: — Я вообще не интересуюсь его делами.

— Но кто-то ими, похоже, интересуется.

— А я-то тут при чем?

— Но вы же обещали, что Конышев пожалеет о своем поведении. Могли вполне реализовать такие угрозы...

— Я же говорю — я не всерьез!

— Молодой человек, — повернулся Гуров к Руслану, который с отсутствующим видом жевал бутерброд и не принимал никакого участия в словесной перепалке Гурова и своей супруги. — У вас есть компьютер?

Рука с надкусанным бутербродом замерла на полпути. Руслан секунду соображал, потом мотнул головой.

— А это тут при чем? — снова взвилась Альбина.

— А где вы находились вчера в то время, когда была убита Маргарита? — продолжал Гуров, не обращая на нее внимания.

Бутерброд выпал из руки молодого человека, он едва успел подхватить его в воздухе.

— Вы что... Вы о чем вообще? Вы с ума сошли? — засуетилась Альбина.

Гуров продолжал сверлить взглядом Руслана.

— Я был дома, — наконец ответил от. — То есть... Я имею в виду, что вчера был дома весь день, вообще никуда не выходил.

— Подтверждаю! — тут же выкрикнула Альбина.

— С вашего позволения, я сяду за ваш компьютер? Очень нужно срочно выйти в Интернет, — обратился Гуров к Руслану.

— У меня нет Интернета, — помедлив, ответил тот.

— Разве? А как же вы пишете свои статьи?

Руслан забеспокоился. Он отложил бутерброд и смотрел на Гурова, хлопая ресницами.

— Какие статьи?

— Чтобы не толочь воду в ступе, поясню сразу, — сказал Гуров. — Специалисты из нашего компьютерного отдела провели серьезную работу и установили ай-пи адрес, с которого была отправлена статья о том, что компания Конышева занимается криминалом. Я хочу проверить ваш ай-пи, и если выяснится, что они совпадают, то...

— Вы не имеете права! — вскочила с места Альбина.

— Очень даже имею, — возразил Гуров. — Вот постановление.

Она растерянно пробежала глазами по бумажке, кажется, даже не вникая в смысл.

— Судя по тому, что вы так отчаянно сопротивляетесь, у меня возникает подозрение, что эту статейку состряпали вы вместе со своим мужем, — жестко проговорил Гуров. — И я намерен проверить ваш компьютер — здесь или в управлении, мне без разницы. Здесь будет быстрее.

— Не надо, — сказал вдруг Руслан. — Это на самом деле я написал. Но я не делал ничего плохого! В Интернете чего только не пишут — вон, про одну Пугачеву сколько всяких небылиц сочиняют, и ничего!

— Ну, насчет «ничего» вы ошибаетесь. Очень много исков поступает в суд, и люди выигрывают процессы. Это называется — клевета. И вы оклеветали имя Конышева. Доказать, что это именно вы, теперь очень легко. Кстати, Альбина, что вы имели в виду, когда говорили Конышеву «лишу тебя самого дорогого»?

У Альбины задрожали губы, она не могла сказать ничего вразумительного, и тут снова вмешался ее супруг:

— Да она просто так сказала, без головы! Она вообще часто болтает что попало! — Он посмотрел на свою жену с неприкрытой досадой и даже злостью. — Послушайте, я понимаю, на что вы намекаете, — но я тут ни при чем! То есть я не убивал Риту — вас ведь это интересует? Я написал эту статью — да, признаю! Могу публично принести свои извинения в Интернете и дать опровержение! Это было типа шутки! Но убийство... Да зачем мне вообще было убивать Риту? Чем она мне мешала?

Гуров верил ему. Он понимал, что Руслан, скорее всего, действительно не убивал Маргариту Конышеву. У него просто не было мотива. Если живой Ритой они с супругой еще могли поспекулировать в надежде получить деньги, то с мертвой никакого спроса. Да и вообще, убить дочь своей жены... На это мог быть способен разве что какой-нибудь отморозок. А Руслан был другого поля ягода. Гуров шел сюда не с целью обвинить его в убийстве Маргариты — ему нужно было расставить все точки над «и» в инциденте с пресловутой статьей.

— Откуда у вас такие данные на Конышева? Отвечайте! — потребовал он. — Если станете лгать и изворачиваться, я сочту это за признание вины в другом преступлении, гораздо более тяжком.

— Аля говорила, — кося́сь на жену, начал говорить Руслан. — А я что? Я переписал просто!

— Что? Я? — задохнулась Альбина.

— Ты говорила, что твой муж поднялся в те времена, когда людей выгоняли из собственных квартир! — злорадно уличил супругу Руслан.

— Я такого не говорила! — закричала Альбина. — Я говорила, что времена такие были, многие этим занимались! Но я не называла конкретно никаких... никого... Это ты сам мне сказал, что хорошо бы его наказать!

— Это ты хотела его наказать! Пришла вся нервная и давай его костерить!

Гуров, которому была глубоко противна эта перепалка и несимпатичны участвовавшие в ней люди, вклинился между ними:

— То есть, как я понимаю, это ваше совместное творчество?

Оба умолкли на полуслове.

— Мы просто хотели его проучить, ничего больше. Просто... Из чувства справедливости! — смущенно проговорил Руслан.

— Понятно, — усмехнулся Гуров. — Я хочу только вам напомнить, что вы оба взрослые люди, а не дети из песочницы, чтобы делать гадости просто из вредности. И что за клевету существует реальная статья. И если сегодня же ваши «художества» не будут удалены, я вам эту статью гарантирую. Да, и предварительно, как обещали, принесете извинения и опровергнете собственные вымыслы. Хотя вы уже успели навредить достаточно: люди, прочитав ваше вранье, разрывали сделки. И если они узнают, что их обманули и они были вынуждены приобретать другие помещения, теряя время, думаю, они вряд ли останутся довольны!

— Мы больше не будем! — заверила его Альбина.

Гуров лишь вздохнул и направился к выходу. Оставаться дольше не было ни смысла, ни желания.

Он не нашел здесь убийцу Маргариты Конышевой. Но хотя бы прояснилась одна из линий в расследовании. И теперь можно было заниматься главной.

Полдень двадцать четвертого ноября был мрачным и серым. Накрапывал дождь, и земля на Преображенском кладбище быстро набухала, становилась вязкой, сырой, налипала комьями на обувь. Ноги увязали в грязи, скользили, разъезжались... Участники похоронной процессии с трудом продвигались к свежевыкопанной могиле, которая должна была стать последним прибежищем Маргариты Конышевой, окончившей свои дни на земле в двадцать один год...

Виктор Станиславович держался хорошо, надо отдать ему должное. Он шел, не обращая внимания на скользкую землю, взгляд его был серьезен и даже суров. С правой стороны его поддерживал племянник Антон, подавая руку на самых труднопроходимых участках. Альбина, в черном пальто и шляпке с вуалью, опиралась на руку своего Руслана. Тот, заметив взгляд Гурова, приветствовал его слабой заискивающей улыбкой. Гуров не ответил. Он держался поодаль, наблюдая за всеми со стороны. К самой могиле он подходить не стал, дожидаясь, пока закончится самая тяжелая и скорбная часть — погребение.

Конышев сдержал слезы, лишь провел рукой по белому, холодному лбу дочери и что-то прошептал. Альбина не выдержала и разревелась в голос — кажется, вполне искренними слезами. Руслан успокаивающе гладил ее дрожащее плечо и что-то тихо говорил.

Наконец гроб с телом опустили в могилу, присутствующие потихоньку стали пробираться к своим машинам. Прошли мимо горько рыдающая Альбина, которая, кажется, даже не узнала полковника, молодежь из числа друзей Маргариты... Последним возвращался Виктор Станиславович, крепко держа за руку племянника. В левой руке тот сжимал свой чемоданчик — видимо, готовился улетать в свой Сургут сразу после похорон.

Гуров стоял и думал, что прошла уже почти неделя с того момента, как Конышев обратился к нему за помощью. А смог ли он ему помочь? Да, в ситуации с неразберихой в риелторских сделках помог, все разузнал. Кстати, нужно сообщить об этом Конышеву, да вот только момент не совсем подходящий. Что ж, с этим можно и подождать. Тем более что после смерти дочери Виктора Станиславовича эти проблемы волновали значительно меньше, чем неделю назад. Его волновал вопрос, кто же стал причиной смерти его дочери. И ответить на этот вопрос надлежало ему, полковнику Гурову. А это было непросто, ох как непросто...

Вот прошли похороны, сейчас все эти люди разъедутся на поминки, погорюют, отметят девять дней, сорок — все в лучших православных традициях, которые вспоминают почему-то чаще именно в трагические моменты. Потом погорюют-погорюют — и забудут. Молодежь и вовсе быстро утешится — юности не свойственно долго хранить воспоминания. А Виктор Станиславович останется со своей скорбью навсегда. И вся надежда у него только на племянника, единственную оставшуюся родственную душу...

Возле своей машины Конышев вдруг обернулся и обратился к Гурову:

— Спасибо, Лев Иванович, что пришли. Вы с нами поедете на поминки? Они будут в кафе «Альтер».

— Нет, благодарю, — покачал головой Гуров. — У меня много дел на работе. Еще раз примите мои соболезнования.

Конышев покивал с траурным видом, потом вздохнул и сказал:

— Что ж, позвоните, когда что-то узнаете. — Потом повернулся к племяннику и спросил: — Антон, ты сам доберешься? Боюсь, я не успею отвезти тебя в аэропорт.

— Конечно, дядя, спасибо, — отозвался тот. — Я возьму такси.

— Тебе спасибо за все, — сказал Виктор Станиславович.

— А вы уже улетаете? — спросил Гуров Антона.

— Да, к сожалению, — ответил тот. — Дела. Я и прилетел только на похороны.

— Простите, Антон... Так получилось, что мы с вами не успели толком пообщаться. А я хотел задать вам несколько вопросов. Дело в том, что мне предстоит найти убийцу Риты, а я уже и не знаю, кто мог бы мне в этом помочь. Вы ведь дружили с ней, верно? Понимаю, что это несвоевременно, но очень прошу вас проехать со мной в управление, совсем ненадолго.

Антон с виноватым видом открыл было рот, но Гуров предупредил его возражение:

— Я вас лично отвезу в аэропорт на своей машине, не сомневайтесь! Во сколько у вас рейс?

— В два двадцать пять, — ответил тот.

— Ну вот и отлично, мы как раз успеем поговорить. Просто больше случая не предвидится, а командировку в Сургут мне начальство вряд ли оплатит, — улыбнулся Гуров.

Антон неуверенно посмотрел на Конышева, потом сказал:

— Ну... Раз это важно — поедемте.

Они сели в автомобиль Гурова, Антон положил на колени чемоданчик, и полковник вырулил на дорогу.

В управлении, чтобы не терять времени, он сразу провел Антона в свой кабинет и, устроившись напротив, спросил:

— Вы когда в последний раз разговаривали с Ритой?

— Не помню, — наморщил лоб Антон. — Где-то около месяца назад, по-моему.

— Она не делилась с вами какими-то проблемами? Насколько я понял из разговоров с вашим дядей, Рита вам очень доверяла.

Антон пожал плечами, задумался, потом сказал:

— Нет, вроде бы ничего такого она не говорила. Как обычно, была веселой, рассказывала, как ходит по клубам и дискотекам, — она вела довольно свободную жизнь.

— Угу, угу, — быстро записывая в блокнот, кивнул Гуров. — А насчет ее личной жизни вы что-то знаете?

— Личная жизнь у моей двоюродной сестры не была строго консервативной, — улыбнулся Антон. — Постоянного парня у нее не было, да она, кажется, и не стремилась замуж.

— А имя Анатолия Емельяненко она никогда не упоминала?

— Ой, она много кого упоминала! — махнул рукой Антон. — Но это все на уровне, знаете, «а мы вчера с Лешкой» или «а мы на той неделе с Толькой»... Разумеется, я не запоминал имена.

— А такую знакомую — Надю Круглову не называла? — пристально посмотрел на Антона Гуров.

Тот оттопырил губу и покачал головой:

— Нет, никогда не слышал. Мы же общались по телефону. В основном, малозначащие фразы. Да и вообще, хоть мы и были друзьями, Рита не очень-то распространялась на личные темы.

— Да, это понятно, — вздохнул Гуров. — Значит, и вы не слышали о Наде Кругловой... А ведь она сыграла очень важную роль в жизни Маргариты. А что особенно важно — в ее смерти...

— Что вы говорите... — удивленно проговорил Антон. — А... каким образом?

174

— Маргарита вместе с Надей Кругловой совершила кражу денег из фирмы своего отца.

Антон округленными от удивления глазами недоверчиво смотрел на полковника.

— Это, вероятно, какое-то недоразумение, — наконец сказал он. — Рита, конечно, не была образцом добродетели, но все же...

— Да нет, это доказанный факт, — вздохнул Гуров. — И насчет Кругловой тоже. Да-а... Я так надеялся, что вы мне поможете с этой Надеждой...

Он встал и с разочарованным видом прошелся по кабинету. Потом вернулся к своему столу, достал несколько фотографий и положил их перед молодым человеком.

— Вы не узнаете эту девушку?

— Нет, — ответил Антон. — А кто это?

— Это Надежда Круглова, скрипачка.

— Скрипачка? Но... Я не понимаю, чем могу вам помочь, если вы и сами знаете, кто это!

— Не все так просто. Вот на этих снимках изображен другой человек. Тот, который устроился под видом Надежды Кругловой в фирму вашего дяди с целью ограбить его. Вы не узнаете этого человека?

Антон всмотрелся в фотографию с корпоративной вечеринки в фирме Конышева, которую дала ему секретарь Люда, и уверенно проговорил:

— Нет. А кто это?

— Вы! — жестко сказал Гуров, резко поворачиваясь к парню. — Это вы сговорились с Маргаритой, когда она пожаловалась вам на то, что ей срочно нужны деньги. Вам они тоже были нужны — вы ведь испытываете хроническую их нехватку, верно?

Антон откинулся на спинку стула и рассмеялся.

— Я не знал, полковник, что у вас столь бурно развита фантазия. Женский имидж, сговор с сестрой, нехватка денег... Прямо целая актерская мистификация!

— Ну, у вас достаточно актерских навыков, чтобы разыграть все это. С ролью Надежды Кругловой вы справились настолько блестяще, что даже ваш родной дядя ничего не заподозрил и не узнал вас. Впрочем, ему простительно: он не видел вас пять лет. К тому же, вы предстали пред ним в гриме. Кстати, может быть, вы зря ушли из Щукинского училища, а? Профессия актера куда лучше, чем мошенника и уж тем более убийцы...

Ироническая улыбка сползла с лица Антона.

— Вы надеетесь свалить все на меня? — процедил он сквозь зубы. — Не выйдет, полковник! Вы просто зашли в тупик и теперь пытаетесь найти козла отпущения. Все ваши версии полетели к чертям! И за неимением лучшей вы остановили выбор на мне. Для чего мне обкрадывать дядю? Я успешный деловой человек, достаточно зарабатываю!

— Вы, Антон Ливнев, никакой не деловой человек и в нефтяной компании никогда не работали! — отрезал Гуров. — Я уже проверил все, что касается вашей личности. Вы обычный перекати-поле, у вас даже нет постоянной регистрации. Уехав из Москвы несколько лет назад, вы колесили по стране, впутываясь то в одну авантюру, то в другую. И если бы не финансовая поддержка вашего дяди, инициированная вашей сестрой, неизвестно, где бы вы были сейчас! Впрочем, и дядина помощь не пошла вам впрок, если вы докатились до ограбления и двойного убийства!

— О как! — воскликнул Антон. — Очень интересно! Уже второе убийство появилось? И чье же?

— Алексея Владимировича Красницкого, риелтора из фирмы «Зодчество». Право слово, Антон Александрович, не стоит отпираться. Ваши театральные навыки вам сейчас не помогут. Доказательств у меня предостаточно. Взять хотя бы отпечатки ваших пальцев, которых полно как в квартире, которую вы снимали под видом Надежды Кругловой, так и в офисе вашего дяди.

Антон замер, лишь глаза его бегали, словно он старался на ходу придумать какое-то объяснение.

— Я заходил к дяде в контору, — наконец выговорил он. — Мы заезжали туда вчера. Я...

— Отпечатки были обнаружены раньше, — перебил его Гуров. — К тому же вам вряд ли удастся придумать, что вы делали в квартире Зинаиды Васильевны Панкратовой.

— А кто это? — искренне удивился Антон.

— Хозяйка квартиры, которую вы снимали как Надя Круглова. По вашим словам, вы уже давно не выезжали из Сургута. А ведь это очень легко проверить — да хотя бы посмотрев ваш телефон и все исходящие вызовы. Ваш оператор сотовой связи сразу скажет, откуда они были сделаны.

Антон поиграл скулами, потом натянуто рассмеялся:

— Ну хорошо, признаюсь, я был в Москве. Признаюсь даже, что работал в фирме у дяди. Но это была... Это была просто шутка. Совмещенная с попыткой заработать деньги. Мне стыдно было признаться дяде, что я так никем и не стал. И я вернулся в Москву, встретился с Маргаритой. Она и подкинула мне идею устроиться к дяде. Но, повторюсь, мне было очень неловко заявиться к нему и попроситься на работу. И я придумал переодеться в женщину. Поработал пару месяцев, получил зарплату... Этих денег мне хватало на первое время, и я решил уехать из Москвы, чтобы попробовать начать новую жизнь. Но никакого ограбления, а тем более убийства, я не совершал!

— Вы даже на ходу умеете складно сочинять. Определенно творческий дар в вас заложен. Только то, что вы здесь наплели, годится разве что для детской сказки. Да и то дети усомнятся. Вы и сами видите, что ваша впопыхах состряпанная версия трещит по швам, — заметил с иронией Гуров.

— А вы попробуйте доказать обратное! — с вызовом произнес Антон.

— Запросто. Для начала давайте посмотрим ваш чемоданчик, с которым вы не расстаетесь. Думаю, что там что-то более ценное, чем сменное белье, если вы так им дорожите, а? — Гуров протянул руку. — Ну, что же вы?

Антон отдернул чемоданчик и крепко сжал его обеими руками.

— Вы не имеете права! Это личные вещи!

— Имею полное право обыскать вас. — Гуров положил на стол ордер. — И это еще не все. Вот постановление на взятие вас под стражу.

Антон вдруг проворно вскочил с места, не выпуская чемоданчика из рук. Взгляд его упал на окно, но оно было зарешечено. Тогда он быстро обернулся к двери. Та скрипнула под нажимом чьего-то крупного тела, и в кабинет не спеша вошел плотный человек с добродушным лицом.

— Погоди спешить! — весело сказал он, подходя к Антону и без церемоний выдергивая у него из рук чемоданчик. Потом повернулся к Гурову. — Слушай, Лева, давай-ка наденем на него наручники. Что-то не нравится он мне — очень уж прыткий и суетливый. Понаделает еще глупостей, дверь сломает, а у нас потом из зарплаты вычтут.

— Нисколько не возражаю! — холодно ответил Гуров, отвернувшись.

Станислав Крячко тут же защелкнул на руках Антона наручники и удовлетворенно произнес:

— Вот так-то лучше. Ну что, посмотрим, что в чемоданчике? Надеюсь, не бомба, а? — подмигнул он Антону.

Поставив чемоданчик на стол, Крячко с помощью отмычки ловко вскрыл замок и откинул крышку. Глазам сыщиков предстали аккуратно уложенные, перетянутые резинками пачки купюр...

— Вот они, купюры счастья, — с каким-то сожалением произнес Гуров. — Несостоявшегося счастья Маргариты Конышевой...

Антон сглотнул слюну и со злобой посмотрел на полковника.

— Бывают же такие гады, которые нормальным людям жить не дают!

— Да, бывают! — повысил голос Гуров. — Бывают! Те, которые не дают спокойно жить родному дяде, вытягивая у него деньги! Которым этого оказывается мало, и они грабят этого дядю! Более того, впутывают в это его родную дочь, делая ее сообщницей в уголовном деле. Но им и этого мало — они, в конце концов, убивают ее, чтобы не делиться деньгами! Вот такие гады бывают на свете!

— Много вы понимаете! — с презрением произнес Антон. — Думаете, мне для Ритки жалко денег стало? Да я к ней, может, лучше всех в мире относился! Меня просто взбесило, на что она эти деньги потратить собирается! Когда она мне позвонила, плакала в трубку, говорила, что из нее уголовник мнимый долг выбивает, а она даже к отцу не может обратиться, я ее пожалел, а она просто оказалась дурой! Мне пришлось пойти на такой риск из-за нее, а она! «Тошик, помоги!» — передразнил он. — Вот и помог! И ради чего?

178

— Привет, это я, Зажигалка. Чем занимаешься?

Антон поморщился. Он терпеть не мог этого идиотского прозвища, однако сейчас, по телефону, не стал ничего говорить.

— Да вот, марафет навожу. Профессиональный макияж делаю...

Он как раз стоял перед зеркалом, одновременно разговаривая с Ритой и кистью нанося на лицо грим. Идея уже созрела в его голове, только еще до конца не оформилась.

— Ты что, совсем? Кончай ерундой заниматься! Дело важное есть!

— Ну что там у тебя?

В течение нескольких минут Маргарита, переводя дух, выкладывала ему, что вернулся Ворон и требует с нее денег. Антон помнил ту давнишнюю историю. Вляпалась тогда Ритка крепко, но сумела счастливо ускользнуть — она всегда была везучей. Выслушав ее причитания, он, как мог, успокоил сестрицу и повесил трубку. Идея начала оформляться. Антон продолжил наносить грим, но теперь уже более тщательно...

Отступив на шаг, он придирчиво осмотрел себя в зеркале. Получилось неплохо. Из отражения на него смотрела весьма даже симпатичная девица. Не красавица, конечно, но он и не собирался на подиум. Ему нужно было совсем в другое место.

Поделился с Риткой своим планом, и та восприняла идею с восторгом. Антон даже удивился — думал, что ее уговаривать придется. Нет, согласилась сразу, обрадовалась даже. Мысль о том, что придется ограбить собственного отца, ее нисколько не тревожила. Так и заявила: «Он себе всегда заработает! Мне они сейчас нужнее!» Она всегда была эгоисткой, стервочкой, но именно это и нравилось в ней Антону — он сам был той же породы.

Ну что ж, ее совесть не мучает, а его тем более. Дядя все равно по миру не пойдет — быстро покроет убытки. Оставалось продумать детали, но тут тоже на помощь пришла Ритка.

— Отец как раз новых агентов подыскивает, — просветила она Антона. — Тебе нужно прийти и сказать, что ты

179

по объявлению — он вчера как раз в Интернете размещал. Постарайся попасть к Красницкому — есть там у него один хмырь, старый уже, а ни одной юбки не пропускает! Подыграй ему, поломайся, пококетничай — ну, сориентируешься там! Думаю, они тебя возьмут. Да! — хлопнула она себя по хорошенькому лобику. — А по каким документам ты собираешься устраиваться?

— Не переживай! — расплылся в улыбке Антон, помахивая перед носом Ритки паспортом.

— Откуда у тебя это? — удивилась она.

— Неважно! Главное, что по этому документику я спокойно устроюсь на работу. Папе твоему вряд ли придет в голову усомниться, а о внешнем сходстве я уже позаботился. Специально внешность под эту девицу гримировал! По-моему, довольно похоже.

Ритка скептически оглядела его.

— Ну, не одно лицо, конечно, но сойдет.

Действительно, сошло. Красницкий этот больше на ноги Антона пялился, хотя тот и был в брюках, правда, женских — не стал рисковать и заморачиваться с юбками и колготками. Ноги опять же брить бы пришлось, а ему этого совсем не хотелось. И как чувствовал он тогда, когда в поезде случайно оказался с этой девицей! Чувствовал, что паспорт ее, который она по рассеянности выронила в проходе, а он подобрал, ему поможет! В первую минуту вернуть собирался, а потом подумал — зачем? Не будет ротозейничать в следующий раз!

Устроившись на работу, Антон снял квартиру. Последние сбережения пришлось на это пустить, да еще на шмотки потратиться, но он знал, что игра стоит свеч. Пройдет время, и все окупится. Работал исправно, там, в основном, бегать нужно было, не жалея ног, а так особо голову ломать не приходилось. Да дядя и не цеплялся к нему: за те гроши, что он платил, мало желающих найдется мозоли натирать. Главное, что ни о чем не догадывался.

А дальше — дело техники. Ритка ключик у отца дернула, пока тот спал, быстренько дубликат с него сделала и на место вернула, а дубликат Антону передала. Ему оставалось только подходящий момент выбрать — чтобы и деньги были, и народу поменьше. Выбирал долго, хотя наличку за время его работы Конышев не раз получал. А однажды все как-то само собой срослось. Антон даже не ожидал, насколько все просто получится, волновался даже. А когда все свершилось, просто ножками из конторы ушел на квартиру, там переоделся и — привет, пишите письма. Агент по недвижимости Надя Круглова перестала существовать.

Красницкий этот, хмырь, правда, едва все дело не испортил. У Антона в первый момент аж сердце в пятки ушло, когда этот престарелый козел к нему в брюки полез. Руку сунул — и оторопел! Антон потом со смехом вспоминал, какая у него физиономия стала! Видно, ни разу в жизни еще так не обламывался! Ну понятно, кто ж мог предположить, что новенькая риелторша — никакая не женщина?

Но тогда Антон здорово струхнул... Хорошо еще, что Красницкий настолько ошалел, что не понял сразу, что к чему. Понял лишь, что Антон мужчина, а вот зачем ему это переодевание, естественно, не догадался. А Антону пришлось быстро соображать, как выкрутиться. И он придумал. Отозвал Красницкого, напросился, чтобы тот его домой отвез. Тот настолько обалдевший был, что согласился. Ну а в машине Антон ему лапши навешал, сказок наговорил про то, что на работу не может устроиться и все такое. Неизвестно, правда, поверил Красницкий или нет, да это и неважно. Сидел, кивал с понимающим видом, на Антона с опаской поглядывал...

А на другой день осмелел. Сам подошел и прямо заявил, что готов молчать за определенную плату, иначе Конышев быстро узнает, кто под видом агента тут по офису дефилирует. Разбираться он не станет, кто да что, — выгонит за обман, чтобы проблем лишних на себя не вешать, и все дела. Это Антон понимал отлично. Ну что ж, своей жадностью и нездоровым любопытством Красницкий сам подписал себе смертный приговор. После этой беседы судьба его была решена.

Антон, конечно, денег дать пообещал, только обещание это выполнять не собирался. Красницкому же ничего не было известно о его планах насчет кражи денег. Он знал только, что Антон не тот, за кого себя выдает, и все. Антон попросил подождать немного, потому что сам на мели. А в день ограбления шепнул Красницкому, что все в порядке, договорился встретиться с ним в его машине. Тот обрадовался, повеселел, Конышеву что-то там наплел про то, что на объект поехал, а сам на радостях и про работу забыл. А дальше уже Антону пришлось ловкость проявить. Но все получилось. Красницкий этот только для баб такой видный мужчина, а на деле хлюпиком оказался. Даже сопротивляться изо всех сил не мог — так, потрепыхался немного, пока Антон шарф ему на шее затягивал... Даже не узнал, бедолага, что директора его обокрали. Но ему и ни к чему уже было что-то знать. Он и так узнал достаточно, что его и сгубило.

А дальше оставалось только поделиться с Риткой. Антон пришел к ней уже в мужском обличье. Капюшон только натянул, чтобы лица видно не было. Нет, он не собирался ее убивать, даже мысли такой не было. А лицо свое показывать не стал на всякий случай — мало ли что. На дядином элитном доме наверняка камеры понаставлены, лучше не рисковать, тем более когда дело уже сделано и деньги получены. И долю Риткину хотел честно ей отдать, чтобы она с этим Вороновым расплатилась.

Ритка ждала его с нетерпением, правда, смурная какая-то была, озабоченная. Потом, правда, когда Антон деньги ей отсчитал, повеселела, расчирикалась, как все здорово, на шее у него повисла. А сама уже не чаяла, как его спровадить. Антон еще удивился — чего она все на часы поглядывает?

— Ты это... — замялась Ритка. — Пойдешь скоро?

— А что такое? — Он, вообще-то, не собирался задерживаться: мало ли — вдруг дядя явится раньше времени. Придется врать, что приехал из Сургута без предупреждения, сюрприз хотел сделать. Дядя тут же пристанет — рассказывай, что да как, станет уговаривать в Москве остаться на пару дней. А ему не хотелось здесь задерживаться. Не нужно, чтобы его кто-то видел, для всех он — в Сургуте.

Историю с Сургутом придумали с Риткой несколько лет назад исключительно для дяди. Точнее, чтобы он денег дал. Тот, устав «платить шалопаю и бездельнику», как он выражался, с каждым разом раскошеливался все неохотнее. Рассказывать душещипательные истории о беде, в которую

182

попал племянничек, было уже перебором. Сценарий следовало менять кардинально, и Антон велел Ритке наврать отцу, будто он взялся за ум и устроился в крупную нефтяную компанию на должность руководителя отдела. Только вот деньги нужны на первое время, потому что он должен соответствовать своему новому положению, а соответствовать не на что. Машина новая нужна, одежда дорогая... А деньги он получит только через месяц. Ну, тут дядя денег выделил куда охотнее. Антон даже пожалел, что мало попросил, надо было больше — дал бы!

— Да ко мне прийти должны, — проговорила Ритка куда-то в сторону, прихорашиваясь перед зеркалом.

— Кто? — спросил Антон, хотя ему не слишком это было интересно. Он боялся, что этот некто увидит деньги, которые эта дурочка положила на видном месте, и поинтересуется, откуда они.

Ритка вдруг покраснела. Сроду не была застенчивой, а тут прямо розой зацвела! И рассказала историю, от которой у Антона волосы дыбом встали от ужаса! Оказывается, она собирается, расплатившись с Вороном, остальные деньги потратить на лечение какого-то наркомана, в которого влюблена по уши и за которого хочет потом замуж выйти! Антон ушам своим не поверил! Деньги, ради которых он так рисковал, деньги, которые добывал для нее, чтобы выпутать ее из неприятной истории, она собирается отдать какому-то наркоману!

— Ты что, ополоумела, что ли? — возмущенно спросил он.

— Почему это? — удивилась Ритка.

— Какое лечение? Какому наркоману — ты в своем уме? Они же не излечиваются никогда, это все сказки, чтобы из таких вот дураков, как ты, деньги вытягивать! Это ж наркоманы, они вообще нелюди! На кого ты собралась деньги тратить?

— Толик хороший! — убежденно заговорила Ритка. — Ты просто его не знаешь! И он вылечится, обязательно! Я уже смотрела в Интернете — в Германии есть хорошая клиника. Нам как раз хватит денег. А потом... Потом мы с ним поженимся и, глядишь, там и останемся. Да ты чего, Антох? Будешь к нам в гости приезжать!

Ритка вся светилась, Антон же внутренне кипел от злости.

— Я уже ему сказала, что все будет хорошо! Вот сейчас он придет, и я...

— И что? Ты отдашь ему деньги? Да он же все их на свою дрянь потратит!

— Да что ты! Говорю же тебе...

— Давай деньги! — хрипло потребовал Антон, протягивая руку.

— Что? — удивилась Ритка. — Это еще почему?

— Потому что они мои! Я их добыл, я! И вовсе не для того, чтобы ты их тратила на какого-то вонючего наркомана! — Он рывком поднялся с дивана и подошел к тумбочке, на которую Ритка бросила деньги. Однако она оказалась проворнее и шустрой ручонкой быстро схватила их, пряча за спину.

— Не дам! Тут моя половина, честно заработанная! Без меня ты бы хренушки ключ получил!

— Я тебе отдам, — пообещал Антон, — когда ты поумнеешь. Пойми, дурочка, что ты эти деньги просто по ветру пустишь. А второго шанса уже не будет!

Ритка молчала, спрятав руку за спину.

— Да давай же сюда! — разозлился Антон, хватая ее и пытаясь вырвать деньги, и тут же взвыл от боли: Ритка, изловчившись, впилась зубами в его руку. Он коротко взвыл и другой рукой машинально врезал ей по лицу. Ритка взвизгнула, но деньги из руки не выпустила. И тогда Антон окончательно озверел: выдернув из джинсов ремень, подбежал к метнувшейся к двери Ритке, сзади накинул на шею ремень и принялся тянуть. Она пыталась отбиваться, хлопала руками, как крыльями, но он держал ее крепко.

Опомнился Антон, когда Ритка обмякла и осела на пол. Еще не веря, что задушил ее, он осторожно всмотрелся в лицо сестры. Риткины глаза были выпучены, язык вывалился изо рта... Поняв, что ничего уже не вернешь, он положил ее на диван, выдернул наконец-то зажатую в руке пачку денег и быстренько пошел к двери.

Сейчас сюда должен прийти этот наркоман Толик, посему дверь нужно оставить открытой — хорошо бы его застали рядом с трупом, тогда на него и подумают. Ремень

Антон предусмотрительно забрал с собой. Так, вроде бы все складывалось не так уж плохо. В подъезде его никто не видел — слава богу, что капюшон надел. О том, что он в Москве, никто, кроме Ритки, не знал, но она уже теперь ничего и не скажет. Про Надю Круглову, соответственно, тоже. Красницкого нет, Ритки нет... Теперь главное — поскорее унести ноги.

Оставив дверь полуоткрытой, Антон шагнул к лифту и нажал кнопку вызова. Выйдя на улицу, он быстро зашагал прочь, бережно нащупывая в кармане куртки пачки денег.

По идее, валить из Москвы нужно было сразу. Но Антон решил все-таки сыграть роль образцового племянника и наведался к дяде. Там, всплакнув с ним за компанию и выпив за помин Риткиной души, до того расчувствовался, что даже денег дяде дал — ну, вроде как от души, на похороны добавить. Как любящий брат и племянник...

Задерживаться он не собирался — в Москве его ничего не держало. И как раз сегодня после похорон он намеревался поехать в аэропорт. Но только не на рейс Москва — Сургут — он вообще терпеть не мог холод, на севере сроду не был. Антон собирался отправится в теплые края, и в кармане у него лежал билет до Краснодара. А там — Сочи, Адлер, словом, Черноморское побережье... Но полковник Гуров, черт бы его подрал, испортил ему все...

— Мне вот интересно — так, из любопытства, — усмехнувшись, сказал Ливнев. — Как вы догадались насчет меня? Я же нигде не засветился!

— Из Сургута в Москву нет прямых авиарейсов, — тоже усмехнувшись, снисходительно ответил Лев.

На лице Антона отразилось искреннее недоумение. Он никак не мог поверить, что прокололся на такой мелочи. Но Гуров не собирался больше ничего ему растолковывать: полковнику и так было тошно от одного вида этого человека и хотелось поскорее оформить протокол допроса, подписать показания и закончить все формальности, после чего с чистым сердцем отправить Антона Ливнева в камеру, из которой, как был уверен Гуров, выйдет тот очень не скоро. Если вообще выйдет...

— ...Нет, Лева, правда, неужели только из-за этого ты понял, что он и есть убийца? — удивлялся Станислав Крячко, когда они сидели в кабинете генерал-лейтенанта и докладывали об успешном завершении дела. — Благодаря такому малюсенькому факту разгадал всю мистификацию, весь замысел? Да ты у нас прямо провидец!

— Ой, не приписывай мне лишних заслуг! — махнул рукой Гуров. — Я всегда опираюсь на факты и собственную интуицию.

— Да я вроде бы тоже, а вот не догадался почему-то, — развел руками Крячко. — Поделись уж с нами, убогими, как ты все-таки додумался-то? И откуда ты вообще знаешь, что из Сургута в Москву нет прямых рейсов?

Генерал-лейтенант Орлов тоже смотрел на Гурова с любопытством.

— Да тут ничего особенно сложного нет, — ответил Лев и посмотрел на Крячко с хитринкой. — Я тебе даже больше скажу — из Сургута в Москву есть прямые авиарейсы. Они есть практически из любого города страны.

У Крячко стало такое выражение лица, словно ему, как ребенку, вместо конфетки подсунули пустую обертку, а теперь злорадно смеются. Он обиженно засопел:

— Ну так объясни нормально, а не выделывайся!

— Сейчас все объясню, — успокоил его Гуров. — Последовательно. Во-первых, я был уверен, что Маргарите одной не под силу было провернуть всю эту операцию с ограблением. У нее был сообщник. Кто-то же скрывался за Надей Кругловой! Но вот кто? Не она же сама — отец обязательно бы ее узнал, как бы она ни гримировалась. Да и голос никуда не денешь. Но вот кто? Ни Воронов, ни Емельяненко явно не подходят. Подруг у нее не было. Во-вторых, обстановка в квартире, которую снимал Ливнев под видом Кругловой, была явно не женской. Но это еще ладно, допустим, что просто девушка такого склада попалась. Но я обратил внимание еще на ряд нестыковок. Флакон дорогих духов, едва начатый, остался в квартире. Ни одна женщина не оставит просто так дорогие духи! Она непременно взяла бы их с со-

186

бой, когда покидала квартиру. Одежда еще ладно, по ней опознать могут, а вот духи нет. Косметика опять же осталась. И потом, в прихожей стояли сапожки. Они были большого размера — сорок первого. Конечно, встречаются женщины крупные, но при этом они, как правило, высокие. Сотрудники же утверждали, что рост Нади был примерно метр семьдесят, не больше. Но главное — она что, босиком ушла?

— А у нее, может, запасная пара была, — вставил Крячко.

— Может, и была, — усмехнулся Гуров. — Но у меня уже засела мысль, что это мужчина. А кто в окружении Маргариты подходит под это описание? Да никто! А это должен быть человек, которому она доверяла. Она не связалась бы с первым встречным, не стала бы брать его в такое... щепетильное дело. Представить, что кто-то сам вышел на нее и предложил провернуть аферу, я тоже не мог: кто в здравом уме, не зная эту девушку, станет ей предлагать ограбить отца? Словом, подходящей кандидатуры не было. И я уже сломал голову, как вдруг услышал от Конышева упоминание о племяннике, который дружил с Маргаритой. Правда, его не было в Москве, и я было отбросил и его, и тут появляется он сам. Прилетел из Сургута на похороны. — Он помолчал, словно прокручивая в голове заново весь ход своих мыслей, потом спросил: — Ты когда-нибудь был в Сургуте, Станислав?

— Бог миловал, — проворчал Крячко.

— Зря ты так, хороший город, богатый. Может, скважиной бы собственной там обзавелся. Но вот какой момент: морозы там стоят сильные. И длятся долго. Лицо человека, который живет в Сургуте постоянно, приобретает особый цвет. Кожа грубеет, приспосабливаясь к местным условиям, краснеет, обветривается, покрывается особым загаром. А у племянничка этого было типичное бледное лицо жителя мегаполиса Средней полосы России... И тут я подумал — а кто сказал, что он все это время был в Сургуте? Да только он и Маргарита. Но если предположить, что он с Маргаритой в сговоре, то все встает на свои места. Вот он, злодей, который казался недосягаемым, а на самом деле постоянно был близко! Я решил пойти до конца, проверить это, чем черт не шутит, и попросил его подать мне перчатки, которые я якобы забыл на тумбочке. Перчатки у меня кожаные, глянцевые, а на глянцевой коже отлично сохраняются отпечатки пальцев. Я передал их нашим экспертам, которые установили, что они совпадают с пальчиками Нади Кругловой. Ну, сообразить дальше не составило труда. А со всеми деталями меня ознакомил сам Ливнев, когда понял, что отпираться бесполезно. Я, правда, долго не мог понять, что там за история произошла с Красницким и зачем понадобилось убивать его, но теперь разъяснилось и это...

— Да, разъяснилось и это, — эхом повторил Орлов и вздохнул, нахмурившись.

Гуров знал, о чем он думает. Им предстояло рассказать о результатах расследования Виктору Станиславовичу Конышеву. И реакция его могла быть непредсказуемой. Гурову было даже жаль этого немолодого уже человека, на которого за короткое время обрушилось столько бед.

— Петр, я настаиваю, чтобы о Ливневе Конышеву сообщил лично ты, — твердо произнес Гуров. — В конце концов, он твой знакомый и изначально обратился к тебе.

— Сделаю, — пообещал генерал-лейтенант, хотя и без всякой охоты.

— Да, Петр, и ты уж про всякие помещения под вещдоки не напоминай ему лучше, ладно? Не в том положении человек...

— Да за кого ты меня принимаешь? — буркнул Орлов. — Это и так понятно...

— Ну вот и отлично. Значит, за тобой только беседа с Конышевым. А я свое дело сделал. Надеюсь, что неплохо.

— Как всегда, отлично, — подтвердил Орлов.

Потрошитель человеческих душ

РОМАН

Глава 1

Черная «Ауди-семерка» лихо шла со стороны Рязани, со скоростью, явно превышающей сто километров в час. Не притормаживая, она вышла на разделительную полосу и начала обгонять колонну иногородних фур. Встречные машины жались к обочине, отчаянно сигналили, мигали светом фар, но водителя иномарки, казалось, абсолютно не волновала создаваемая им аварийная ситуация. Сбавив, наконец, скорость и свернув с трассы к Турлатово, «Ауди» взвизгнула резиной и снова понеслась в сторону аэропорта.

Рейс из Уфы прибыл без опозданий. Когда пассажиры потянулись через терминал, навстречу им из зала ожидания вырвалась ликующая толпа, потрясающая флагами, самодельными транспарантами и букетами цветов. Встречали какую-то спортивную делегацию, но одному молодому человеку явно было не до спортсменов. Высокий, смуглый, с темными волнистыми волосами, он напоминал голливудского актера своей манерой стоять, поворачивать голову. Позер, бабник и наверняка имеет много денег, которые нажиты не совсем праведным путем, — это первое, что приходило в голову женщинам, чье внимание он невольно привлекал.

— Равиль! — призывно поднял руку молодой человек и поспешил к толпе пассажиров.

Невысокий мужчина с большим кейсом в руке махнул в ответ и задрал на лоб темные очки. Они встретились у высокого окна, выходящего на площадь с цветниками, обнялись, символично прижавшись сначала одной щекой друг к другу, потом второй.

— Ну как долетел? — поинтересовался молодой человек.

— Никогда не думал, что спортсмены столько пьют, — усмехнулся Равиль.

Разговор пошел о самолетах, аэропортах, сервисе и комфорте пассажиров. Спустя несколько минут черная «Ауди» вырулила со стоянки и понеслась в сторону Рязанской трассы.

— Ну, что ты мне скажешь насчет сроков, Мирон? — наконец перешел к какому-то делу Равиль, облокотившись рукой о спинку сиденья. — Время сейчас очень подходящее, очень подходящее, чтобы сделать вброс на рынок.

— Я сказал! — с уверенной ухмылкой заявил Мирон. — Сейчас ты увидишь мои сказочные сады.

— В смысле? — насторожился Равиль. — Ты что, выращиваешь все под открытым небом?

— Ну-ну-ну! — рассмеялся Мирон. — Семена элитные, условия требуются идеальные, иначе декларируемого урожая не дождешься. А я в теплицы знаешь сколько бабла втюхал!

— Теплицы?

— Конечно. У меня тепличное хозяйство. Парочка для огурцов, парочка для помидор, а остальные несут «золотые яблочки».

— Ну ты даешь, — недоверчиво, но все же как-то одобрительно покачал головой Равиль. — И что? Получается?

— Не то слово. Совершенно другой эффект! И гарантия от природных катаклизмов, от глобального потепления, как сейчас говорят. Если хочешь, то и от конца света.

Молодые люди довольно засмеялись. Мирон оторвал правую руку от руля и похлопал по приборной панели:

— А вот этот агрегат я взял весной. Как тебе гарантия успеха нашего предприятия?

— Ты не зарывайся давай! — осадил Мирона Равиль. — Засветишься раньше времени со своими доходами — наживешь беды.

— Да ладно, — махнул рукой Мирон и пропел буквально: — У меня все схвачено и вовремя проплачено! Участковый вовремя получает пакетики со свежими овощами, премиальный фонд ему обеспечен, а больше к нам никто не суется...

— Пошли, Лев Иванович! — Крячко озабоченно посмотрел на настенные часы, потом на Гурова, который яростно стучал пальцами по клавиатуре компьютера.

Их рабочий кабинет выходил окном на восток, поэтому в начале рабочего дня в помещении всегда было солнечно. Гурову это очень нравилось, и обычно по утрам он находился в благодушном настроении, усаживаясь в кресле, чтобы видеть красноватый диск солнца, встающий над многоэтажками на Большой Якиманке. Крячко давно замечал за Львом Ивановичем это утреннее настроение: иронично-благодушное, с потребностью пофилософствовать. Было ощущение, что утро Гуров любил, любил как-то по-своему, и, несмотря на возраст и значительный стаж работы в уголовном розыске, все еще верил, что предстоящий день может принести нечто новое, интересное, позитивное.

Сам Крячко не особенно верил в жизненный позитив, хотя по натуре был бо́льшим оптимистом, чем его начальник. Не унывать, верить, что и это пройдет, что пробьемся, переборем и переживем. У Гурова же характер был сложнее. То ли эмоций добавляла жизнь с Марией Строевой, известной театральной актрисой, то ли это его врожденная черта. Он мог неожиданно замкнуться, стать молчуном, вынашивая какую-то очередную идею или разрешая сложную оперативную задачу, мог быть язвительным, даже занудливым, остро переживая какую-то неудачу. Но чего у полковника Гурова не отнять, так это то, что он в любом состоянии и в любом настроении был верным другом и умным матерым опером. Его работоспособность ни в коем случае не зависела от настроения.

Сегодня Гуров заявился на работу в половине восьмого, буркнул приветствие Крячко, проигнорировал необычно теплое и ласковое июньское солнце над крышами домов и сразу засел за компьютер. Он хмуро бросал взгляды на набираемый текст, на клавиатуру, откидывался на спинку кресла и смотрел в потолок, покусывая нижнюю губу.

— Лев Иванович, — во второй уже раз позвал Крячко от двери, — пошли, а то нарвешься. Орлов сегодня не в духе.

— Иди, иди, Стас, — махнул рукой Лев. — Я сейчас.

Крячко улыбнулся, пожал широкими плечами и вышел. В приемной генерала Орлова толпились офицеры в ожидании начала планерки. Когда их позвали, офицеры с шумом зашли в кабинет и стали рассаживаться по своим раз и навсегда заведенным местам за длинным столом. Орлов смотрел из-под бровей и барабанил пальцами по крышке стола. Наконец в кабинете воцарилась некая выжидательная тишина. Орлов задумчиво смотрел на пустое кресло, где недоставало Гурова, и молчал. Наконец он как бы очнулся и вопросительно глянул на Крячко. Тот улыбнулся извиняющейся улыбкой и кивнул. Мол, бежит Лев Иванович, уже бежит.

Гуров ворвался в кабинет, хлопнув дверью, бросил дежурные слова «разрешите» и «виноват» и прошел на свое место, поглаживая несколько листов бумаги с отпечатанным на принтере текстом и какими-то графиками и таблицами.

Начиналась утренняя планерка в Главном управлении уголовного розыска МВД. В силу своей специфики Главк не просто отвечал за работу территориальных органов по всей стране, не просто обязан был оказывать организационно-методическую помощь подразделениям. Главк в полной мере должен был курировать и непосредственно участвовать в оперативной работе. Особенно, когда это касалось особо тяжких преступлений, серийных преступлений, розыска различного рода маньяков, преступлений против представителей органов власти и многого-многого другого. Главк — это рука на пульсе криминальной ситуации в стране, это мозг и центральная нервная система.

И, как обычно, планерка начиналась со сводки за прошедшие сутки. Столько-то совершено по категориям и по регионам, столько-то раскрыто по горячим следам, что отмечалось положительно в плане организации взаимодействия структурных подразделений, а столько-то по агентурным данным, что поощрялось особо, как личная заслуга оперативного состава. Отдельно анализировалась информация по выявленным, разобщенным и ликвидированным ОПГ, а также ситуация в Москве и Московской области.

Орлов заметил настроение своего старого друга и лучшего сотрудника Главка. Он посматривал на Гурова, видел, как тот скептически усмехается в ответ на некоторые сообщения, иногда хмурится и качает головой. Что-то в этой голове сегодня было. Новое и важное. Орлов хорошо знал Гурова еще по совместной работе в МУРе. Не сразу тогда поладили молодой капитан Гуров и подполковник Орлов. А потом их отношения переросли в дружбу, которая длилась вот уже много-много лет, даже теперь, когда Орлов стал генералом и перетащил Гурова и Крячко к себе в Главк.

Это был полезный тандем: Гуров и Крячко. Два полковника дополняли друг друга, стимулировали друг друга, создавали атмосферу творчества, плодотворного анализа, незаурядной энергии. Станислав Крячко давно и сразу принял лидерство Гурова как должное и как естественное. Ему нравилось работать с Гуровым, нравилась сама работа, и он понимал свою незаменимость в этом тандеме.

Гуров был мозгом, генератором идей, ходячей аналитической лабораторией, Крячко же — настоящий опер, по-мужицки хитрый, кряжистый, хваткий в прямом и переносном смысле. Ходячая кладезь оперативного опыта и оперативной информации. Он помнил все и всех. Был вхож в любой кабинет, и не только своего министерства. Мог черта лысого достать и склонить в кратчайшие сроки к сотрудничеству. И при этом был незаменимым талантливым помощником, вторым человеком, но с какой огромной буквы!

Наконец Орлов не выдержал гуровской пантомимы и поинтересовался:

— У Льва Ивановича особое мнение? Я так понимаю, что касательно наркоканалов?

— Так точно, — пробурчал Гуров, не поднимая глаз. — Если позволите, я могу доложить, пока мы не ушли далеко от темы.

— Слушаем вас, — кивнул Орлов.

— За последние месяцы сводки по слабым наркотикам весьма однообразны. Ни для кого из присутствующих не секрет, что девяносто девять процентов пристрастившихся к употреблению марихуаны, гашиша и иного травяного зелья неизбежно переходят к употреблению сильных наркотиков, таких, как героин. Это ступень! Неизбежная и страшная. Это понимаем мы, это понимают наркодельцы, потому и процветает соответствующий бизнес. Извините за черный юмор, это как детско-юношеские спортивные школы, которые готовят претендентов для школ высшего спортивного мастерства.

— Все? — язвительно спросил Орлов.

— Что касается постановки проблемы, то все, — парировал Гуров. — А что касается коррупции, очковтирательства, системы отписок наверх — это наш фронт работы. Работа на местах ведется слабо, спустя рукава. Я уж далеко не хожу, но и в обозримом расстоянии от Москвы у нас дела идут из рук вон плохо. Я несколько дней анализировал данные по перемещению зелья, по вскрытым каналам и точкам распространения, по химическому составу. Выводы, товарищ генерал, я бы хотел доложить после планерки, чтобы не отрывать товарищей от работы. Речь идет о географической локализации источника.

— Хорошо, задержишься, — кивнул генерал.

Планерка закончилась, поручения розданы, замечания сделаны. Офицеры, шумно двигая кресла, покинули кабинет. Крячко откашлялся и развалился в кресле с видом хозяина.

— Наконец-то и я буду посвящен в святая святых, — важно произнес он, закатывая глаза к потолку. — Торжественный момент!

— Стас! — недовольно проговорил Гуров, наблюдая, как генерал пьет какую-то таблетку. — Стас... я был не готов. Нужно было все осмыслить, очертить, сформулировать. Что ты, в самом деле!

— Так, — прокашлялся Орлов и вернулся к столу для заседаний. — Давай, что ты там придумал.

— Петр, — Гуров очень многозначительно постучал костяшками пальцев по столу, — отнесись, пожалуйста, серьезно к тому, что я расскажу. Это не бзик, как думает Стас, и не приступ язвы желудка. Кстати, что с тобой сегодня? И вид не очень, и таблеточки.

— Изжога, — скривился Орлов. — Всего лишь изжога, но причины бывают разные. В данном случае они внешние. Опять в нашей конторе полетели головы с большими звездами на плечах. И теперь верховное руководство на всех уровнях активно прикрывает собственные задницы чугунными сковородками, подставляя направо и налево ближнего своего и дальнего тоже.

— Когда это генерал Орлов боялся клеветников, дармоедов и другую шушеру? — задал Крячко вопрос в пространство. — Генерал Орлов, помнится, всегда был выше всего этого и во главу угла ставил только интересы дела. Стареешь, что ли, Петр?

— Вы больно молодеете, — проворчал Орлов. Потом посидел немного, угрюмо уставившись в крышку стола, и посмотрел на друзей. — Я в самом деле страшно устал. Работать становится все тяжелее и тяжелее, особенно после этой идиотской реформы. Если честно, знаете, чего мне больше всего хочется?

— Догадываюсь, — усмехнулся Гуров.

— Во-во, — улыбнулся наконец Орлов. — Ты, как всегда, прав, Лев Иванович. Позвать вас двоих, скинуть мундир, отвезти к себе домой и выпить как следует. И что бы молодость повспоминать, и чтобы картошечка с лучком, жареное мясо, соленые огурчики и груздочки сопливенькие в блюдце.

— Изжога, — нейтральным голосом напомнил Крячко.

— Фу на тебя! — с досадой бросил Орлов. — Ладно, с груздочками обождем, а сейчас давайте в темпе про коноплю. Что ты там нарыл, Лев?

— Смотрите, ребята. — Гуров встал и подошел к карте Европейской части России, которая висела на стене. — На сегодняшний день мы имеем по оперативным данным сведения о следующих каналах «травки»...

И он стал показывать и рассказывать, как соотносил направления каналов поставки этой дряни, объемы поставок, причастность местных жителей, а отнюдь не транзитников. Как свел в одну схему данные о химическом составе транспортируемого и распространяемого зелья. И как сделал вывод, что крупный источник травы находится совсем неподалеку.

— Таким образом, я считаю, что конопля выращивается где-то под Рязанью. И именно в пригородах, а не в одном из отдаленных районов.

— Подожди, ты же сказал, что конопля среднеазиатская? — остановил его Орлов.

197

— Открой Интернет и посмотри, сколько и каких семян сегодня предлагается. Просто плати деньги и жди посылку по почте. Тоже мне, проблема.

— А почему ты считаешь, что выращивают зеленую массу именно в пригородах Рязани, а не в какой-нибудь деревне?

— Это же элементарно, Петр. Любое сельскохозяйственное производство в глубинке на виду. А в пригородах, в условиях селитебной перегрузки можно спрятать что угодно. Там и пригородные плодовые хозяйства, там и дачные массивы, там черт ногу сломит. Это же «принцип желтого ботинка».

— Что?

— «Принцип желтого ботинка», — пояснил Крячко. — Изобретение Гурова. Ботинок выделяется, если его поставить в одном ряду с тапочками. Желтый ботинок выделятся в череде однообразно черных и так далее. Понимаешь?

— Тапочки надо прятать среди тапочек, а ботинок среди ботинок? — с иронией посмотрел на полковников Орлов. — Я думал, что они там делом в кабинете занимаются, а они шарады и скороговорки придумывают. Лоботрясы!

— Не скажи! — запротестовал Крячко.

— Стой, Стас! — отмахнулся Гуров. — Петр, я делал запрос в рязанский региональный Главк и ничего утешительного не получил. Все у них хорошо, все у них замечательно. Туда надо ехать и на месте организовать всю работу. Толкач нужен! Не забывай, что мы по обороту наркотиков занимаем первое место в мире.

— Это как считать, — запротестовал Крячко. — Если на душу населения, то первое место занимает Колумбия, а если по общему объему на единицу времени...

— Ладно, — кивнул Орлов. — В конечном итоге, у нас на шее все равно висит московский канал, и с нас за него спросят. Точнее, меня. Хорошо, доказал! Только Стаса я тебе не дам, у него и тут работы хватит. Один поедешь. К тому же, тебе ведь координатор тут на месте нужен. До меня тебе не дозвониться, а Стас разрулит в любой ситуации и раздобудет тебе оперативно любую информацию.

Крячко молча развел руками.

Жену Лев застал сидящей в задумчивости над чемоданом. По всей комнате были разложены платья, костюмы, брючки и блузки. Решалась проблема: как можно при минимальном количестве вещей, взятых с собой, выглядеть вполне прилично. Гуров подошел, сел рядом и обнял Машу за плечи.

— Не кручинься, красна девица, — голосом сказителя произнес он, — сейчас лето, и можно обойтись минимумом одежды.

— Купальником? — улыбнулась Маша. — Закрытый для холодной погоды, открытый — для жаркой! Есть будешь? Я тебе там на неделю мяса натушила и щей дня на три. Потом будешь покупать полуфабрикаты и пользоваться микроволновкой...

Лев зажал ей рот ладонью и поцеловал в щеку.

— Я не буду есть, я буду смотреть на твою фотографию и предаваться печали.

— Ты будешь пропадать допоздна на работе, — обреченно подсказала Маша, — а потом вообще уедешь в командировку.

— Волшебница, — с удовольствием сказал Гуров, — ясновидящая. Только ты в очередности ошиблась: сначала командировка, а потом все остальное.

— Когда? — всплеснула руками Маша и оттолкнула мужа.

— Завтра. В Рязань.

— Господи, а кому я мяса натушила?

— А пойдем съедим его сейчас, — тоном заговорщика прошептал Лев, — тайно и все без остатка.

— Пойдем лучше чайку попьем, — предложила Маша и потрепала его по редеющим волосам.

Они не стали пить чай, а достали бутылку мартини, фрукты, распечатали коробку конфет и устроили себе прощальный пир. Маша рассказывала театральные байки и хохотала в полный голос. Гуров любовался женой и отпускал шуточки в адрес молодых актеров. Вполне нейтральная тема, никак не связанная с двухмесячной разлукой.

— Они скоро задвинут вас, — сетовал Гуров, — вы — старая школа, а у них новое видение, новое прочтение старых текстов.

— Лева, ты ничего не понимаешь в театральном искусстве. Я же тебе говорила, что театральное образование базируется именно на старой традиционной школе. Есть новые веяния, есть все, но теория не меняется. Ты сначала научись, а потом будешь импровизировать и рассуждать, что нужно современному зрителю.

— Согласен, но они у вас уже считают, что постигли секреты мастерства и пришло время по-иному посмотреть на традиционное искусство.

— К счастью, существуют традиции театра, настоящие режиссеры, а молодежь... молодежь она пока реализует себя на театральных капустниках и на различных молодежных тусовках. У нас есть один парень, я тебе рассказывала...

— Ветров?

— Да, Костя Ветров! Талантливый, многогранный, но беда в том, что он слишком рано хочет многого, рвется на части, пытается попробовать все и сразу. У него сейчас идет борьба со «звездной» болезнью. С одной стороны, доводят поклонницы, а с другой стороны, дороже все-таки творчество как таковое, а не пустые тусовки с элементами языческого поклонения идолу. Будет желание, если тебе интересна жизнь некоторых слоев нынешней молодежи, найди в Интернете его сайт. Там очень любопытные дискуссии проходят на форуме.

— Виртуальные тусовки? Вполне в духе времени. У них не хватает времени даже на живое общение.

— Не зуди, Лева, это же очень здорово, когда у человека совсем нет свободного времени. Тем более у молодого человека. Ты когда уезжаешь?

— Вечером. Поздно. Новороссийским.

— В половине первого ночи?!

— Ну, не получается по-другому! Дела.

— Лева! — испуганно и смешно вытаращила на него глаза Маша. — Я же забыла — у меня фен сгорел!

— Вот проблема, — рассмеялся Гуров. — Нешто поехать в гипермаркет и привезти тебе новый?

— А поехали кататься по ночной Москве, — вдруг предложила Маша. — Хотя... Ладно, тебе завтра рано вставать, а потом еще в командировку ехать. А давай я с тобой? В гипермаркет. Там сейчас, наверное, пусто, и наши шаги будут гулко отдаваться эхом под мрачными сводами...

За Машей утром пришла машина, а Гуров уехал на работу, потом позвонила Маша и сообщила, что они сели в поезд, что поезд тронулся и что она забыла зарядник для телефона, но на вокзале умудрилась в киоске купить другой. Они посмеялись немного, а затем начались рабочие будни.

Вернувшись вечером домой, Гуров включил на кухне телевизор, с аппетитом посмотрел на тушеное мясо, овощной гарнир и решительно открыл холодильник.

После пятидесяти граммов ледяной водки настроение изменилось в лучшую сторону. Он с удовольствием поужинал, вымыл посуду и хитро посмотрел в сторону гостиной. Маша строго внушала ему, что подолгу, да еще по ночам, не стоит сидеть за ноутбуком. Это был ее подарок ему на день рождения — мощный четырехъядерный, с большим экраном и всякими современными наворотами. Вот и есть чем отвлечься и на чем скоротать время до поезда.

Как Лев ни старался, мысли упорно возвращали его к предстоящей командировке. Он пробегал по своей схеме, еще раз анализировал основные ее узлы, а рука, двигая «мышкой», уже открывала «Одноклассников». Зарегистрировался там Гуров совсем недавно, из истинных одноклассников нашел только двух девчонок. Девчонок условно, потому что это были толстые тетки. Сознавать, что школьные годы теперь уже окончательно в прошлом, было несколько грустно. Пока одноклассники менялись с возрастом не так сильно, таких ощущений не возникало. И...

О-о! Новичок! Да это же Юрка Калинин!

Маленький квадратик на фотографии мигал, показывая, что человек находится на сайте. Улыбаясь, Гуров набрал сообщение Юрке и отправил. Ответа не было долго, возможно, Калинин уже вышел из Сети, но вот наконец Юрка ответил.

— Левка! Здорово! Тебя и не узнать, раздобрел, солиднее стал. Как ты?

— Нормально. С тех пор, как мы виделись с тобой во время твоего приезда в Москву, все без изменений.

— Ты все в легендарном МУРе? Мы почему-то еще в школе знали, что ты пойдешь по стопам отца-генерала.

— Нет, уже не в МУРе, но в той же системе. Юр, я тут в командировку завтра еду. И в Рязань! Может увидимся, посидим, повспоминаем.

— Отлично! Только не может, а обязательно. Теперь моя очередь тебя принимать. Про гостиницу и не заикайся, остановишься у меня...

Это было приятно, да и гостиницы Гурову за столько лет командировок уже порядком осточертели. И «посидеть» лучше в домашних условиях, а не где-то, откуда потом надо еще поздно возвращаться. И жена у Юрки, помнится, милейшая женщина, и дочь теперь уже, наверное, совсем взрослая. А он изменился! Сухой стал, как палка, щеки ввалились. Калинин никогда толстым и не был, но теперь точно выглядел, как жердь. Да-а, меняет всех жизнь!

Хорошее настроение располагало полазить в Интернете, посмотреть новости. А ну-ка, что там Маша говорила про молодое дарование в их театре? Найдем-ка Константина Ветрова.

Сайт нашелся довольно быстро. Оформление было не ахти какое, а вот форум пестрил очень интенсивной перепиской. Причем сам Ветров участвовал в общении не так уж и часто. Некогда или ниже достоинства? Гуров посмотрел на фотографию-коллаж и покусал нижнюю губу. Симпатичный парень, самовлюбленность из него не особенно лезет. Скорее, если так можно сказать, он просто трезво оценивает свои способности как высокие. Ну, флаг ему в руки и успехов в творчестве!

Что это они тут обсуждают? Современные тенденции в театральном искусстве. Понятно, почему Ветров в диалоге не участвует! Бред ребятишки несут несусветный, дилетантство, а туда же лезут. О! О любви и дружбе... Девочки. Понятно, диспут на уровне восьмого класса. Девочек интересует, может ли быть дружба между мальчиком и девочкой, а мальчиков — кто сильнее, акула или медведь.

Стихи-и? Какие это стихи они обсуждают, какое такое свое мировосприятие? Гуров немного пролистал записи и наткнулся на несколько четверостиший, подписанных просто «Я». Пробежал глазами несколько первых строк и... и вернулся к началу. Теперь он уже внимательно стал вчитываться.

Ты молчишь, как ночь, как лес корявый,
Ты уходишь — все, закончен пир.
Пустотой заполнен, как отравой,
Весь беззвучный и бесцветный мир.

Я осталась, онемев, и только голос,
Мертвый, сиплый, странный, ледяной,
Все окутал, как накрыл тяжелой,
Тихой и тоскливой пеленой.

Он не звал и не просил прощенья,
Умирал, а может, и не жил.
И упала я в изнеможеньи
Как уставший колос у межи[1].

Гуров зябко передернул плечами. У автора явно какая-то беда, если это не позерство и не склонность к суициду. Он пролистал немного назад и нашел еще одно стихотворение.

Выжигая темя, выплавляя память,
Светит с неба солнце-существо.
Я в бреду, а листья кружат танец,
Ощущая кровное родство.

Мы одни от крови и от плоти —
Листья, ветви и пунцовый мак.
Ждем, когда же все поглотит
Нас зовущий из могилы мрак.

Ощущения были противоречивыми. Гуров еще дважды прочитал стихотворение и посмотрел в темноту за окном. Она была пронизана огнями уличных фонарей, теплым светом окон многоэтажек, подвижным задорным светом автомобильных фар, которые снуют по хитросплетению городских улиц. Тьмы могилы он не ощущал, зловещего света ночных огней тоже. Может, средства массовой информации, заигравшись с идеей конца света, довели неизвестного автора до такого? Странная девочка... или тетя. Хотя, почему он думает об авторе в женском роде? Ощущения? Возможно. Хотя нет, в первом стихотворении автор говорит от женского лица, просто Гуров не уловил этого за общей мрачностью

---

[1]Здесь и далее в тексте использованы стихи Виктора Машинского.

поэзии. Как же должно быть на душе у человека, если он пишет такое?

Желание рыться в Интернете пропало напрочь. Захотелось заняться чем-то активным, например, встать и начать собираться в дорогу. Лев проверял наличие в чемодане носок, нижнего белья, бритвы, а стихи не шли у него из головы. Все-таки не позерство, решил он, в самом деле какое-то иное восприятие мира.

Он попытался представить себе ночную аллею парка. Луна... серебристая, любопытная... Какая еще? Ну, иногда по настроению может и грустная, унылая. Представить ее зловещей Гуров не мог, как ни старался. А сама аллея? Загадочная, уходящая вдаль, в теплую летнюю темноту. И пустынные садовые скамейки по краям дорожки с изящным изгибом ножек. Нет, не видятся они корявыми лапами, норовящими схватить тебя за ногу. М-да, мировосприятие!

В поезде Гуров послушно провалился в сон, откинувшись на спинку. Четыре часа пролетели мгновенно, а когда небо за окном вагона начало светлеть, появилась и проводница с билетом.

На перроне, несмотря на очень раннее утро, было довольно людно. Народ валом валил до Новороссийска, а там — курортные излюбленные города, городки и поселки. А вот провожающих было мало, это стало хорошо заметно, когда все пассажиры скрылись в вагонах и перрон почти опустел. И только теперь Гуров заметил сутулую жердеобразную фигуру, подпиравшую стенку. Фигура оторвалась от стены, вскинула приветливо руку и заспешила навстречу Гурову.

— Здорово, Юрка! — обнял приятеля Лев и уткнулся головой ему куда-то под ключицу.

— Здорово, Левка, — растроганно пробубнил сверху Калинин. — Здорово, чертяка! Рад тебя видеть! Ну, поехали ко мне, я на машине. Доспишь чуток, что в поезде не добрал, а потом...

— Юрик, извини. Захвати мой чемодан, а я к тебе вечером приеду. Смысла нет расслабляться, впереди напряженный рабочий день. Кстати, начнется он через три часа. Может, составишь компанию? Здесь в ресторане и позавтракаем.

Калинин посмотрел на него усталыми глазами и с улыбкой согласился. Они сидели, пили горячий кофе посреди большого пустого зала ресторана и ждали, пока им пожарят свиные отбивные.

— Значит, ты уже полковник! Солидно. Вообще-то, ты всегда был упорным в достижении своих целей. И что, прямо вот в самом министерстве работаешь?

— В самом. В Главном управлении уголовного розыска.

— И что же тебя мотает по стране, раз ты министерский работник? Должен к себе вызывать, на ковер!

— Я начальник маленький, Юрик. Моя работа заключается по-прежнему в том, чтобы ловить преступников. Только теперь приходится подключать для этого местную полицию в разных уголках страны. Ну и учить немного, помогать, делиться опытом. Так что не кабинетный я работник, не радуйся за меня. А ты как?

— Я все так же по инженерной части. Начальник участка в электросетях.

Калинин как-то весь поджался. Гуров решил, что своими расспросами делает школьному товарищу больно. Может, у него нелады на работе? Однако не скажешь же, ладно, меня не интересует твоя работа и твоя жизнь, давай опять о моей жизни разговаривать.

— Жена как? Помнится, у тебя была дочь?

— Тут, Левка, многое изменилось, — упавшим голосом ответил Калинин, но все же поднял глаза и мужественно посмотрел на Гурова. — Жена у меня вскоре умерла, где-то через пару лет после того моего приезда в Москву. Онкология.

— Сочувствую. — Гуров решительно положил свою руку на кисть Калинина: — Это жизнь, такое в ней бывает. Жаль, что это выпало на твою долю, но...

— От судьбы не уйдешь, — кивнул Калинин. — Дочь... растет. В смысле, выросла уже. Ей в этом году двадцать стукнуло...

Гуров догадался, что с энтузиазмом восклицать по поводу того, что она совсем уже невеста, не стоит, и выжидающе посмотрел на одноклассника.

— Свалилось на меня, Левка, — поморщился Калинин и сокрушенно помотал головой, — такое свалилось, что... Сейчас-то я отошел, а тогда... Жену схоронил, как-то свыкся с этой мыслью, да и Таньку растить надо было. А потом Вероничку встретил, и так мне захотелось ее тепла, заботы. Наверное, мужик во мне верх взял, бабы захотелось. Но, надо честно признаться, жить мы с ней сразу начали хорошо, не ошибся я. И к Таньке она по-матерински, и Танька к ней с теплом. Вроде стало налаживаться все, затихать стала боль внутри.

Они переглянулись и поняли друг друга. Оба поняли, что без стопки дальше говорить сложно, а впереди рабочий день.

— Может, до вечера? — предложил Гуров.

— А что вечер? Вечером легче рассказывать? Лучше уж я тебе сейчас все расскажу, отмучаюсь, а вечером... Полегче будет. В общем, забеременела Вероничка, пацана мне родила. Павликом назвали... И все бы хорошо, да только беда меня решила не отпускать, на прочность до конца испытать. Шесть ему было, седьмой пошел. На детской площадке это произошло. Как уж там, не знаю... Качелями его ударило, и прямо в висок. Так в больнице через два часа и умер, не приходя в сознание. Вероничка чуть с ума не сошла, да и я тоже. Тут еще и отношения у нее с Танькой испортились. Вроде как мой ребенок умер, а твоя дочь жива. Чисто психологически я это понимаю, объяснить могу, а примириться — нет. Танька... возраст такой у нее был, переходный, что ли... покуривать стала, замкнулась в себе, слова, бывало, не добьешься. А потом, когда я узнал, она уже втянулась.

— Наркотики? — догадался Гуров.

— Угу. Сначала травку курила, потом таблетки и уколы. Но я ее спас. Не могу тебе пересказать, как я это пережил, как осилил, но спас. Лечилась она долго, сильными препаратами, дорогими. Кажись, обошлось. Только вот другая болячка приключилась. Врачи говорят, что это как раз от тех сильных препаратов. В общем, память она иногда теряет.

— Как это?

— Да так. Идет по улице, идет, а потом как накроет ее, и все — ничего не соображает, не помнит. Два раза с поезда снимали, три раза в полиции ночевала. Боюсь...

— А врачи? Может, лечение какое-то?

— Мне кажется, что браться никто не хочет. К кому только ни обращался, все без толку. По мне же видно, что не олигарх. Был бы олигархом, так давно бы уже целыми клиниками вокруг меня хороводы водили и диагнозов мудреных десятка два предъявили бы.

Глава 2

Подполковник Гончаренко встретил Гурова в своем кабинете. Он восседал с типичным начальственным лицом в глубоком кожаном кресле с высокой спинкой. Создалось впечатление, что этот невысокий лысеющий человек специально забрался так глубоко в кресло, чтобы потом ему было сложно выбираться оттуда и бросаться навстречу полковнику из Москвы. Именно так, чтобы этими потугами показать, как рад, как он ждал этого гостя и на что ради него готов.

Гуров дождался, пока Гончаренко выпутается из мебели и подбежит к нему с протянутой рукой, позволил усадить себя в кресло у приставного стола, молча выждал, пока подполковник закажет кофе и выставит початую бутылочку хорошего коньяка.

— Может, делом займемся, Олег Сергеевич? — сухо поинтересовался он. — Оставьте кофе и коньяки в покое. Меня интересует сводка за последний месяц, о которой я вас предупреждал два дня назад.

— Да, конечно. — Промакивая лысинку носовым платком, Гончаренко кинулся к селектору и приказал секретарше вызвать к нему какого-то Матурина.

Гуров, чтобы не сидеть истуканом и не смотреть этому неприятному подполковнику в глаза, поднялся и, потягиваясь, прошелся по кабинету.

— Мне будет нужна группа, — сказал он наконец.

— Простите, не понял вас?

— Группа оперативников в мое личное подчинение на все время командировки. В Следственном управлении кто занимается наркотиками?

— Там... разные следователи...

— То есть вы не знаете специализации. Ладно, разберемся...

Дверь громко хлопнула, и четкие шаги прошли к столу.

— Вот! Вы просили вам подготовить, — с вызовом прозвучал голос с легкой хрипотцой.

Гуров удивился. Значит, кто-то еще недолюбливает этого Гончаренко? Интересно, за что? Он обернулся и увидел молодого мужчину в светлых мятых брюках, мятой льняной рубашке и с красными глазами. Если бы не светлые волосы, мужчина выглядел бы страшно небритым. Любопытно, у них тут неряшество в моде или этому диву есть причины?

— А здороваться с представителями московского Главка у вас не принято? — поинтересовался Лев и стал ждать реакции визитера.

— Виноват, — сухо ответил Матурин, — по этой части у нас начальство, а я больше по оперативной работе.

— Ты... это, — хмуро попытался поставить подчиненного на место подполковник, — давай-ка тут без гонора. Ишь...

Что ишь, Гуров так и не услышал, но опытным глазом безошибочно угадал в этом небритом и невыспавшемся человеке настоящего оперативника. Наверняка после тяжелого ночного дежурства, поэтому и на взводе. Ему бы бумаги дописать, начальнику передать да поспать часика четыре. А он должен какие-то папки срочно носить да прогибаться перед московским чиновником. И не зря именно его Гончаренко с папкой вызвал.

— Разрешите идти, — по-военному отчеканил Матурин, но в струнку не вытянулся.

— Иди давай, — махнул рукой подполковник.

— Матурин! — окликнул сыщика Гуров, когда тот уже взялся за дверную ручку. — Вы сколько еще намерены пробыть в управлении?

— Примерно час! А потом, если позволите, я бы поспал немного после «ночи».

— Поспите. Но я попрошу вас все же дождаться меня в вашем кабинете. Надолго я вас не задержу.

Матурин кивнул и молча вышел.

— Чего это вы его? — не понял Гончаренко. — Хороший работник, но только... того. Если бы не его исключительные деловые качества, давно бы в участковые загнал. А так приходится терпеть. Воспитываешь его, воспитываешь! Опять пришлось звание задержать. Ему бы уже года два, как в майорах ходить. Сам виноват!

— Слушайте, Олег Сергеевич, а почему вы попросили принести вам сводку именно этого офицера?

— Ну-у, он ее готовил. Он же у нас по наркотикам работает...

— Хорошо, сводку я возьму с собой и посмотрю потом. Сейчас назовите мне номер кабинета, в котором работает Матурин.

— Хотите с ним лично поговорить? 24-й. Так я его сейчас сюда вызову!

— Отставить! — рявкнул Гуров. — Если мне будет нужна ваша помощь, я вам скажу. Группу я сформирую сам.

Гончаренко попытался что-то там пояснить ему в спину по поводу кадров, которые он знает лучше, но Лев ждать не стал. Он деловито прошел приемную, поймал за локоть какого-то лейтенантика, который посоветовал ему спуститься этажом ниже, где находится 24-й кабинет и капитан Матурин.

Гуров толкнул дверь и увидел три пары глаз, недовольно уставившихся на него. Матурин смотрел с некоторой обреченностью, а его двое коллег помоложе, которые не совсем были в курсе визита, явно готовы были нахамить. Полковник решил сразу расставить все точки над «i».

— Гуров Лев Иванович, — представился он, глядя на молодых сыщиков, — Главное Управление уголовного розыска МВД России. Мне нужно пообщаться с капитаном Матуриным, так что, парни, оставьте нас минут на двадцать. Если не трудно.

Опера поперхнулись, и их как ветром сдуло. Лев покачал головой: начальства никто не любит. Он повернул свободный стул и уселся на него, положив ногу на ногу.

— Как вас зовут, Матурин?

— Игорь Васильевич! А что привело вас в наше скромное учреждение, если не секрет?

— Я понимаю, что вы вымотались за время дежурства, но все же не стоит нарушать субординации. Как говорил Мюллер Штирлицу, я старше вас по возрасту и по званию. Поэтому не надо зарываться.

— Извините, — вяло ответил Матурин.

— Вот так-то лучше. Мне пояснили, что вы один из лучших сыщиков вашего управления и занимаетесь как раз теми вопросами, ради которых я сюда приехал. И этот отчет, — Гуров бросил на стол капитана папку, — тоже составляли вы. Так?

— Насчет отчета — так, а насчет остального не знаю, — рассмеялся Матурин.

— Значит, так, я уверен, что данная сводка или отчет составлены на скорую руку и для отписки начальству, — заявил Гуров, наблюдая, как лицо капитана наливается недовольством и даже злостью. — Я бы на вашем месте так же поступил. Поэтому! С сегодняшнего дня вы переходите в мое прямое подчинение. С текущими делами решим завтра утром. Мне нужны вы и еще один молодой сообразительный и энергичный сотрудник, желательно с хорошей физической подготовкой. Назовите мне этого кандидата и можете отправляться спать, скажем, до шести часов вечера.

— Вот это подарок! — восхитился капитан и посмотрел на московского полковника уже с интересом. — Ладно, тогда с меня ответный презент. Есть у нас один лейтенант. Молодой, да из ранних. У него два недостатка: он патологически честен, что ставит на его карьере большой жирный крест, и слишком увлекается спортом. То и другое с возрастом пройдет, но я боюсь, что он успеет испортить себе самые цветущие годы.

— И?

— Леша Нефедов! Отличник учебы и заядлый каратист. Могу позвать прямо сейчас.

— Звоните, — кивнул Гуров на телефонный аппарат.

Через три минуты перед ним вырос очень миловидный юноша с пушком на верхней губе. Он представился, блистая еще курсантской выучкой, и замер, выжидательно поглядывая то на Матурина, то на грозного московского полковника.

— Поступим следующим образом, ребята, — предложил Гуров. — Ты, Нефедов, сейчас пойдешь со мной. Потолкуем за пределами казенных стен. А ты, Матурин, уж не обессудь, поднимись к Гончаренко и передай мой следующий приказ. Вы двое поступаете в мое распоряжение. С вашим начальником пусть решает сам, но освободит от всех текущих дел с завтрашнего утра. Завтра мне будет нужна служебная машина без полицейских опознавательных знаков и опытный аттестованный водитель. Вопросы есть?

— Вопросов нет, — с удивленной улыбкой покачал головой Матурин.

— Никак нет! — отрапортовал Нефедов и посторонился, пропуская полковника к двери.

Они молча вышли из здания, и Гуров повел своего молодого помощника в сторону виденного недавно кафе. И только за столиком, когда официантка ушла за заказом, наконец серьезно заговорил с ним. Коротко изложил ему информацию о цели своего приезда в Рязань, о причинах, по которым в помощники взял именно капитана Матурина и Нефедова.

— Блин! — то ли обрадовался, то ли восхитился Нефедов. — Вы просто спасли Игоря. Он бьется, бьется, как рыба об лед. Вы не представляете, как его и по рукам хлещут, и одновременно результатов требуют. Как он все еще выдерживает и не бросает эту тягомотину? Его уже несколько раз пытались сманить из органов в коммерческие структуры. Он же опер от бога!

Гуров усмехнулся и попросил рассказать, кто из руководства что из себя представляет. Картина была обычная. В каких-то областях она выглядела лучше, в каких-то хуже, но в среднем все везде примерно так. Начальник управления уголовного розыска — ставленник, удобный руководству местного ГУВД, человек, который хорошо ориентируется в пожеланиях генералов. Начальник ГУВД и его замы — все, в той или иной степени, замараны, и их больше всего беспокоит, чтобы не всплыло что-то из их прошлых или настоящих грехов. Наверняка кто-то и с криминалом был связан, кто-то с экономическими преступлениями, но просто их не взять. Гуров и не намеревался кого-то тут брать, понимая, что свалить начальника можно только убойным компроматом, доказательствами и свидетелями. А если ничего этого нет, то и воду мутить не стоит, иначе и миссию свою провалишь, ради которой и приехал.

— Значит, хороший он опер? — спросил Лев.

— Настоящий!

— А ты?

— Я! Я зеленый еще, — откровенно выдал Нефедов и засмеялся. — Ну, это так обо мне говорят. Вообще-то, учился я хорошо, теорию знаю, а вот практики не хватает. А помимо того, чему нас учили, есть еще опыт и индивидуальные хитрости матерых сыщиков. Таких, как вы, например.

— Ты меня знаешь?

— Ага, про вас рассказывали на лекциях.

— Хм, — поморщился Гуров, хотя в душе ему было приятно. — Ладно, давай к делу. Догадался, почему я тебя из стен управления на улицу вывел? Чтобы тебя со мной поменьше народу видело. Работа у нас секретная, помешать нам будут стараться не только преступники без формы, но и кое-кто в этом здании. Надеюсь, ты не питаешь иллюзий, лейтенант, что честность и порядочность в человеке определяет наличие у него погон на плечах? Не питаешь, хорошо! Так вот. Есть у меня информация, что неподалеку имеется центр по выращиванию и сбыту наркотиков. Судя по тому, что работа вашего управления в этом направлении буксует уже не один месяц, я делаю вывод, что кому-то это выгодно.

— И мы втроем их накроем? — загорелся Нефедов.

— Накроем, обязательно накроем, — пообещал Гуров. — А теперь тебе задание...

В седьмом часу вечера Гуров подъезжал на такси к дому своего одноклассника. Это было очень здорово, что Калинин жил в коттедже. Выйдя из машины, Лев сразу ощутил приятную ауру коттеджного поселка.

Пользуясь ориентирами, которые дал ему Юрка, он прошел мимо трансформатора на столбе, затем мимо грузовика без колес, а потом увидел светло-коричневую крышу нужного дома. Благодать! Сейчас сядет солнце и прохлада густой зелени накроет все вокруг. Наверное, запоет иволга, наверное, налетят комары. Последнее нежелательно, но оно как-то к душе. В Москве Гуров уже и забыл, что такое комары, а на даче, куда он выбирается очень редко, работает фумигатор.

— Гостей принимаете? — зычно крикнул Лев, открывая металлическую калитку и быстро бегая глазами по отдаленным уголкам двора.

— Заходи! Собаки нет! — как будто понял его опасения Калинин, появляясь на веранде в широких цветных штанах. — Вероника, Татьяна, встречайте гостя!

Первой выбежала стройная девушка с короткими темными волосами. Улыбалась она так, словно ждала гостя много лет, и вот наконец он появился. Есть такие люди, которых природа одарила вот такими щедрыми улыбками.

— Таня, — немного надтреснутым, но не лишенным приятности голосом представилась она. — Проходите, Лев Иванович, папа про вас уже все рассказал.

— Успел уже! — пошутил Гуров. — Только рассказывать-то нечего. Столько лет прошло после школы, я уж и фамилии одноклассников стал забывать. Только имена и прозвища.

— Здравствуйте, — раздался за спиной еще один женский голос.

Гуров резко повернулся. Женщина была под стать Юрке, но все же не так высока. Что-то болезненное проскальзывало в ее облике. Или это просто от того, что она давно перестала ухаживать за лицом, за фигурой. Даже осанка какая-то болезненная.

— Здравствуйте, — постарался выразить максимум приветливости Лев. — Вот, решили с Юрой, что не стесню вас, если поживу несколько дней.

— Живите, конечно, — кивнула Вероника, улыбнувшись одними губами.

Дальше все пошло по стандартной программе. Стол был уже наполовину накрыт, закуски и выпивка расставлены. Сели, хватили по одной, с удовольствием закусили, завели разговоры ни о чем. Потом по второй, и Вероника заспешила на кухню за горячим. Следом ушла и все это время тихо улыбавшаяся Татьяна.

— Давай еще по одной, — сморщился как от зубной боли Калинин.

Гуров охотно кивнул и потянулся за бутылкой. Он потихоньку начинал жалеть, что остановился у Юрки. Слишком тягостной была обстановка, какой-то нездоровой, как незримое присутствие инфекции или раковой опухоли. Лев поймал себя на гаденькой мысли: что же это ты, полковник, живешь сытой жизнью, с любящей женой и работой, которая тебе приносит удовлетворение, а как окунулся в чужую неудовлетворенность, даже откровенную беду, так и нос воротишь! Не комфортно тебе? Когда пацанами были и одинаковыми во всем, то было комфортно, а теперь с высоты положения министерского работника уже не то?

Он посмотрел в глаза Юрке, ободряюще улыбнулся и опрокинул в рот рюмку. Появилась Татьяна с тарелками. Она что-то ставила, передвигала на столе, освобождая место под второе блюдо, а Гуров все смотрел на одноклассника.

— Ты, Юрок, не раскисай, — наконец сказал он.

Калинин поднял лицо, посмотрел вслед дочери, ушедшей за женой на кухню, и пробормотал:

— Как тут... Ты же видишь, что нет у них отношений, каждая в своем коконе варится. Это они сейчас перед тобой демонстрируют, а уйдешь завтра на работу, и опять стена. Танька еще ничего, жалеет меня, а Вероничку как подменили. Как чужой человек в доме.

Жена так и не вернулась к столу. Юрка уловил ее голос, вышел на кухню, вернулся с постным лицом и уселся на свое место.

— Прилегла она, — произнес он в пространство. — Нездоровится. Так что посидим втроем. Да, Танюшка?

— Ага, — улыбнувшись, задорно кивнула головой девушка.

Гуров посмотрел на нее и невольно тоже улыбнулся. Говорили о многом, но больше всего вспоминали школьные годы. Татьяна хохотала в голос и махала руками на мужчин. Кажется, Юрка был доволен тем, что у дочери такое настроение. А может, уже давно не слышал ее смеха. Это ведь, наверное, очень страшно — жить бок о бок с человеком и не слышать годами его смеха!

— Вот, Таня, видишь, как ты отцу угодила, — смеялся Гуров, — что разрешила своим ноутбуком воспользоваться и в «Одноклассниках» зарегистрироваться. Так бы и не встретились.

— Это не мне, это ему спасибо, — тихо ответила девушка. — Он же мне его подарил.

Ее улыбка стала какой-то затравленной. Опять перед Гуровым сидел другой человек.

Потом Юрка повел его в дальнюю комнату, где ему уже постелили. Кровать была удобная, деревянная, односпальная. Гуров сидел, расстегивая рубашку на груди, а Юрка куда-то вышел и снова вернулся.

— Вот, смотри, — сказал он, протягивая Льву небольшую фотографию. — Вот он, рядом с ней.

— Кто, вот этот высокий парень?

— Да. Это они куда-то на пикник ездили, на природу. Вот она и хранит. Наверное, все еще любит его. Я уж подумывать стал, а не выбросить ли мне эту фотку? Вроде потерялась и никто ничего не знает.

— Чтобы не мучить ее, чтобы забыла скорее? — Гуров отрицательно покачал головой. — Можешь только хуже сделать. А если у нее истерика случится на этой почве, если она на последних остатках самообладания держится из-за этой неразделенной любви? При ее состоянии и такой стресс. Нет уж, пусть лежит. Уверен, что придет время, и она сама удивится, что столько времени вздыхала и заламывала руки. Возьмет она ее в один прекрасный момент и ничего к нему не почувствует. Перегорело все!

— Хорошо ты говоришь, складно, — невесело усмехнулся Юрка, забирая фотографию. — Тебе бы романы писать.

— Протоколы я пишу, забыл? А еще у меня жена актриса. Тоже забыл? А парень ничего, мужественный, красивый. Ты так и не в курсе, почему они расстались? Может, из-за наркотиков он ее бросил? Он сам по виду не наркоман.

— Кто же их знает? Расспрашивать-то я боюсь. Ладно, спи, товарищ полковник.

— Не товарищ полковник, а просто полковник. Не люблю этого словосочетания. Кому я друг, тому друг, а товарищ — это что-то абстрактное, поддельное, неискреннее. Люди далеко не братья друг другу по своей натуре. Скорее, наоборот.

— А ты, смотрю, тоже не оптимист!

— Избитый ответ, но я все же скажу, ибо это чистейшая правда. Люди друг другу по натуре волки. В основной своей массе, конечно, а не сплошь. Души у них стало маловато, не всякий готов руку протянуть упавшему.

— А ты? — вдруг остановился в дверях Юрка. — Ты при своей работе часто протягиваешь людям руку?

— Юр, ты себе не представляешь даже, как часто, — заверил Гуров. — Я только этим и занимаюсь. Даже преступника поймать и под суд отдать — благо. И благо не для потерпевших и его других потенциальных жертв, которые могли бы быть в дальнейшем. Это благо даже для него. Чем меньше он совершил, тем меньше срок. А там, куда их отправляют, между прочим, все же происходит иногда перерождение, они решают завязать с преступным миром и начать новую жизнь. А кто его туда посадил, кто его подтолкнул к этому решению?

— А ты философ, Лева.

— В моей профессии нельзя иначе, а то с ума можно сойти, если общаться только с преступниками.

Гончаренко ждал Гурова на улице перед входом в здание ГУВД.

— Здравия желаю, Лев Иванович! Вот вам водитель... ты не сутулься, Кикин, не сутулься. В ваше распоряжение и Кикина, и мою служебную машину. Она без опознавательных надписей.

— Хорошо, — кивнул Гуров и внимательно посмотрел на водителя. — Какой стаж за рулем, Кикин?

— Н... не знаю, лет шесть, наверное. Армия, потом полиция. Ни одной аварии, между прочим.

— Не попадал или умудрялся в критической ситуации избегать аварии?

— Да всякое бывало, — с интересом посмотрел на Гурова Кикин.

— Бегом переодеваться! — приказал Лев. — Через час без формы с машиной здесь. Вопросы есть?

— Есть, — тут же ответил Кикин, шевельнув складками наголо обритого черепа. — Бензина маловато, если вы собираетесь много ездить.

Гуров с крайним изумлением посмотрел на Гончаренко, а тот, в свою очередь, озабоченно и с некоторым неудовольствием уставился на своего водителя и пробормотал:

— А... ну, решим, конечно. Ты чего же, Кикин, мне сразу не сказал, что у тебя бензин на нуле?

— А он не на нуле. Просто, если по оперативным делам мотаться, в самый неподходящий момент кончиться может.

Теперь настал черед Гурова с некоторым изумлением посмотреть на молодого водителя. Парень оказался сообразительным.

Через полтора часа Кикин, переодетый в джинсы и футболку, привез Гурова с помощниками на улицу Семашко к Центральному парку культуры и отдыха «Рюминская роща». Серая «Хонда» плавно остановилась перед самым знаком «Остановка запрещена». Кикин опять проявил сообразительность. Еще пять метров и пришлось бы «козырять» удостоверениями, когда нагрянет кто-то из сотрудников ГИБДД.

— Пошли, ребята, — вылезая из машины, сказал Лев, — а ты, Кикин, сторожи технику.

В сопровождении Матурина и Нефедова он вошел на территорию парка и неторопливо двинулся в сторону скандально знаменитого Рюминского пруда.

— Начинаем работать головой. Что с моим заданием, Леша?

— Карту я составил, — озабоченно ответил Нефедов, — только она в машине осталась. Вы же не сказали. Сбегать?

— Зачем? Раз ты ее составлял, то должен на память помнить все.

— Что за карта? — поинтересовался Матурин.

— Докладывай, Алексей, докладывай! — приказал Гуров, заложив руки за спину и наклонив голову.

— Так, карта, — начал Нефедов, поглядывая на капитана. — Значит, я собрал все сведения о задержаниях и изъятии наркотиков объемом больше одной дозы по городу и пригородам и нанес на крупномасштабную карту. А еще я нанес на нее точки распространения и маршруты наркоканалов. Два межобластных и восемь внутриобластных. Это все, что мне было доступно. Кое-кто со мной серьезно разговаривать не захотел, но я помню, что вы мне, Лев Иванович, советовали, и не настаивал.

— Правильно, не надо пока привлекать к себе внимания особо рьяным поведением. Теперь ты, Игорь. Послушай, что Леша перечислит, и сделай свои замечания и уточнения. На память.

Гуров специально устроил этот «мозговой штурм». С одной стороны, он хотел лишний раз проверить, а не ошибся ли в профессионализме и талантах своих помощников, а во-вторых, хорошо знал по себе, что такая разминка ума активизирует мозг лучше любого допинга.

Нефедов перечислил все точки, нанесенные на карту, и, судя по тому, что Матурин его ни разу не перебил, он практически ни разу не ошибся. Ни в датах, ни в объемах, ни в фамилиях и кличках задержанных. С памятью у лейтенанта было все в порядке.

Матурин добавил лишь несколько уточнений и четыре задержания, о которых Нефедов не упомянул. О них лейтенант просто не знал. А потом Матурин добавил информацию, которую почерпнул от своей агентуры. По его мнению, наркоту выращивали где-то совсем недалеко от города и в большом количестве. Этого он своему начальству еще не докладывал.

Гуров перечислил несколько пригородных районов Рязани, где, по его мнению, могли выращивать коноплю. Теперь пришло время удивляться оперативникам.

— Когда это вы успели? — спросил Матурин. — И с географией познакомиться, и выводы сделать?

— А с географией и выводами я сюда приехал, впечатление составил еще в Москве. Собственно, поэтому и приехал, что от вашего начальства ждать активных действий почему-то не приходится. Не знаете почему?

Оперативники усмехнулись, неопределенно дернули плечами и стали смотреть в разные стороны.

— Правильно, — похвалил Гуров. — Сор из избы выносить не стоит. Полковник из Москвы приехал, полковник уедет назад, а вам тут работать. И кто его знает, этого полковника, а вдруг он снюхался с вашим начальством!

— Зачем вы так, Лев Иванович? — недовольно возразил Матурин.

— Нормально все, Игорь. Я не жалобы принимать приехал и не разбираться, кто и что из себя представляет. Времени у меня на это нет и власти тоже. Я опер! И работать приехал как опер!

— Так давайте начнем работать, что ли, — предложил Матурин. — Идея ясна, фронт работы обозначен. Вперед? Только я предлагаю разделиться для большей эффективности. Каждый берет себе территорию и обследует ее...

— А я и не собирался вас катать всем гамузом, — проворчал Гуров.

Настроение у него никак не улучшалось, несмотря на то что помощники у него оказались толковыми специалистами и с ними можно было сделать многое. Неприятно было сознавать, что ты приехал сюда как представитель всемогущего министерства, на тебя, вольно или невольно, тоже смотрят, как на всемогущего, а ты только и можешь, что организовать и подтолкнуть розыск. В то время, как сытые морды тех, кто на тебя взирает здесь на местах, кто должен был бы эту работу давно уже начать делать, усмехаются и приветливо машут тебе ручкой. Молодые же опера смотрят на тебя понимающе и снисходительно — конечно, что ты можешь сделать, коль ты такой же «попка», как и мы, только у себя в министерстве.

Сделать Гуров мог, и сделать многое, но для этого он должен приехать с официальной проверкой, с полномочиями проверяющего лица. Тогда он официально собрал бы массу материала, на основании которого полетели бы погоны нерадивых работников и откровенных преступников. А сейчас он был в положении человека, который все видит, все понимает, а сделать ничего не может. Любой его рапорт в министерстве расценили бы как результат того, что он занимался в Рязани не своим делом, сводит счеты с кем-то по своей инициативе или по просьбе кого-то другого. Тут и Орлов не поможет. Кстати, именно Орлова он, в первую очередь, и подставит своей «самодеятельностью».

Обсудив задачу на сегодняшний день, Гуров посадил помощников в машину и отправился по маршруту их высадки. Нефедова он высадил в районе поселка Октябрьский, где, помимо частного сектора, имелись три дачных кооператива, а капитана отправил обследовать пригородные и очень старые дачные участки на так называемой Лисьей горе. Обилие перелесков, дубовых рощ, березняков и сосняков, разбросанные дачные кооперативы, часть которых расплывалась по брошенным в постсоветское время полям, а часть уходила именно в лесочки и дубравы. Эти участки и товарищества образовались еще в 60-е годы, в самом начале кампании по выделению участков населению. Сюда ходил пригородный автобус, хотя по прямой от окраины города было всего километра два. А еще здесь имелся свой участковый пункт полиции.

Высадив помощников, Гуров отправился на машине на другую окраину города, туда, где новостройки надвигались на остатки некогда мощного плодоовощного совхоза имени Мичурина. Кикин довез его лихо, но аккуратно, поразив своей манерой езды. Ездил он быстро, ловко, но правил не нарушал и аварийных ситуаций не создавал. Редкостное качество: аккуратный лихач.

Не удержавшись, Гуров спросил сержанта, где тот так научился водить машину.

— Я же гонщик, — с довольной усмешкой пояснил Кикин. — Бывший, конечно.

— Да-а? И где же ты гонял?

— В армии, — засмеялся Кикин. — Ясное дело, что по возрасту я не могу быть членом сборной России. До армии автошколу окончил, а в части командир автослужбы оказался заядлым спортсменом, он и собрал команду. И во мне талант узрел. Говорил, что дар у меня — машину чувствую.

Гуров слушал рассуждения молодого сержанта о собственных талантах, а сам думал о своем. Что-то подсказывало, что выбранный им путь не принесет быстрого успеха.

Обойти все удобные места для выращивания конопли в пригородах такого большого города, как Рязань, — дело не простое. А если он ошибается еще и в том, что выращивают ее непосредственно в пригородах, то работа окажется вообще напрасной. Стыдища! Как потом Петру в глаза смотреть? Доработался до... маразма.

И все-таки Лев чувствовал, что направление выбрано им правильно. Можно ошибиться в географии, но не в подходе в целом, не в идее, которую он взялся разрабатывать. Преступники где-то рядом, и в этой игре «горячо — холодно» у него как раз очень «тепло».

Позитива размышления добавили, но день, проведенный среди остатков бывшего крупного пригородного хозяйства, окончательно убил хорошее настроение. Очень трудно свыкнуться с мыслью, что в стране имеет место такое вот явление. Что у руля стоят люди, которые не только не умеют руководить, берутся за дело, в котором плохо соображают. И в результате — заброшенные теплицы, заросшие сорняком и подростом фруктовые сады, бесхозные поля. Какой дурак поставил на эти должности других дураков? Почему в наше время, когда столько деловых людей вокруг, когда в стране уверенно правит предпринимательство, все еще назначают на должности по блату, по знакомству? И ладно бы толковых назначали, но ставят-то бестолковых.

Вот и на этой территории тоже. Агрохозяйство, если судить по вывеске, закрытое акционерное общество. Это же коммерческая структура, которая ориентирована на одно — получение прибыли. Откуда же такая бесхозяйственность? Потом Гуров вспомнил других людей, с которыми его сводила судьба во время командировок. Бизнесмен в одном из областных центров, разворотливый мужик, а держит в помощницах бабу, все достоинства которой заключаются в ее связях. Она руководит в его бизнесе капитальным строительством, не имея строительного образования. В результате торговый комплекс принят с нарушениями, которые всплыли потом и накрыли бизнесмена на приличные дополнительные расходы. Потом этот комплекс год простоял без дела, хотя можно было уже сдавать в аренду торговые места. Гуров попытался прикинуть недополученную прибыль и ошалел. Вот это бизнес!

А баба, которая руководила салоном красоты, ни уха, ни рыла не понимающая в бизнесе вообще и в салонном в частности. Но руководила она им потому, что салон входил в бизнес ее брата. Но он-то видел, понимал, не мог не понимать, что его сестра губит идею, губит салон, в который вложены просто огромнейшие деньги. Или не понимал? И это не единственные случаи, потому что таких никчемных людей Гуров встречал в региональных министерствах, комитетах. Этих людей тянули вверх, они плохо и неумело работали, но их держали, их переводили с места на место, но все равно держали при себе их высокие покровители. Почему, зачем? Только ли из-за послушания, из-за «управляемости». Только ли понимая, что умный человек на месте этого подчиненного станет умно руководить и подчеркнет глупость своего высокого шефа? Или тут имеет место иная дурь?

Нет, не дурь, в этом Гуров был уверен. Он стал вспоминать знакомых бизнесменов, чью историю жизни знал хорошо. Этот поднялся в 90-е годы. Резко поднялся, сразу с большими объемами. Другой был телохранителем крупного уголовного авторитета, которого убили. Еще один... отсидел в 90-е, вышел и сразу «замутил» хороший бизнес. Еще... поднялся в 90-е, и другой тоже, и еще один. А двое других во время приватизации, на ваучерах. И все они, как хорошо знал Гуров, имели очень и очень толковых наемных помощников, хотя каждый из собственников интеллектом особенно не блистал.

Блистали умом другие, тот, кто был вхож во властные круги, кто жирел возле них со своим скоропалительным бизнесом, кормился от них. Чтобы поднять бизнес, нужны три вещи. Во-первых, связи наверху, чтобы иметь гарантированные и большие заказы, чтобы быть, что называется, «в струе». Не обязательно иметь госзаказы, можно кормиться вокруг инвесторов, которые все равно зависят от местных чиновников, можно урвать свой кусок от большого и долгого строительства, скажем, завода в вашем регионе. Пусть на каких-нибудь бетонных работах или электромонтажных работах. Во-вторых, нужно иметь вверху людей, которые будут у тебя без боязни брать «откаты». Это твой входной билет в этом бизнесе, твоя гарантия, твоя индульгенция. А третье, что нужно иметь, — это беспринципный характер. Нужно уметь перешагивать через людей, не видеть их, а видеть только свою прибыль, видеть экономию. Если тебе трудно уволить человека, если тебе стыдно глядеть ему в глаза, потому что ты его увольняешь по причине того, что ты не справляешься с бизнесом, то ты не бизнесмен. А вот если ты их десятками и сотнями увольняешь в трудные для тебя периоды, то ты далеко пойдешь. Если ты можешь годами держать хороших специалистов на низких зарплатах, кормя их обещаниями, если ты угрожаешь им «волчьим билетом», когда они грозятся уйти от себя, то ты далеко пойдешь.

Думать на эту тему надоело, потому что в этом направлении ничего сделать не удастся никому и никогда. По крайней мере в обозримом будущем. Царь Петр пытался в свое время. У него была настоящая власть, он мог, не особенно опасаясь санкций со стороны, безвинным головы рубить. Но и тот ничего не смог сделать с воровством на Руси. Правда, говорят, что до него было еще хуже.

Гуров обходил скелеты заброшенных парников, остатки стен птичников. Дважды встречал мужиков из местных и говорил с ними. Один на тракторе вывозил очищенный кирпич из разобранной стены. Мужику было лет шестьдесят, и он помнил еще золотые времена этого хозяйства. Второй — молодой парень, который выкапывал и собирал металлолом. При довольно низких потребностях на этом можно было жить. И он явно жил.

Но ни один, ни второй ничего не знали о деловых людях, имевших в районе бывшего совхоза какое-то приличное дело. Ни посевов, ни птицеводства, ни скотоводства. Все запущено, заброшено. Единственное, что живет — склады и бывшие механические мастерские. В первых хранят свой товар местные бизнесмены да теплится кое-какое полукустарное производство. Во-вторых вовсю работают станции технического обслуживания автомобилей. Создавалось впечатление, что данное ЗАО живет только с аренды остатков зданий совхоза. Бизнес!

Вечером, около шести часов, Гуров собрал своих помощников, объезжая условленные места. Нефедов взахлеб стал рассказывать о том, как живут нынешние дачные кооперативы.

Гуров принимал отчеты прямо в машине, велев Кикину поставить ее у обочины, неподалеку от автобусной остановки.

— Сейчас, как я и предполагал, — блестя глазами, рассказывал Нефедов, — дачные участки можно разделить на два хорошо заметных простым глазом типа. Собственно, есть еще один — тип брошенных и никому не интересных участков, но это к нашей задаче отношения не имеет.

— Зачем ты тогда о них упоминаешь? — спросил Гуров.

— А как вы поймете, что я обратил на них внимание? — парировал молодой лейтенант. — Анализ, он и в Африке анализ. Так вот, два интересных нам типа дачных участков. Первый — участки, которые используются людьми по старинке, по привычке, из простой необходимости возиться в земле. Там преобладают огороды, может, цветники. Заметны такие, где много высаживается клубники — это уже на продажу. Есть такие, где преобладает картошка — это для себя. А второй тип — это участки, которые используются для отдыха, это уже новое современное поколение дачников. Там газоны, «горки» из валунов, аккуратные дорожки, шезлонги, плетистые розы.

— А к чему ты это все нам рассказываешь? — опять спросил Гуров.

— Ну как же! Вам же типаж нужен, картинка. А она такова, что здесь большинство участков используется все-таки под посадку огородных растений. И люди эти, хозяева дач, друг друга хорошо знают, часто и с удовольствием общаются, обмениваются рассадой, мнениями, чем-нибудь еще. Это своя среда, понимаете, свой тесный мирок. И на фоне всего этого спрятать процесс выращивания конопли в больших объемах практически невозможно. Любой большой участок с нетипичными растениями неизбежно попал бы в поле зрения массы обывателей, тем более большое количество теплиц или чего-то другого. Тут промышленное сельскохозяйственное производство не спрячешь.

— Долго и пространно, — сделал вывод Гуров. — Учись, Леша, быть лаконичным, короче формулировать свои выводы. Ну а в целом я тебя понял. Хорошо, что ты опираешься на закономерные факты, а не на голые домыслы. Теперь давай ты, Игорь.

Матурин усмехнулся тому, что ситуация напоминает проверку домашнего задания у школяров. Уж его, опытного опера, можно бы спросить и иначе. Не новичок!

— Обойти все было невозможно, потому что территория, выделенная мне, была слишком велика. Главное в другом. Лисья гора — место, с одной стороны, хорошее, потому что близко от города и тут высокая лесистость, но зато почва не очень хорошая, поэтому здесь относительно много дач, имеющих чисто рекреационный характер. Тут выращивание конопли тоже не спрячешь, хотя условия подходящие. Я немного пообщался с людьми и сделал некоторые выводы.

Здесь каждый живет своим миром, и дела соседей его не касаются. Здесь не общаются между собой, не заглядывают за заборы. А что касается участкового, то его работа равна практически нулю. Достаточно сказать, что многие и не знают о существовании участкового пункта. И еще один факт: здесь частенько обворовывают дачи. Специфика такова, что выносят то, что легко вынести и увезти максимум на легковой машине. Не холодильники и газовые плиты, а магнитофоны, небольшие телевизоры, музыкальные центры, видеоплееры, компьютеры. Одним словом, бытовая техника.

— А потом продают через мастерские, — неожиданно поддакнул Кикин, с задумчивостью глядя вперед через лобовое стекло.

— Что-что? — повернулся Гуров к водителю.

— Через сервисные центры и мастерские по ремонту, — повторил сержант. — Не первый раз слышу. Приносят в ремонт технику, а им ставят бывшие в употреблении детали и узлы. Компьютеры дешевые на заказ собирают, для детей там, для игр, чтобы без наворотов.

— Между прочим, неплохая мысль, — согласился Матурин.

— Да, — кивнул Гуров. — А ты, Леша, учись у опытного оперативника. Ну а что касается моего участка, то там чистая «пустышка». Ни визуальный осмотр, ни работа с населением ничего не подтвердили. Разруха, бурьян, запустение на месте некогда процветающего хозяйства. Хотя там можно было бы развернуться овощеводам.

— Думаете переквалифицироваться и столицу покинуть? — усмехнулся Матурин.

— Нет, не о том я думаю. Значит, ты говоришь, что воруют на Лисьей горе? Компьютеры...

Глава 3

Делать выводы и менять ход операции Гуров сразу не стал. И не потому, что идея у него в голове не созрела, он не хотел без достаточной аргументации расхолаживать своих сотрудников. Нет ничего хуже, когда начальник мечется, меняет установки, даже собственное мнение. Начальник должен быть целеустремленным, верящим в успех предприятия. Он должен олицетворять продуманность операции до мелочей.

Но, по мнению Гурова, начальник должен быть еще и гибким, уметь вовремя уловить перспективное направление, «золотую жилу». Должен вовремя увидеть новый поворот в оперативной разработке, оценить его перспективность, вовремя перенацелить подчиненных. И он решил, придя домой к школьному другу, засесть за свой ноутбук и полазить в Интернете.

Однако сразу заняться своими делами ему не удалось. В кухне раздался грохот, и тут же взвизгнул женский голос. Гуров, разложившийся с ноутбуком в выделенной ему хозяевами комнате, подскочил как ужаленный. Бросившись на шум, он распахнул дверь и увидел расстроенную Татьяну, жалобно взиравшую на страшный беспорядок на рабочем столе и повисшую над ним на одном дюбеле посудную полку.

— Я уж думал, что тут стреляют, — облегченно пошутил Гуров. — Не ушиблась?

— Нет, — покачала головой девушка. — И что же у меня все сегодня из рук валится? Прямо напасть какая-то.

— Ну, это бывает, — успокоил ее Гуров. — А посуда бьется к счастью.

— Вы думаете? — грустно улыбнулась Татьяна. — А к счастью будет, если полка совсем рухнет?

— Давай-ка мы с тобой ее снимем. — Лев с готовностью потер руки. — Я подержу, а ты посуду вынимай, пока она в самом деле не грохнулась. А потом подумаем, как ее снова повесить. Инструмент у отца в доме есть какой-нибудь?

— Есть, конечно, — закивала головой Татьяна. — А вы сможете полку повесить?

— Не вижу проблем! Снимем, установим причину несчастья и придумаем, как исправить положение.

— А вы не скажете маме?

— Маме? А-а... а почему от нее надо скрывать?

— Не хочется, чтобы она опять начала зудеть и папу пилить. Плохо повесил, все падает, дом рушится, а ему нет дела...

— Тебе отца жалко? — догадался Гуров.

— Жалко, Лев Иванович, — вздохнула Татьяна. — Я же не маленькая, понимаю. Хоть она меня и любит, а все равно ей тяжело. Ее сын погиб, а я живая. Вы же знаете, что Вероника Ивановна мне не мать. Она меня по-своему любит, но, как ни крути, а отец меня любит больше.

Полку удалось повесить без проблем. Всего-то и дел было, что просверлить стенку под новый дюбель. Зато Татьяна выглядела практически счастливой. Разбитую посуду, которой оказалось не так уж и много, она сложила в мусорное ведро, пообещав сказать, что сама нечаянно разбила, а потом кинулась угощать Гурова чаем.

За чаем Гуров и решился задать девушке вопрос:

— Скажи, Танюшка, а почему у такой юной и красивой девушки нет парня? В жизни не поверю, что никто за тобой не ухаживает!

Она неопределенно дернула плечом и подняла на него невинные глаза.

— Да ухаживают, почему же... Не нравится никто.

— Рябые да кривые? — пошутил Гуров.

— Не кривые, — рассеянно ответила девушка. — Просто... Понимаете, я люблю, когда человек — личность, когда он из себя что-то представляет. А эти, так...

— Ухаживать не умеют? А как тебе хотелось, чтобы за тобой ухаживали?

227

— Да ну вас, Лев Иванович! — смутилась Татьяна. — Тоже тему нашли!

— А что, хорошая тема. Теплые вечера, пропахшие солнцем и травами, свежий бриз с Оки, парк и стихи вслух. Про Луну, про звезды, про чувства, которые переполняют юношескую грудь. А? Как?

— Здорово! — рассмеялась Татьяна. — Умеете вы представлять. Ваша жена, наверное, ужасно счастливая женщина.

— О-о! Не то слово! — тоже засмеялся Гуров.

Но смех у него получился не очень веселый. Он остро представил, как в ночи по парку бредет не влюбленная Татьяна, а Татьяна с бессмысленным взором, Татьяна, потерявшая вдруг память, перепуганная, заплаканная. А ведь с ней в такие моменты может случиться всякое. И не жестоко ли он повел себя, начав этот разговор? А почему жестоко, почему она должна чувствовать себя ущербной? Но ведь ущербная. И от этого смотреть на нее, такую милую и хорошенькую, вдвойне больнее. А еще больно думать о Юрке Калинине, который мучается и не видит выхода из этой беды.

Лев снова вернулся к себе в комнату и включил наконец ноутбук. Первое, что он увидел, — поступило новое сообщение на почту. Жена просила связаться с ней по скайпу. Через минуту они уже весело болтали. Маша рассказывала, как у них проходят гастроли, удивлялась, что муж в гостях у одноклассника и даже нисколько не выпил. Было понятно, что ей это приятно.

Гуров скупо поведал о своей работе в Рязани и еще невнятнее ответил на вопросы, как же его одноклассник поживает сейчас. Потом, когда они попрощались, Лев еще несколько часов не выходил из Интернета. Он просмотрел все криминальные новости, пытаясь соотнести со своим делом, а затем стал просматривать объявления. Их было много, и стало понятно, что таким путем далеко не уйдешь. Объявлений о продаже семян конопли было десятка два, и разработка каждого канала потребует уйму времени. Ведь нужно определить истинный IT-адрес, установить личность продавца, провести оперативную разработку. Для этого не надо было ехать в Рязань, это можно было организовать и в Москве силами технических специалистов.

Послав капитана Матурина выбирать точки наблюдения, Гуров отправился искать участкового. С работником полиции он хотел поговорить сам. Однако участковый пункт был закрыт на большой навесной замок. Гуров посмотрел на часы. Половина девятого, и участковый вполне может быть у себя в управлении на утренней планерке. А может быть и на территории участка с обходом.

Присев на корточки, Лев присмотрелся к недавно выкрашенным ступеням перед дверью. Проведя пальцами по краске, он наклонился и увидел полосы на пыльной поверхности. Как минимум сегодня эту дверь никто не открывал, и на эти ступени никто ногой не наступал.

— Че, нету его? — послышалось за спиной.

Лев выпрямился и обернулся на голос. Перед ним стоял высокий худой мужчина лет шестидесяти. Типичный дачник, в бесформенных брюках и резиновых калошах на босу ногу. Старая вылинявшая спецовка распахнулась, открывая седые редкие волосы на худой груди с выпирающими ребрами. Глаз незнакомца Гуров не видел, потому что их скрывали темные старомодные очки. Такие аляповатые оправы продавались в киосках лет тридцать назад.

— А что, редко бывает? — вопросом на вопрос ответил Гуров.

— Да толку от него, когда и бывает, — махнул рукой мужик. — Одно слово, Вайс!

— Почему Вайс?

— Потому что неуловимый, как разведчик. И фамилия его Васин. Вот и прозвали в народе. Жрет, пьет, а как придешь пожаловаться, так он тебе все уши прожужжит... — мужчина не договорил и снова махнул рукой.

Гуров подумал, что это, наверное, характерно для взаимоотношений участкового и дачников. Только и остается махнуть рукой на участкового, которому начхать на эти дачи, на воров.

— Так что, бесполезно? — поинтересовался Гуров.

— Если жаловаться, то лучше самим разобраться. А если вы по поводу кражи, то бесполезно.

— Часто крадут?

— Да только и слышишь, то на одной линии влезли, то на другой. То в нашем кооперативе, то в соседнем.

— А сторожа что же? На них управы нет?

— А что сторожа? Взвод держать денег не хватит, а двое они такую территорию обходят за два часа. Пока обернутся, тут дом разобрать можно, не то что окно или дверь выставить. С умом паразиты работают. А вы что, не из нашего кооператива? Что-то мне лицо ваше незнакомо.

— Я вообще не из кооператива. Хотел домишко присмотреть, тянет с возрастом летом на природу, на воздух. Вот и решил узнать, а как тут у вас дело с криминалом обстоит.

— Это вам надо не к Вайсу, а к председателю. Тот скрывать ничего не будет, а вообще-то, места здесь хорошие...

Гуров по дороге к даче председателя кооператива внимательно выслушал, какие тут хорошие места, как растет клубника и как плохо растут плодовые деревья. Потом они пили чай на веранде у пожилого грузного председателя, который в недалеком прошлом был директором школы. За чаем сыщик старательно подправлял разговор, чтобы тот не особенно удалялся от темы постоянных краж из дачных домиков.

Как выяснилось, лазали воры по дачам все же не так часто, пару раз в месяц на участке в четыреста домов. Гуров примерно прикинул возможный объем украденного в трех дачных кооперативах, потом примерное число подобных кооперативов вокруг города. У него получилось, что воры каждый день ездят на кражи, как на работу. Это если говорить о кражах бытовой техники. Не факт, что это одни и те же, но потрясти ребятишек стоило. Ведь не себе же в пользование они крадут технику. Явно сбывают потом, и явно в технике что-то смыслят.

Распрощавшись с председателем и старательно записав его телефон и номера участков, которые продаются прежними хозяевами, Гуров решил попытать счастья и вернулся к участковому пункту. Старый бревенчатый домик, в котором этот пункт размещался, стоял на окраине, поэтому он увидел, что замка на двери нет, только тогда, когда вышел из переулка и подошел к самому порогу. Внутри слышались шаги, покашливание, двигался по полу стул, звенело стекло. Наверное, стакана.

Лев решительно толкнул дверь и шагнул сначала в темные сени, а потом открыл обитую оцинкованным металлом вторую дверь. Перед его взором открылась картина пыльного запустения. Старый канцелярский стол, из тех, что когда-то обивали зеленым сукном, два старых деревянных стула и самодельная лавка у стены. Справа зеркало над железной раковиной с отбитой эмалью и рукомойником. Пыльное окно, до половины закрытое газетами, старые, поблекшие бумажные обои на дощатых стенах.

Под стать этому унынию было и лицо молодого старшего лейтенанта, который в углу звенел какой-то посудой. Лицо было опухшим, глаза затекли и лихорадочно блестели. Участковый явно болел с похмелья и сейчас «поправлял здоровье». Причем появление человека за спиной его нисколько не смутило. Хватив половину граненого стакана водки, старший лейтенант шумно вдохнул носом и смачно сгрыз малосольный огурчик из банки. Потом приложился к ней и отпил несколько глотков мутного рассола. И только потом, вытерев рот несвежим носовым платком, повернулся к визитеру и не очень приветливо спросил:

— Так, чего?

— Да вот хотел познакомиться с вами. Собираюсь на пенсию, думал тут участок купить, старость скоротать.

— А я чего? — мрачно усмехнулся старший лейтенант. — У меня там объявление на двери, да? Продаю дачные участки?

— Мне понятна ваша ирония, как и ваше состояние. Но вы по долгу службы ведь знаете криминогенную ситуацию и можете посоветовать.

— Че-е? — Участковый поднял на гостя нездоровый взгляд и презрительно скривился. — Состояние, криминогенную, посоветовать! Начитались умных слов и ходят тут.

— Почему же начитались и ходят? — спокойно возразил Гуров. — Это ваш профессиональный язык. И мой, кстати, тоже.

Старший лейтенант быстро вскинул голову и оценивающе смерил взглядом стоявшего перед ним человека.

— Вы кто? Полицейский, что ли? Местный?

— Не совсем, — подходя к столу и доставая из кармана удостоверение, ответил Гуров. — Я из Москвы, работаю в министерстве. Но есть мысль обосноваться потом здесь.

— Не, ну, садитесь, — пожал плечами участковый и кое-как выпрямился на своем стуле. Хмель начал его немного накрывать. — Че надо-то? Бандитов у нас тут нет, по ночам не грабят и не убивают. Тихий у нас район.

— А по дачам лазят? Я слышал, что постоянно вскрывают домики и тащат бытовую технику.

— Да ладно, — сморщился старший лейтенант, — что вы обывателей слушаете? Они услышат, что где-то когда-то было, и давай высасывать из пальца. Кто тут чего тащит? Тут и тащить-то нечего.

— Ну не скажите, — покачал головой сыщик. — Ухоженные участки, цветники, розарии, бассейны, двух- и трех-этажные дома. Да у вас тут треть домов принадлежит людям с достатком выше среднего.

— Да ла-адно! — осклабился участковый.

— А ну, прекратите лыбиться! — грохнул Гуров кулаком по столу. — Перед вами старший по званию и по должности офицер. Почему вы несете службу в нетрезвом состоянии? Что за вид у вас, почему воротник рубашки грязный, почему форменные брюки не глажены?

— Да я... — Старший лейтенант от неожиданности под-скочил на стуле, и его рука машинально дернулась к воротнику рубашки. — Я ночь на дежурстве провел, я дома еще не был. Может, и не должен здесь быть сейчас, а вот зашел. Между прочим, в нерабочее время занимаюсь служебными делами.

— Да? Первый раз слышу, что опохмелка — служебное дело. Сколько у вас заявлений о кражах за этот год?

— За этот... — Участковый достал грязный платок и вытер белый налет в углах губ, от чего Гуров брезгливо сморщил-ся. — За этот — ни одного.

— Это вы ни одного не приняли! А обращались к вам сколько человек по фактам кражи из домиков?

— Ну, че там обращались... Я же говорю, что... там и заводить-то нечего, там всякие ситуации такие были. То со-седи повздорили и друг на друга клепать начали, то... другие ситуации. Это наша специфика, между прочим. Вам там в министерстве не понять...

— Замолчите, вы! — рыкнул Гуров, смерив старшего лейтенант гневным взглядом. — Я начинал работу простым опером и прошел все от самого низа до самого верха. Вы мне еще будете рассказывать о сложностях вашей службы. Работать надо!

— А я что, не работаю? — проворчал участковый и весь подобрался на стуле. — Тут, что ни день, сплошные склоки, драки, пьянки.

— Так, хватит! Можно подумать, что вы не знали специфики работы, когда шли сюда. И не первый день вы служите. Значит, так, Васин! — Участковый затравленно взглянул на московского полковника, поняв, что тот и фамилию его уже узнал. — Если не хотите, чтобы я вам устроил проблемы, с последующим увольнением по причине служебного несоответствия, то слушайте приказ! И не обязательно рассказывать о нем своему начальству, иначе я им такого расскажу! Приказ следующий: к завтрашнему утру составить мне список всех дачников вашего кооператива, у кого за этот год произошли хищения из домиков. Список составить по форме: личные данные, домашние адреса, номера дачных участков, даты проникновения и списки похищенного. С индивидуальными особенностями! Понятно?

— Так точно, — сдавленным голосом ответил участковый. — А заявления собирать?

— Черт с тобой, не собирай! Соберешь потом, если я похищенное найду. Задним числом соберешь и придумаешь, почему вовремя заявления не было. Тебе же, дураку, плюсом пойдст. Если вопросов нет, то приступай. Завтра быть здесь в десять ноль-ноль со списком!

Матурин встретил Гурова у леса, где под деревьями стояла их машина. Сержант Кикин сидел на дереве, затерявшись в густой листве, и рассматривал дачный массив в бинокль.

— Ну что, Лев Иванович, есть идеи? — поинтересовался капитан.

Гуров удержался от комментариев. Матурин откровенно не доверял московскому полковнику, постоянно иронизировал, скептически усмехался, но выполнял все точно. Придраться к капитану было сложно, даже упрекнуть, что он работает без энтузиазма и инициативы, тоже было нельзя. Ладно, притрется, решил Лев. Я не красная девица, мне его любовь ни к чему. Я приехал делать за них их работу, и нечего мне тут демонстрировать, что я сошка маленькая и не от меня все это зависит. От всех зависит!

— Идея первая, — спокойно сказал он, заходя в холодок под раскидистую березку. — Завтра у нас будет список всех краж за первое полугодие в этом кооперативе. Что ты по этому поводу думаешь, Игорь?

— Если вы ждете похвалы, то хвалю, — хмыкнул капитан. — А откуда данные?

— От участкового, — пропустил Гуров мимо ушей колкость. — Пришлось слегка надавить.

— Вам проще, — пожал плечами Матурин. — А вы уверены, что он не замешан в этих кражах? Я же так понимаю, что вы у него потребовали данные и по незарегистрированным кражам тоже? Может он одну-другую утаить, где как раз его дружки замешаны?

— Слушай, капитан, — задумчиво посмотрел на Матурина полковник. — А тебе не кажется, что с этим участковым должен был ты сам давно уже разобраться? И с кражами этими тоже. И с наркотиками, и с коноплей, и каналом ее сбыта отсюда во все стороны. Не находишь? Это ты старший опер ГУВД, а не я. Или ты думаешь, что полковник Гуров с детства сидит в кабинете министерства? А может, думаешь, что на Гурова никто никогда не давил, что он со службы не увольнялся и не возвращался потом, что не стреляли в него, что свои же коллеги бандитам его не сдавали, когда он мешал? Или что я погоны полковника на рынке купил?

— Извините, Лев Иванович, — улыбнулся открытой обезоруживающей улыбкой Матурин. — Я не хотел вас обидеть.

— Не хотел? А зачем тогда этот тон, эта неуместная ирония?

— Понимаете, заело, — стал серьезным капитан. — Вы приехали, шашкой махнули, и все заработало. Все у вас легко и просто получается. Нажали на начальство, и вам двух оперов дали. И не всяких, а кого вы велели. Заметьте, не попросили, а велели. И машину заместитель начальника вам свою служебную отдал. И участкового вы в момент к стенке

234

прижали. А тут живешь, лямку тянешь, с начальством бода-
ешься, чтобы хоть что-то полезного сделать, чтобы за свои
погоны стыдно не было...

— А ты уйди, если не можешь, если стыдно. Уйди и не
мешай работать. А если остался, то бейся, как в рукопашной
схватке, до последнего. Дослужись и ты до полковника, и у
тебя все будет получаться легко и просто. А эти твои улы-
бочки, подначки совсем не дружеские, они ведь нашей с
тобой работе не помогают, а только мешают. И лейтенанта
молодого ты расхолаживаешь. Нравятся тебе мои возможности, так радуйся, пользуйся, пока можно работать на всю
катушку!

— Лев Иванович, — рассмеялся Матурин, — ну, правда,
извините. Я не хотел вас обидеть. Давайте забудем об этом
разговоре.

— Ладно, закончили, — согласился Гуров. — А насчет
участкового ты прав. Только я считаю, что он не имеет отношения к этим кражам. Может иметь, но не имеет. Во-
первых, я не вчера родился, и меня ложными удивлениями
провести сложно. А во-вторых, резона ему нет. Он пьющий,
у него баба где-то неподалеку, да и работал он бы иначе на
этом месте. Честно гонялся бы за другими преступниками,
залетными, а своих бы оберегал. А он вообще ничего не
делает, только укрывает преступления. Нет, это конченый
человек. Сейчас он меня боится, потому и сделает, что я
велел, а потом... Или начнет работать, или уйдет.

— Ладно, поверю вашему опыту. Кстати, вон и Лешка
идет. Мы нашли три точки наблюдения, с которых почти
вся территория просматривается. Нужна аппаратура ночного
видения и коммуникаторы для связи.

— Я предлагаю еще и Кикина с машиной укрыть на ве-
роятном пути прибытия воров. Пусть сидит в засаде. Он
сообщит о том, что кто-то ночью приехал, он же, в случае
чего, и дорогу перекроет, и преследование организует.

— Здравия желаю, — улыбнулся подошедший Нефедов и
выжидающе посмотрел на Матурина.

— Давай, докладывай, — кивнул капитан. — Я объяснил
Льву Ивановичу наш план.

— А-а... ну вот! Дача недостроенная, но не брошенная. Хозяин у нее есть. Пройти на территорию участка проще простого, там с трех сторон ограждение нарушено. Я поднимался — с третьего этажа обзор южного сектора градусов девяносто.

— На глазах у всех ты туда заходил? — на всякий случай поинтересовался Гуров.

— Нет, с соседями, — засмеялся Нефедов. — Я же понимаю, нарисовался потенциальным покупателем участка, ходил, присматривался, расспрашивал, не продает ли кто участок с домом или недостроенным домом, как со светом и водой, как с охраной.

Следующая ночь была первой ночью их дежурства. Гуров позвонил в ГУВД и попросил организовать для него оборудование и средства связи. Потом они съездили в город, чтобы переодеться в более подходящую одежду, и вернулись в дачный массив только к восьми вечера. Оба опера и Кикин получили табельное оружие. Гуров в такого рода командировках не расставался с любимым «вальтером». Он, естественно, никогда не оставлял оружие в гостиницах, да и дома у школьного друга оружию нельзя храниться. Мало ли.

До наступления полной темноты Гуров с оперативниками просидел в машине. Они обсуждали список, подготовленный участковым Васиным. В списке имелось восемь фамилий, в чьи дачные домики проникали воры в этом году. Васин честно признался, что обращений к нему было гораздо больше, но он не стал вносить в список случаи кражи старых лопат, дюралевого бака, двух алюминиевых тазов и двухметрового куска железнодорожного рельса. Таких мелочей было много, и в тех ситуациях в самом деле можно было подозревать соседей или других садоводов из этого же товарищества. Да и кражи цветного и черного лома не вписывались в концепцию Гурова. Ему были нужны другие.

— Смотрите, — показывал Гуров на листе бумаги, где набросал схему садоводческого кооператива. — Вот лес, вот он огибает территорию с двух сторон. Здесь поле, которое лежит между шоссе и нашей территорией. Это два километра с лишним. Через лес ведут грунтовые дороги, но они слабо накатанные и никуда особенно не ведут. Конечно, по ним можно проехать сквозь весь лесной массив и выехать куда-то к деревням, но там, как мне сказали, есть места, непролазные для легковушек после последних дождей. Там трехосный грузовик нужен или трактор. Значит, отсюда они не приедут.

— Они могут вот отсюда приехать, — показал Нефедов пальцем на дорогу, которая шла между дачными участками и лесом. — Эта дорога огибает лес. Там она выходит на трассу, объезжая старый карьер, а здесь идет к заброшенным коровьим фермам. Накатана слабо. По ней только грибники городские ездят да трактора за дровами.

— Значит, надо отсюда их и ждать, — сказал Матурин. — Я бы через поле не поехал, потому что машину издалека видно. Даже если фары выключить, все равно могут случайные люди увидеть. В карьере, кстати, и спрятаться можно, если приспичит.

— Логично, — согласился Гуров. — Теперь смотрите по списку и по схеме. Все наши восемь адресов я пометил кружочками на схеме. Думаю, что в эти дома воры снова не полезут. Кого хоть раз обворовывали, тот учтет свои ошибки. А вот эти большие круги и овалы — участки, где сосредоточены дома людей с относительно высоким достатком. Я полагаю, что это потенциальные места краж, за которыми нам и следует наблюдать в первую очередь. Кстати, как вы думаете, полезут воры, скажем, вот в этот угол, если они в этом году тут крали?

— Я бы не полез, — пожал плечами Матурин. — Слишком много было шума в прошлый раз, возмущения и все такое. Соседи насторожены, могли принять меры. А на соседних линиях народ более беспечен. Они же понаслышке знают о кражах. А было ли что на самом деле или нет, это все... где-то.

— Согласен, — кивнул Гуров и стал тыкать пальцем в схему. — Главное внимание вот на эти три участка, но все равно следить и за остальной территорией. Это на случай, что здесь воруют дураки.

— А вы не боитесь, что мы можем просидеть здесь до «белых мух»? — вдруг спросил Нефедов. — Восемь краж за шесть месяцев, это даже не один раз в месяц, а реже.

— Во-первых, — терпеливо пояснил Гуров, — налета было всего три. Три раза они сюда приезжали и взламывали каждый раз по два-три дома. Интервалы их визитов, примерно, полтора месяца. Со дня последнего визита прошло на полторы недели больше. Если учесть, что они строго по датам кражи не планируют, то вполне можно допустить, что в ближайшие дни они сюда наведаются.

— То есть они за полтора месяца замыкают круг по пригородам Рязани и начинают новый, — сказал Нефедов. — Вы на это намекаете?

— Я не намекаю, а предполагаю. Это наиболее перспективная версия. Если за несколько дней мы их не застукаем здесь, то идея полетит к чертям, и мы займемся следующей. А пока... в свободное от дежурств здесь время вам задание. Озадачить агентуру на поиск человека в почтовом ведомстве, на которого есть компромат для вербовки. Человек должен как минимум иметь доступ к внутренней информации.

Две бессонные ночи пролетели. Четырехчасовой отдых, и снова работа. Третья ночь, наступление которой сыщики ожидали в машине, обещала быть тяжелой. Гуров остро чувствовал, что ему не хватает душа и свежего белья. Немного облегчала жизнь аккумуляторная электробритва, ее можно было зарядить через адаптер от прикуривателя машины. Коллеги тоже выглядели унылыми и подавленными. Третий вечер был самым молчаливым. Даже Кикин мялся, тужась что-то сказать, но не говорил.

— Ты чего ерзаешь? — не выдержал Гуров. — Геморрой замучил?

— Геморрой? — улыбнулся сержант. Потом, видимо, решился и, почесав в затылке, сказал: — Я, Лев Иванович, сегодня бензин заливал на свои деньги. С вечера еще звонил секретарше, чтобы предупредила шефа про деньги на бензин. А утром его не было, и он никому ничего не передавал.

— Та-ак. — Гуров посмотрел на водителя и решил, что парень не зря начал этот разговор, наверное, у него с деньгами в самом деле туго. Он полез в карман за бумажником, но тут его огорошил Матурин.

— Я думаю, что это не случайность, — сказал он в пространство.

— В каком это смысле? — не понял Гуров.

— Коля, — спросил Матурин Кикина, — а Гончаренко когда-нибудь забывал про деньги на бензин, когда ты его возил, когда встречал проверяющих, гостей из других областей?

— Если честно, то никогда, — подтвердил сержант.

— Во-от, — многозначительно протянул капитан, — как говорил один герой в одном веселом фильме: «А ты говоришь, зачем багор?»

— Ну-ка, ребята, поясните!

— А что тут пояснять, когда все яснее ясного? Вам, то есть нам, планомерно вставляют палки в колеса. И не по причине сокрытия преступной деятельности неких неизвестных лиц, а по причине собственной злобливости и гнусности. Чтобы вы, значит, попросили, поклонились, так сказать, а они вам помощь оказали, снизошли бы.

— Умышленно Гончаренко про деньги «забыл», — добавил Нефедов. — А еще он со мной беседу вчера провел. Мол, я не докладываю непосредственному начальству о том, чем занимается москвич в Рязани. Москвич уедет, а ты останешься. И как мы на тебя посмотрим после этого, зависит от тебя, милок. Карьера твоя в наших руках. Тебе и старшего лейтенанта получать надо бы уже, а хрен ты его получишь.

— А мне советовал не прогибаться, — обиженно добавил Кикин. — Как будто я для себя что-то делаю!

— Так, а ты, Игорь, чего молчишь? — поинтересовался Гуров. — А тебя о чем предупреждали или на что склоняли?

— Меня пока не трогали, — проворчал капитан. — Со мной и так ясно. Я уже два года должен в майорах ходить, а мне зубы в «кадрах» скалят и через плечо кивают. Догадайся, мол, сам!

Гуров некоторое время молчал, потом сухим тоном приказал всем выйти из машины и погулять в лесочке, не привлекая к себе внимания, поднял все стекла и достал мобильный телефон.

— Стас, здравствуй! Не спишь еще?

— О-о! Приветствую, Лев Иванович! — раздался в трубке бодрый голос Крячко. — Соскучился или по делу звонишь? Как дела?

— Работаем, — скупо отозвался Гуров. — Мне твоя помощь нужна, Стас. Ты там с Петром на досуге посоветуйся, как лучше обставить. Мне надо, чтобы из нашего министерства на имя начальника областного ГУВД Рязани пришло грозное письмо. Суть: разобраться с заместителем начальника по оперативной работе городского УВД подполковником Гончаренко, который не оказывает практической помощи, занимается саботажем и фактически срывает оперативную разработку, проводимую в Рязани Главком. В моем лице, естественно.

— Понял, — усмехнулся Крячко. — Тебе какой результат нужен? Чтобы его сняли или чтобы ему стыдно сделалось?

— Что-нибудь посередине. Чтобы от областного начальства по ушам получил и на полусогнутых бегать начал, в глаза заглядывая. Это все не потому, что я его сам приструнить не могу, а потому, что страдают хорошие ребята, на которых я тут опираюсь. Я почти в городе не бываю, мне просто некогда по кабинетам бегать и за грудки кого-то таскать. Вымотались, две ночи без сна, и еще сколько их предстоит...

— Нашел что-то? — осторожно спросил Крячко. — Петр спрашивать будет.

— Думаю, что нашел. Просто дело времени. И еще, Стас, ты помнишь Лозовского?

— Бориса Моисеевича? Помню, а что?

— Мне его телефон срочно нужен. Визитки у меня в столе в кабинете остались. Поройся завтра, хорошо?

Гуров бросил телефон рядом с собой на сиденье и посмотрел на вечернее небо. В воздухе стояла гулкая летняя тишина. В такие вечера в деревнях с другого конца слышно, как возвращается стадо коров, и запах навоза разносится по всей округе. Даже тихий звук гармони у чьего-то двора слышится так, будто играют возле соседнего дома.

Здесь не деревня, здесь горожане устроили себе отдушину, здесь пародия на деревню, поэтому все гипертрофировано. И дворы, наполовину деревенские, наполовину городские, и вечера, в которые молодежь не выходит на улицы, поэтому и музыки не слышно. Хотя нет, на одной из дач слышно так же громко, как и пьяные вопли. Видимо, там отрываются с шашлыками и пивом. Хотя, судя по воплям, скорее с водкой.

Телефон завибрировал, и на экране высветилась самая милая улыбка на свете — Маша. Гуров давно ввел ее фотографию, самую любимую, чтобы она открывалась, когда звонила жена. Маше эта фотография не нравилась, и Гуров сотни раз уже обещал ее сменить, но так и не сменил.

— Привет, — раздался в трубке ее веселый голос. — Я тебя от службы не отвлекаю или ты уже дурака валяешь?

— Не то чтобы, но где-то близко, — с улыбкой ответил Лев.

— А мы сидим на набережной, — с восторгом поделилась Маша, — на нас дует прохладный ветерок. Мы пьем мартини и болтаем с Иркой Юдиной. Ирку помнишь? Мою одноклассницу?

— Помню, передавай привет.

Звонок из далекого волжского городка, куда уехал на гастроли театр, где под тентом открытого кафе на набережной Ирка предается простым незамысловатым развлечениям, отозвался мягкой грустью внутри. Оттуда повеяло спокойствием, беззаботностью, розовым закатом и мерцанием вина в хрустале бокала.

Почему-то сразу вспомнились страшненькие стихи из Интернета.

— Лева, у тебя все хорошо? — насторожилась Маша. — Мне что-то не нравится твой голос. Устал, наверное?

— Устал, — признался Гуров. — А если честно, то обстановка какая-то тягостная у Юрки Калинина дома. С одной стороны, я жалею, что у него остановился, а с другой — понимаю, что я ему сейчас как отдушина, как свежая струя воздуха.

— А работа твоя как? Сложное задание?

— А когда у меня были простые задания? — невольно улыбнулся Лев.

Маша так и не научилась профессиональной терминологии. Чуждо ей было это все: оперативная работа, преступники. Она до сих пор судила о работе мужа по дешевым детективам и фильмам советских времен. Честно говоря, и сам он не особенно вводил жену в курс своих дел. Язык не поворачивался обсуждать с ведущей актрисой столичного театра, красавицей, высоко духовной особой с изысканными манерами, проблемы розыска преступников и конкретные уголовные дела.

— Маш, хочешь, стихи почитаю? — вдруг спросил Гуров.

— Стихи-и? — засмеялась Маша. — Ты там чем занимаешься, полковник?

— Нет, ты послушай:

> И тщимся мы непостижимое постичь,
> Влача убогое, что бросить невозможно.
> И мучаемся: быть или не быть,
> Босой ногой ступая осторожно.

— Ты стал писать стихи? — осторожно спросила она.

— Это не я, — признался Лев.

— Слава богу!

— Это из Интернета. Я по твоему совету заглянул на блог к вашему Ветрову. Это одна сумасшедшая девушка там развлекает всех такими стихами.

— Сумасшедшая? — с сомнением проговорила Маша. — Вряд ли. Скорее, у нее душа обнажена, как будто с нее кожу содрали. Есть такие люди, которые мир воспринимают обнаженными нервами.

— Да? Ладно, приедешь, я тебе еще почитаю. А лучше сама на досуге зайди на сайт и посмотри. Сдается мне, что там не обнаженными нервами пахнет, а кривым зеркалом, изуродованной призмой.

— Мне не нравится твое настроение, Лева. У тебя ничего не случилось?

— Что ты, Маша, все нормально. Просто... головоломка очень сложная. А эти стихи оставляют неприятный осадок в душе. Ну и устал, конечно. Недосыпаю.

Выслушав напутствия на тему, что работа работой, а о здоровье надо все равно думать и что он уже не мальчик, он пожелал Маше приятного вечера, еще раз передал привет ее подружке и отключился. Хватит расслабляться! Впереди еще одна напряженная ночь.

Но и эта ночь прошла впустую. По молчанию своих помощников Гуров стал понимать, что у них пропал энтузиазм и вера в успех затеи. Это было плохо, потому что, когда люди не верят в успех, он обычно проходит мимо. Есть такая мистическая закономерность. А если без мистики, то не верящий в успех человек перестает быть внимательным, последовательным. Он просто перестает размышлять о деле в том напряженном духе, как раньше, и пропускает мимо свой шанс.

А вот на следующую ночь им повезло.

Первым чужаков заметил все-таки Коля Кикин.

— Первый, я Бутон, — послышался тихий голос из динамика рации. — Вижу троих на проселке возле леса.

— Машина есть, Бутон? — тут же спросил Гуров, который по условленной схеме позывных и был Первым.

— Кажется, вдали звук слышал, но могу и ошибаться. Трое скоро минуют вас. Пока движутся в сторону Третьего.

— Третий, — тут же позвал Гуров Нефедова. — Наблюдай за своим сектором, на этих гостей не отвлекайся, возможно, пустышка. Мы их пока ведем. Второй, ты их видишь?

— Вижу хорошо, — отозвался Матурин. — Ребята откровенно пытаются держаться подальше от света фонарей. Сейчас они в моем секторе.

— Понял. Бутон! Все внимание на дорогу. Этих ведем мы.

Еще минут тридцать Гуров и его помощники попеременно наблюдали за незнакомцами. Постепенно стало понятно, что они в самом деле прячутся, стараются вести себя незаметно. А потом проявилась и цель этих троих. Они подошли к забору дачи в пределах одного из овалов, которые на схеме вычертил Гуров как возможные объекты кражи.

Троица парней, теперь можно было определить их возраст, кусачками проделала в сетке-рабице дыру в зарослях сирени. Гуров хорошо видел, что парни подготовились к ночному делу, и шли они в заранее намеченное место. Один из них достал из-под куртки инструмент, ловко поддевая, снял штапик с оконной рамы, а затем почти без звука выставил стекло.

— Третий, — приказал Гуров Нефедову, — пошел на исходную. Ждешь нас, задерживать только в случае бегства.

Все, пора было выдвигаться на исходную позицию и ему с капитаном и Кикиным. Воры, видимо, заранее выяснили, что хозяева дачи отлучились ненадолго, возможно, до утра, и не стали закрывать ставни, запоры которых требовали большого труда. Вот и поплатились!

Отдав последние распоряжения, Гуров выключил рацию, чтобы она своими характерными звуками не выдала их раньше времени. Через несколько минут все собрались возле свежепроделанной дыры в заборе и выжидающе посмотрели на Гурова. Лев еще со своего наблюдательного пункта определил, что с участка выбраться легко нельзя, и, если у них что-то сорвется с задержанием, беглецу удрать отсюда будет не просто. И высокие заборы, и местами колючая проволока поверх ворот, и сетки ограждения двух калиток.

Он молча показал Нефедову на одного из парней, который не полез через окно в дом, а стоял снаружи и таращился по сторонам. Этот стоял «на шухере». Нефедов кивнул головой, осмотрел проем в заборе, прикинул свои движения. Потом подобрал камушек и бросил его в траву к противоположному углу дома. Парень у окна сразу насторожился, повернулся лицом на звук и сделал несколько шагов, пригибаясь и приглядываясь.

Тренированному лейтенанту этого было достаточно, чтобы протиснуться в дыру и оказаться на территории участка. Заросли сирени все еще скрывали его. Он присел на корточки и изготовился к длинному и самому важному прыжку. Парень снова вернулся к окну и что-то сказал. В черном проеме появилась еще одна фигура и протянула «часовому» что-то прямоугольное, кажется, системный блок компьютера.

Нефедов беззвучно выпрямился и метнулся к окну. Следом в дыру проскочил Кикин, потом Матурин и, наконец, пролез Гуров. Когда он поднялся на ноги и по привычке отряхнул брюки, все было кончено. Сбитый с ног «часовой» валялся, держась за живот и согнув ноги. Еще один парень, который при первых звуках появления посторонних очень шустро выскочил из окна и бросился в дальний конец участка, уже упал, получив подсечку под ноги. Коля Кикин, нагнувшись над ним, заворачивал пленнику руку за спину.

Третий вор не успел ничего. Капитан Матурин поймал его за воротник рубашки прямо через подоконник. Напо-

244

ловину вытащив вора из окна и прижимая его животом к подоконнику, он уже надевал на его руки наручники.

Минут через пятнадцать прибежали первые соседи, за которыми послали Колю Кикина. Почти все принесли с собой фонари и теперь с неприязнью рассматривали выставленное окно, дыру в сетке и трех мрачных парней в наручниках.

— Так, соседи, — попросил Гуров, — у меня к вам просьба завтра утром уделить моим сотрудникам или вашему участковому Васину несколько минут на объяснения по поводу предыдущих краж. И кто-нибудь последите за окном до утра. Если кто-то знает кого-то из этих типов, скажите сразу сейчас. Как очевидцы. Леша, перепиши понятых, а завтра они распишутся в документах.

Народ загалдел, что воров видят впервые, и высказал сожаление, что полиция успела первой. Они бы этим троим бока наломали так, что надолго бы отбили охоту воровать здесь. Гуров не стал спорить и велел выводить задержанных. Им предстояло еще дойти в темноте до участкового пункта и дождаться старшего лейтенанта, которого Гуров уже вызвал по мобильному телефону. Благо, Васин оказался трезв. Остаток ночи обещал быть напряженным.

Лев уже наметил себе порядок работы с задержанными. Сначала их придется развести по разным помещениям, чтобы они не успели сговориться. Установить личности и начинать трясти. Сначала вон того длинного, явно упертого и наглого. Сразу ничего не получится, зато эти двое потрясутся от страха. Потом того, что стоял «на шухере», с этим будет проще. А третьим — белобрысого, который явно понимает что-то в компьютерах и может иметь связи в компьютерном мире. Это основной объект для потрошения, самый важный!

Глава 4

Комнат в участковом пункте в нужном количестве не было, поэтому пришлось одного из задержанных посадить под надзором к коридоре, а третьего оставить пока в наручниках на улице в машине с Колей Кикиным.

Длинный молчал не долго, минут пятнадцать. Что он там прокручивал в своей голове, какие ходы придумывал, неизвестно, но парень принял, наконец, решение и стал нагло требовать объяснений. По какому праву его задержали? Это чистая провокация! Позиция была удобной, но глупой. Парень настаивал на том, что они с приятелями приехали в лес погулять, задержались дотемна и искали способ переночевать. Дачу они выбрали случайно и красть ничего не собирались. Только переночевать, а утром извиниться перед хозяевами, если такие найдутся.

— А системный блок компьютера, который ты передал своему товарищу, стоявшему снаружи? — поинтересовался Матурин, который вел допрос. — Ты его зачем подал, зачем ты его вообще взял?

— А там темно было, — заявил задержанный. — Я не разобрался, что это было. Думал, что табуретка, хотел товарищу помочь, чтобы ему легче было в дом попасть. Кстати, вот вам и доказательство того, что мы не воры и не вандалы. Мы ничего не повредили, даже стекло не разбили, а аккуратно его выставили.

— А сетка ограждения? Рабицу-то вы кусачками порвали.

— Там выхода иного не было. Как же через забор в темноте перелезешь? Пришлось, но мы обязательно заплатим хозяину.

— Молодец, хорошо придумал, — улыбнулся Гуров, который все это время стоял у окна и смотрел на улицу. — Только у тебя нестыковочка имеется. А нельзя было попросить ночлега у людей? Зачем нарываться на конфликт с Уголовным кодексом и лезть в чужое жилище?

— А мы были уверены, что нас никто не пустит. Ночь, трое незнакомцев! Я бы не пустил.

— Я бы тоже, — согласился Гуров. — А как ты объяснишь свое нежелание назвать фамилию, имя и отчество? Почему мешаешь нам установить твою личность?

— Не считаю необходимым, — скривился в глумливой усмешке парень. — Я себя преступником не считаю. Вам надо, вы и устанавливайте.

— Детский сад! Ты в первый раз, что ли, с уголовным розыском дела имеешь. Не понял, что попал крепко, что вас тут ждали? Теперь дело недолгого времени установить связи вас троих, выйти на похищенное ранее, после чего ваше сегодняшнее приключение в глазах суда будет выглядеть совсем иначе.

За окном послышался звук мотора подъехавшей машины, а через несколько секунд в кабинет вошел улыбающийся Нефедов. Он протянул Гурову бумажник, изъятый у белобрысого парня. В нем лежала регистрационная карточка на машину «Рено-Логан» с государственным номером «л413он62rus». Владельцем числился Семен Порыхляев. Тут же было и водительское удостоверение Порыхляева. На Гурова смотрело с фотографии лицо белобрысого.

— Запротоколировали? — спросил он на всякий случай.

— Так точно, — кивнул лейтенант. — С понятыми, все как положено. И изъятие документов, и факт обнаружения машины в карьере.

— Ну вот и славно. Видишь, — подошел Лев к задержанному, — не прошло и часа, как стали появляться интересные сведения. Устанавливаются личности, находятся заранее припрятанные машины. И сговориться вы не успели на случай задержания. Вас ведь еще ни разу не задерживали в связи с подозрениями в кражах на дачных участках. И показания твоих дружков нам помогут. Так что можешь молчать, только когда услышишь на суде приговор себе, не удивляйся, что получишь значительно больше других. У нас, знаешь ли, сотрудничество со следствием поощряется, а отказ от сотрудничества карается максимальными сроками.

— И будь уверен, что и предварительный сговор мы докажем, и планирование краж тоже, — добавил Матурин. — А это все отягчающие вину обстоятельства.

Второй парень, тот, что стоял «на шухере», оказался флегматиком. Он отвечал на вопросы медленно, но отвечал. Так же медленно поворачивал голову, чесал в затылке. Ни эмоций, ни раскаяния, ни страха. Так, мелкая досадная неприятность. Зато он сразу стал давать показания. И длинного назвал. Им оказался Илья Липатов, бывший спортсмен, пристрастившийся к наркотикам, но сумевший эту тягу преодолеть.

Сам Денис Скорко, как назвался второй задержанный, был типичным неудачником, который не мог ни профессии получить, ни на одном месте надолго удержаться. В свои двадцать пят лет он поменял уже с десяток мест работы. Да, он знал, что они крадут из дач, да, у них кое-кто покупает краденое на запчасти или восстановление. Да, сознает, что делает плохо, но ничего другого он не умеет и других приятелей у него нет. Так жизнь сложилась.

Гуров смотрел на парня и думал о том, что через его руки прошли тысячи и тысячи таких вот Денисов Скорко. Безвольных, легко поддающихся влиянию, ленивых умом, не знающих, чего они хотят от жизни. И все они, рано или поздно, попадают в сети тех, кто склонен к преступлениям, кто стремится к легкой наживе. Потом колония, где их «образование» продолжается, где его отшлифовывают «идеологи и философы» преступного мира.

Третьим в комнату завели того самого белобрысого, который так и не смог выбраться из дачного домика, когда его «спеленал» капитан Матурин.

— Ну, Сеня, будем разговаривать? — поинтересовался Гуров, заглядывая парню в глаза. — Тебя, наверное, твоя дальнейшая судьба интересует? Крепко ты попал, серьезно.

— А откуда вы... а, ну да, — на секунду поднял лицо Порыхляев и снова поник головой. — Они сказали, как меня зовут.

— Конечно, — усмехнулся Гуров. — Перед уголовным розыском все говорят правду, и все во всем признаются. А если серьезно, то у тебя опыта с гулькин нос воровать, а у меня десятилетия опыта в поимке преступников. И за мной вся система розыска, с ее наукой, базой данных, аналитикой. Если уж ты в наши руки попал, то попал закономерно, и выбраться из этой беды сможешь только с нашей помощью.

— В смысле? — забеспокоился задержанный, захлопав бесцветными ресницами.

— Смысл простой, Сеня. Либо ты ведешь себя плохо, начинаешь скрывать преступные деяния, выгораживать себя и твоих подельников, играть в уголовные игры, в которые играть не умеешь. Тогда мы машем на тебя рукой и передаем со всеми добытыми уликами следствию, а следствие передает тебя в суд. И получаешь ты, как и все остальные, на полную катушку, попадаешь в колонию, в среду отъявленных и законченных негодяев. Ты же слышал, что из колоний у нас перевоспитанными не выходят, и, наверное, догадываешься почему.

— Либо? — с надеждой в голосе спросил Сеня.

— Либо ты изливаешь мне душу, как родному, как единственной твоей надежде не пойти по шаткой и гнусной дорожке, и я объективно доказываю твою вину как минимальную, добиваюсь, чтобы не попал туда, где содержат волков, а получил условный срок. И, в конце концов, попытался все осознать и начать новую жизнь. Ты ведь в компьютерах силен, да?

— Да... А что я должен делать? — слишком поспешно спросил Сеня.

— Ты в компьютерах силен? — повторил Гуров.

— Да, я много чего могу, вообще-то, я самоучка, но...

— Помощь нам нужна, Сеня, твоя помощь, как специалиста.

— А вы не обманете? Поможете мне?

— Эх ты! — покачал головой Лев. — Воровать еще не научился, врать как следует не научился, друзей выбирать и то не научился, а туда же. Запомни, сынок, что я — полковник Гуров. И я не вру, даже ворам и другим мерзавцам. Слово свое уважаю и всегда его держу. К тому же... Ты даже не представляешь, насколько приятнее спасти от тюрьмы человека, вывести его на праведный путь, чем посадить.

Гуров опоздал минут на пять, покупая в киоске свежую прессу, слишком велика была очередь. Правда, он обратил внимание, что большая часть людей покупала газеты, в которых размещались объявления о вакансиях, и разнокалиберные издания, где было всего понемногу: и сканвордов, и статей про личную жизнь знаменитостей, и иных развлечений. Деловую литературу покупали единицы.

Этот факт говорил о многом. Например, о том, что в этом районе города проживает специфический контингент со специфическими интересами. Найти работу, скоротать время на необременительном дежурстве и тому подобное. Проблемы финансового рынка и обзор зарубежной политики здесь никого не интересовали.

Сам Гуров купил газеты городского масштаба. Его интересовали публикации по анализу городской среды: социальной, экономической, политической, криминальной, развлекательной. Это позволяло ощутить новый для тебя город как бы изнутри, почувствовать себя его частью. А еще ощутить нездоровые образования в его теле. Часто такой подход помогал Гурову ориентироваться в обстановке.

Машина ждала в условленном месте, Кикин, от нечего делать, копался под капотом, а Матурин с Нефедовым что-то горячо обсуждали. Кивнув на дружное «здравия желаем», Гуров пожал всем руки и поинтересовался:

— Ну, как дела, что нового?

— Я тут по коридору проходил, — тихим голосом стал рассказывать Матурин, косясь на Кикина, который доливал под капотом жидкость омывателя лобового стекла. — Вы не представляете, Лев Иванович, как начальник управления на Герасименко орал! Там от вас какая-то «телега» на него пришла. Досталось всем и даже больше. А Герасименко потом из кабинета вышел бело-зеленый и потный. Что за дела?

— Дела? — усмехнулся Гуров. — Дела простые. От недремлющего ока министерства ничего не утаить. Давай узнаем подробности.

Достав мобильный телефон, он набрал номер Крячко. Ждать пришлось довольно долго, и Гуров сбросил вызов, понимая, что Стас просто не может сейчас ответить. Спустя минут двадцать Крячко набрал его сам:

— Извини, Лев Иванович, у Орлова был. Знаю, почему звонил, потому и трубку не брал. Там, небось, мое письмо пришло в управление?

— Что-то пришло, — ответил Гуров и покосился на Матурина. — Очевидцы говорят, что эффект поразительный. Так что там было?

— Там было много чего. Непонимание позиции областного управления, которое не только не оказывает помощи полковнику Гурову как представителю Главка, прибывшему для оказания помощи в крайне сложной оперативной разработке, но стремится всячески помешать розыску, находящемуся на контроле в министерстве. И пожелания были разобраться и принять срочные меры... и так далее.

— Стас, не темни! За чьей подписью пришло письмо?

— Ну-у, — замялся Крячко, — тебе же срочная помощь была нужна, срочный эффект. Я решил, что даже Петр будет долго думать и, главное, к тексту придираться.

— Чья? — рявкнул Гуров.

— Второго замминистра, а что?

— Ничего. Доиграешься ты когда-нибудь.

— Я что, для себя это делал? — возмутился Крячко. — Я что, квартиру себе выбивал или теще дачу? Я в оперативных целях, для пользы дела. И пусть кто-нибудь докажет, что я сделал плохо. Не совсем корректно, нарушил слегка субординацию, но результат-то мы с тобой получили? Ведь получили же?

Оперативники смотрели на Гурова веселыми глазами, но от комментариев воздерживались. Пришлось возвращать их в рабочее состояние.

— С агентурой работаете? — спросил Гуров. — Есть что-нибудь по подходам к почтовому ведомству?

— Толком ничего, — ответил Нефедов. — Так... сторожа, уборщицы, попытки просветить конверты писем от родителей солдатам. Это единственный криминал, о котором мне рассказали. У нас все еще пытаются таким образом деньги переправлять.

— Работаем, Лев Иванович, — покосившись на лейтенанта, добавил Матурин, — только скорого результата в этом направлении не будет. Наши кадры специфические, они из уголовной среды и в сферу специалистов почты не вхожи. Уровень не тот. Мы же не ФСБ.

— Знаю, — ответил Гуров недовольным голосом, — все же задание оставляю в силе. Пренебрегать не стоит ничем, зарубите это себе на носу. Рекомендации и методику сыска придумывали не на пустом месте, учтите. Сыск — это умение расставлять сети. Любое действие, рано или поздно, даст результат. А то, что у вас контингент узко направленный — это вам минус, а не объективная отговорка.

Гуров очень не любил, когда люди оправдываются, приводят доводы, объективные причины неудач. Сам он никогда не оправдывался, даже когда претензии в его адрес начальством выдвигались самые глупейшие. Считал, что все равно виноват только сам, раз создалась подобная ситуация, что появилась возможность такие глупые претензии ему предъявить.

И вообще, в своей жизни во всем виноват только ты сам, потому что это твоя жизнь и ты ее проживаешь сам. Самостоятельно! И решения принимаешь сам или не принимаешь их, а позволяешь принять кому-то за себя. И неправильные принимаешь сам, и ошибаешься сам, и в дерьмо наступаешь новым ботинком тоже сам. И нет разницы, вышел ли ты под дождь без зонта, забыв перед выходом глянуть в окно, или попал под машину, забыв посмотреть по сторонам, переходя дорогу. Даже падающий с крыши кирпич можно предвидеть. А имея такую профессию, как у него, он просто обязан этот «кирпич» предвидеть.

— Так что, работайте в этом направлении, парни, работайте. Сегодня это не ваш контингент, а завтра начальник отдела на Главпочтамте окажется маньяком и насильником. И вычислять вы его будете годами, потому что у вас нет в хозяйстве человека, который бы подсказал, что на работе есть один тип, у которого глаз нехороший и царапина на лице свежая.

— Преступники среди нас ходят и в нас же рядятся. Наша профессия их вычислять, отфильтровывать и изобличать, — произнес Нефедов с каким-то странным пафосом.

— Это что? — вскинул брови Лев, с интересом посмотрев на лейтенанта. — Белый стих?

— Цитата! Так начинал вводную лекцию по специальности в институте один преподаватель.

— Умный мужик. Я бы его лекции перед сном перечитывал и излюбленные места наизусть зубрил.

Сыщики посмеялись, а потом начался напряженный и не очень веселый день. Сегодня по плану были допросы троих задержанных. Всех троих доставили из изолятора временного содержания в здание ГУВД, и началась работа. Сначала беглый допрос по преступлению, за которое и были задержаны Липатов, Скорко и Порыхляев, потом проверка, уточняющие допросы, изобличение во лжи и сокрытии, доказательства и новые данные.

Больше все упирался Липатов. Он сидел на стуле перед столом Гурова, длинный, с прямой спиной, и упорно смотрел в стену над головой сыщика. Упрямо он отстаивал свою позицию, что они собирались в том дачном доме лишь переночевать и что машину не прятали, а думали, что она сломалась. Наверное, Порыхляев ошибся, что она не заводится. Неопытный водитель, и все тут!

Но потом Липатов стал все чаще попадаться в профессионально расставленные сети допроса. Он ошибался в датах, знакомствах, взаимоотношениях. Все это говорило о том, что он врет, что его словам верить нельзя. Но знание, что конкретные факты вранье, оказывалось не менее полезным, чем истина. Например, Липатов представления не имеет о том, что у Скорко есть девушка, а ее брат работает в магазине бытовой техники в ремонтной мастерской. Фактически это была подсказка, где именно нужно порыть.

И снова проверки, а потом выявился факт, что все трое частые гости этой мастерской и все трое хорошо знакомы работникам магазина. И только глубоко за полночь Гуров со своими помощниками расслабились с горячим чаем в кабинете Матурина. Теперь оставалось последнее важное дело — составить план по разработке этого магазина. И главным пунктом в нем было — найти специалиста по IT-технологиям, на которого было бы достаточно компромата, чтобы заставить его выполнить задание в среде таких же, как и он.

Вернувшись домой к Калининым, Гуров потихоньку открыл калитку и вошел во двор. В доме на кухне сразу зажегся свет, и в окне появилось лицо Татьяны. Щелкнул замок на входной двери. Странно, девушка выглядит хозяйкой в доме больше, чем Юркина жена. А что удивляться, ведь она Веронике не родная дочь, так что и гостеприимство, и доброта в ней от отца.

Через минуту, потягиваясь, вышел и сам Юрка. Втроем они пили чай, болтали ни о чем. Гуров смотрел на Татьяну и опять думал о том, что сейчас бы ей не гостя встречать, а мужа с работы. И чтобы рядом в комнате посапывал ребенок в колыбели, чтобы они планы на жизнь обсуждали, покупку какую-нибудь. А то смотрит девушка затравленными глазами, понимает, что никому не нужна. Может, ее тот парень любил? Нет, не любил, если искалечил наркотиками, жизнь ей сломал. Когда любишь, иначе к человеку относишься.

Чаепитие закончилось, и все трое стали разбредаться по комнатам. Гуров остановил девушку и неожиданно для себя спросил:

— Таня, а ты любила его?

— Кого? — глаза Татьяны стали совсем больными.

— Того парня.

Девушке не потребовалось объяснять, какого парня гость имеет в виду. Она опустилась на табуретку с видом человека, у которого окончательно иссякли все жизненные силы, и тихо ответила:

— Наверное, любила. — Потом сморщилась, как от боли, и добавила уже более решительно: — Любила, конечно.

— А за что? — продолжал настаивать Гуров.

— Он такой... красивый, умный. С ним интересно, он так много всего знает.

— Так умный или много знает?

— Конечно умный, раз много знает.

— Видишь ли, Таня, ты путаешь ум и хорошую память. Кто много знает, тот просто многое помнит из услышанного, прочитанного, увиденного. А ум — это нечто большее. Ум — это умение имеющимися знаниями пользоваться, умение делать правильные выводы, сопоставлять имеющуюся информацию, логически ее обрабатывать. Хотя зачем я тебе это говорю? Вы ведь никогда не слушаете взрослых, вы видите в ухажерах оболочку, красивую обертку, а смотреть надо глубже. Для совместной жизни нужен человек, с которым комфортно, который необходим, с которым ощущается родство. Смотришь на этого человека и думаешь, что он как будто все время был рядом, хотя появился в твоей жизни неделю назад. Какой-то совсем свой, домашний, родной.

— Вы так хорошо говорите, Лев Иванович, — улыбнулась Татьяна. — У вас, наверное, с женой все именно так?

— Ты все еще думаешь о нем? — вместо ответа снова спросил Гуров.

— Наверное, нет. Где-то там, — показала на затылок Татьяна, — остался след, как тень, как старый синяк или как застаревшая боль. Не думаю. Так, вспоминаю иногда, как что-то такое, что однажды было в жизни. Вы не переживайте за меня, Лев Иванович, и папе скажите, чтобы тоже не переживал. Я справлюсь, просто нужно время.

Гуров понял, что уснуть ему сегодня не удастся. Перевернувшись несколько раз с боку на бок, он решительно откинул одеяло и уселся на кровати. На душе было неспокойно, причем Лев это ощущал с самого момента приезда в Рязань. Он уже несколько раз анализировал свое состояние и пришел к выводу, что его беспокойство из области интуиции и связано оно с работой.

Что-то находилось рядом, на расстоянии вытянутой руки. Гуров включил ноутбук, бесцельно полазил в своей почте, на «Одноклассниках», потом отправился на сайт Ветрова. Снова восторженные отклики на странные стихи девушки, подписывающейся просто «Я». Дурачки, друг перед другом рисуются своим мировоззрением, которого нет. Хотя, вот и не очень лестные отзывы.

«Слушай «Я»! К тебе, наверное, нужно обращаться «Ты», но это неважно. У тебя беда, тебе плохо? Ну невозможно же писать такое, когда на душе светло и поют птицы.

Может, тебе одиноко, может, у тебя нет друзей? Ты скажи, и мы с друзьями придем, мы встретимся, и ты увидишь, что жизнь не такая мрачная штука!»

Это было приятно читать, приятно сознавать, что есть среди современной молодежи и такие, кто готов протянуть руку другому человеку, когда тот в беде. А по какому поводу предлагают руку? Гуров посмотрел последние записи и увидел, что «Я» написала новое стихотворение.

Полет!.. Орет!.. Невпроворот!..
Хрипит!.. Кусает!.. Скалит рот!
В поход, не год, а тяжкий свод,
И разворот, и поворот опять не тот.

Не пить, не жить, а колотить,
Чтоб руки в кровь суметь разбить!
Чтобы проснуться и молить
О том, что хочется любить!

Писать, рыдать, тебя не звать!
И от тебя во мрак бежать,
И тел холодных не ласкать,
И только спать... и только спать...

Гуров снова попытался представить себе эту девушку, но у него ничего не получилось. Нет, решил он, тут надо или самому иметь извращенную фантазию, или быть профессиональным психиатром. Снова лег на кровать и стал вспоминать прочитанные строки. Видения в голове складывались страшненькие.

Неожиданно зазвонил мобильный телефон. Настойчиво и неуместно, как это всегда бывает по утрам. Лев открыл глаза и увидел, что за окном уже светло. Шея затекла от неудобной позы, в которой он уснул.

— Лев Иванович! — послышался в телефонной трубке жизнерадостный голос Крячко. — Ты про психиатра спрашивал? Я тебе телефончик нашел.

— Во-первых, доброе утро, — напомнил Гуров. — Ты чего такой веселый? Премию получил?

— Да вот тебя услышал, и на душе стало тепло, — с кошачьими интонациями в голосе ответил Крячко. — Скучаю, в кабинете пусто.

— И только теперь ты понял, как любил меня и как тебе меня всегда не хватало? — поддержал тон Гуров.

Он прекрасно понимал, что старый друг просто куражится. У него в самом деле хорошее настроение, что, впрочем, именно у Крячко бывает часто, и что он не прочь повеселить других. А еще понимал, что не все, сейчас сказанное, блажь и ерничество. Слишком многое их со Стасом связывает, слишком они сработались, срослись. Он и сам ощущал, что в этой командировке Стаса ему очень не хватает.

От веселого голоса друга на душе стало немного светлее, и ночные воспоминания о дурацких стихах отошли на второй план. Крячко продиктовал номер телефона Лозовского, попытался выяснить, какие же такие симптомы Гуров у себя нашел, что ему срочно понадобился Борис Моисеевич. Пришлось объяснять. Стас сразу стал серьезным:

— Да, это беда, так беда. Хуже нет, смотреть на детей и видеть, как они страдают. Может, ты хочешь, чтобы я к Лозовскому съездил, поговорил, а то, что ты там по телефону...

— Не надо, Стас, лучше я сам.

С Борисом Моисеевичем Лозовским сыщики познакомились при весьма печальных обстоятельствах. У старого профессора убили жену. Сделано это было просто, цинично, ради золотых украшений. Многие высокопоставленные чиновники тогда посчитали своим долгом попытаться повлиять на милицию, как она тогда еще называлась, подтолкнуть к серьезному расследованию, поиску убийцы. Но сыщики и так работали сутками, отрабатывая версию за версией. Гурова и Крячко генерал Орлов тогда попросил прокурировать работу. Один из молодых оперативников МУРа, помнится, высказал гипотезу, что стоит в число подозреваемых включить и самого старого профессора. Кто-то из высокопоставленных возмутился, а полковник Гуров, защищая честь ведомства и считая соображения молодого оперативника справедливыми, поддержал версию.

Честно говоря, многое говорило в пользу такого подозрения. И профессор Лозовский как-то высказал Гурову в глаза много неприятного. А потом появились настолько веские улики, что следователь и его начальник начали хмуро тереть затылки. Они были почти уверены в виновности старого психиатра, и в том, что его необходимо арестовывать. Именно Гуров очень убедительно доказал невиновность Лозовского. А потом были горячие извинения с обеих сторон, и другие не менее горячие проявления симпатии. Профессор признал в Гурове профессионала, талантливого человека и сказал, что у Льва Ивановича есть только один недостаток — он не еврей.

Звонить из дома Калинина Гуров не стал. Он не хотел, чтобы кто-то хоть краем уха услышал, кому и по какому поводу он звонит. Выйдя в город и усевшись в безлюдном по причине раннего утра парке, он набрал Лозовского:

— Доброе утро, Борис Моисеевич, это Гуров. Вам удобно сейчас говорить?

— А-а, Лев Иванович! — ответил мягкий картавый голос. — Давненько я вас не слышал, давненько. Все в работе? Конечно, для вас я всегда найду минутку для общения. Как ваша служба, генералом еще не стали?

— Вы же знаете, Борис Моисеевич, что мне нельзя становиться генералом.

— Да-да, помню,— засмеялся профессор. — Многие поймут, что им не поздоровится, и сразу же поздоровится вам. Генеральские погоны станут крахом вашей карьеры.

— Я, собственно, звоню вам вот по какому делу. Хотел попросить о помощи, Борис Моисеевич, профессиональной помощи психиатра.

— Да, а что случилось? Надеюсь, что проблемы не с вашими близкими?

— Нет, у дочери моего одноклассника, но это неважно. Очень серьезный случай, жалко девочку, которой жить бы да жить, а у нее...

— Ну-ка, ну-ка, что за проблема?

— Девушка двадцати лет. Был момент, когда она употребляла наркотики, потом лечилась. Но, как говорят медики, применение специальных препаратов, довольно сильных, дало побочное действие. Она теперь страдает кратковременными выпадениями памяти, что-то вроде ретроградной амнезии. Вдруг оказывается, черт знает где и не помнит, когда, как и зачем туда пришла или приехала, что делала.

— По поводу причины в виде медикаментозного лечения я выражу свои сомнения, хотя все может быть, — задумчиво проговорил профессор. — Чаще кратковременная ретроградная амнезия возникает вследствие электросудорожной терапии, что могло быть во время ее лечения. Мог быть причиной и травматический шок. Например, девушка когда-то сильно ушибла голову, с потерей сознания.

— То есть ничего необычного вы в этом не видите, Борис Моисеевич?

— Ну, дорогой мой Лев Иванович, однозначно сказать нельзя. Человеческий организм вещь вообще сложная, сугубо индивидуальная. А уж психика — тем более. В любом случае я вижу тут очень серьезную проблему. Возможно, что речь придется вести о лакунарной амнезии. Она характеризуется выпадением из памяти отдельных событий или периодов. Скажите, у нее немотивированные изменения настроения бывают, может, истерические припадки или что-то похожее?

— Кажется, нет, но я могу ошибаться.

— Видите ли, такие явления наблюдаются при истерических расстройствах, при расстройствах сознания, когда неприятные для данного человека события забываются, также при расстройствах, связанных с травмами и сопровождающихся кратковременным или неглубоким отключением сознания. Возможно, вы многого не знаете, тут понаблюдать нужно, что называется, в мозг ей посмотреть. Ретроградная или антероградная...

— А что страшнее?

— Все страшно, Лев Иванович, все неприятно. Тоже мозг, а он, по-видимому, задет. Что бы там ни говорили светила науки, а о мозге мы знаем еще очень и очень мало. А что касается антероградной амнезии, то это потеря памяти событий, которые произошли после прихода больного в сознание, после помраченного или выключенного сознания. Например, после серьезных травм, в посткоматозном состоянии. Лежит у меня в клинике человек после черепно-мозговой травмы, после комы, потом наступает прояснение сознания, и мы разрешаем визиты и встречи с родными, для них обычно это ведь большая радость. А потом выясняется, что спустя несколько дней больной не помнит, что родные к нему приходили и он с ними разговаривал. Надо девочку посмотреть, понаблюдать.

— Борис Моисеевич, самый сложный вопрос! Отец девочки не олигарх, и доходы у него самые скромные...

— Ну, это как раз не сложный вопрос, Лев Иванович. У меня есть бюджетные палаты, поскольку я получаю средства по специальным федеральным и муниципальным программам. Теоретически, я могу взять вашу знакомую... — Лозовский помедлил, видимо что-то прикидывая в голове, — взять ее через недельку. Сможет ваш приятель привезти дочь?

— Да, конечно!

— Ну и отлично. Я сейчас внесу вашу девочку в список. Как ее, кстати, зовут?

— Калинина Татьяна Юрьевна. Двадцать лет. Проживает в Рязани.

— В Рязани?

— Это что-то меняет, Борис Моисеевич? Сложности?

— Н-ну... нет, не страшно. Пусть только позаботятся, чтобы у девочки был медицинский страховой полис.

259

Глава 5

— Лев Иванович, а может, нам обратиться официально в почтовое ведомство? — снова предложил Нефедов.

Капитан Матурин с интересом посмотрел на Гурова, ожидая, что ответит московский полковник.

— Ох, ребята, — вздохнул Лев, — ну сколько мне вас учить. Если вы видите криминальную цепочку, то резонно предположить, что она специально организована, что все ее звенья могут отслеживаться преступниками. И любой интерес полиции может их спугнуть.

— Но в налоговую службу мы же обращались официально? — не унимался Нефедов.

— Наш запрос был слишком размыт, чтобы в нем можно было усмотреть конкретику, — терпеливо объяснял Гуров. — Ну что такое запрос о лицах, которые открыли бизнес под субсидии?

Нефедов пожал плечами. Он никак не мог понять Гурова. По его мнению, полковник то слишком увлекался конспирацией, пытался скрывать самые невинные оперативные ходы даже от работников полиции, то действовал как танк в лобовой атаке. Однажды Матурин не выдержал и, похлопав лейтенанта по плечу, сказал, что понимание всего этого приходит с опытом, и никакая академия подобных знаний не даст.

В кабинет завели Семена Порыхляева, с которым они должны были ехать в магазин бытовой техники на Северном рынке. Парень выглядел унылым. Он сидел в изоляторе отдельно от своих дружков, но все же узнал, что Липатова и Скорко следователь арестовал, и теперь полагал, что его привезли для подобной же процедуры и отсюда он уедет уже в Следственный изолятор. Не знал Сеня, что по настоянию Гурова мера пресечения ему была изменена на подписку о невыезде.

— Ну что, горемыка? — подошел к Порыхляеву Лев. — Приятно видеть свет из окна не в клеточку? Вкусил баланды? А ведь это может стать твоими ощущениями на годы. Так что подумай, прежде чем отказываться от моего предложения.

— Какого предложения? — вскинул Сеня свою белобрысую голову.

— Мы с тобой сейчас поедем на Северный рынок, в ваш магазин, при котором, как ты сам сказал, есть мастерская по ремонту бытовой техники. Ты нам нужен только для того, чтобы попасть в мастерскую неожиданно, чтобы там не успели уничтожить улики.

— А потом меня будут за козла считать? — уныло пробормотал Сеня.

— На мой взгляд, ты и есть козел и урод, — заверил задержанного Гуров, — только я не предполагал, что ты еще и дурак. Ну какой мне резон выставлять тебя перед дружками в таком свете? Разумеется, мы постараемся сделать все так, чтобы на тебя подозрений не пало. Но только до той поры, пока ты помогаешь нам с максимальным энтузиазмом. Запомнил установку?

Кивнув Матурину, Гуров отошел в угол и уселся на диван. Капитан начал объяснять Порыхляеву суть предстоящей операции. Он должен заявиться в магазин якобы за деньгами за последнюю партию краденой техники. Неважно, что придет Порыхляев один, без своих дружков. Главное, чтобы ему открыли дверь и чтобы следом могли ворваться оперативники. Порыхляев, по легенде, был ни при чем, за ним якобы следили работники полиции, и он, к тому же, не знал, что дружки его уже арестованы. Пришел за деньгами сам, потому что не мог найти ни Липатова, ни Скорко.

Напоминание, что Сеня по результатам этой операции может либо вернуться в камеру, либо выйти на свободу, было не лишним. Гуров прекрасно знал, что в изоляторе Порыхляев очень нервничал, его состояние было близко к панике. Теперь перед ним стоял выбор: тюрьма или воля.

Когда сыщики вошли, толкнув Сеню в помещение мастерской, и всех под угрозой оружия расставили по стенам с заложенными за голову руками, в один с ними ряд поставили и Порыхляева, которому объяснили, что это нужно для конспирации и для его же безопасности.

Потом появились понятые, руководство магазина. Началась опись имущества, установление личности работников мастерской. В маленьком кабинете директора магазина Гуров устроил допросную комнату. Последними к нему завели Порыхляева и Владимира Сочникова. О Сочникове Гуров уже имел отзывы как о талантливом программисте и умелом хакере, который ничем не брезговал, лишь бы заработать денег.

— Ну, компьютерщики, давайте поговорим, — начал Гуров. — О Порыхляеве у меня информация есть. В том числе, и от его арестованных дружков. Сочников, тебе знакомы фамилии Скорко и Липатов? Даже не пытайся врать, потому что их показания есть, участие вашей мастерской в сбыте краденого и использовании его для ремонта других приборов тоже имеется, так что твое вранье ничего не изменит в ходе следствия, а вот в твоей судьбе изменить может многое. Ты только здесь работаешь или еще чем занимаешься?

— Много чем, — угрюмо проворчал смуглый очкарик и шмыгнул носом. — И по вызовам хожу, с компьютерами помогаю. Своя клиентура сложилась. Кое-каким фирмам помогаю, кто не держит системных администраторов.

— Хорошо, Володя. А теперь вопрос к вам обоим: мне нужны знакомые компьютерщики, которые имеют отношение к почтовому ведомству. Думаем, время пошло.

Парни опустили головы, причем Порыхляев сделал это настолько артистично, что заподозрить его в игре было сложно. Натурально боится, аплодисменты ему!

Наконец оба задержанных переглянулись с наморщенными лбами.

— Ну! — с нажимом произнес Сочников.

— Че «ну»! — огрызнулся Порыхляев.

— Ниче! Че ты «чекаешь»!

Сыщики с интересом смотрели на этот спектакль, смысл которого был от них пока далек.

— Санек! — напомнил Сочников.

— Какой Санек? — не понял Сеня.

— Санек Малышев, сесадмин! Он же айтишник на Главпочтамте.

— Разве? А я думал... — Порыхляев недоуменно посмотрел на Сочникова, потом на сыщиков.

— Точно тебе говорю.

Как Сочников и Порыхляев уговаривали своего приятеля Малышева помочь, Гуров видел на экране монитора. В комнате, где беседовали компьютерщики, была установлена камера. По разговору можно было понять, что и Малышев не без греха, но это было не главное. Главное, что он согласился помочь, и через два дня Гуров имел список из ста пятидесяти шести фамилий тех, кто получал мелкие почтовые отправления. Здесь были и заказные письма, и бандероли, все, что могло содержать пакетики с семенами конопли. Все получения за начало текущего года.

Потом сыщики совместили этот список со списком из налоговой службы. Совпадение произошло лишь с одной фамилией — Миронов Глеб Николаевич. И вид деятельности у индивидуального предпринимателя был задекларирован специфический — производство сельскохозяйственной продукции.

Через три дня Гуров имел в руках все, что касалось личности Миронова. И жизнь явно не по доходам, и наличие большого количества теплиц в районе Свинцовки, и полное представление о его связях. А еще Гуров получил фотографию Миронова. На него с фотографии смотрело знакомое красивое лицо, в обрамлении темных вьющихся волос. Та же посадка головы, тот же уверенный взгляд. Это лицо Гуров видел на фотографии, что все еще хранилась у Татьяны Калининой. Миронов и был тем самым парнем, и теперь есть все основания полагать, что именно Миронов и пристрастил Татьяну в свое время к наркотикам.

На сегодня была назначена операция захвата силами ОМОНа, потому что в гостях у Миронова находился приезжий, некто Равиль, который подозревался в участии сбыта сырья для изготовления наркотиков. Ждали только приезда самого Миронова, чтобы взять его вместе с работниками его тайного хозяйства. Гуров старался гнать от себя осознание того, что это дело перестало быть для него просто служебным, пытался не относиться к нему как к личному.

— Ну что, Лев Иванович, — спросил Матурин, когда они сидели в автобусе и ждали сигнала, — вы именно о такой схеме и подозревали?

— Если честно, то не совсем, — признался Гуров. — Я предполагал, что сырье выращивают, что его можно закупить вполне легально, по почте. Не обязательно же писать на посылке, что это конопля. И адреса поставщиков не совпадали с адресами тех, кто давал объявления. Даже проверять не нужно было — не нашли бы концов, а только бы вспугнули. Хотя заняться этим все равно придется.

— А все-таки, какую вы схему предполагали?

— Я предполагал, что будет большое количество мелких производителей, что будет целая сеть, в которой один получатель посылок распространяет семена для выращивания, а потом собирает продукцию и «держит» канал сбыта. А он очень уверенно себя повел. Конечно, несколько овощных теплиц — это хорошее прикрытие, но все равно он рисковал. Самоуверенный тип этот Миронов. И машина у него не по доходам от продажи овощей. На такие деньги новую «Ауди» не купишь.

Но тут спокойные переговоры вдруг прекратились, и в эфир ворвался сильный голос командира группы ОМОНа:

— Внимание Первому, я Петля! Черная «Ауди» с номером 010 движется по направлению к объекту.

— Я Первый! — тут же строго приказал Гуров в микрофон. — Молчание в эфире. Слушать Петлю.

— Первый, машина не свернула к объекту. Движется по проселку на небольшой скорости. Возможно, он что-то заподозрил и наблюдает.

— Петля, подтверждаю начало операции после того, как объект войдет в одно из зданий или теплиц. Машину задерживать только в случае попытки скрыться. Подтвердить!

— Подтверждаю! Задержание только при попытке скрыться.

И тут случилось то, чего Гуров никак не ожидал. Их автобус не имел никаких опознавательных знаков и надписей, позволяющих заподозрить в нем полицейскую машину. Более того, автобус имел муляжи-наклейки на номерах, в которых определить подделку можно лишь при непосредственном рассмотрении вблизи. Гуров из окна автобуса хорошо видел черную иномарку, которая медленно ехала по дороге вдоль ряда теплиц. И вдруг «Ауди», выбросив из-под колес струи рыхлой земли и мелких камней, взревела мотором и понеслась по дороге параллельно лесополосе. Лев выругался прямо в эфир. То, что происходило, было плохо, очень плохо, и могло означать одно — Миронов заподозрил неладное. Или кто-то из сотрудников полиции себя выдал. Машину теперь придется обязательно задерживать, даже если есть угроза того, что человек, который в ней находится, просто решил покататься по грунтовке, поиграть в ралли «Париж — Дакар». По-любому, Миронова упускать нельзя ни в каком случае.

— Я Первый, — с интонациями безнадежности выдохнул Гуров в эфир, — всем сигнал «плюс». Повторяю, всем сигнал «плюс».

И закрутился-завертелся отлаженный и тысячи раз отработанный механизм захвата бандитского логова. Мгновенно были перекрыты все пути и выходы с территории. Побежали люди в темных костюмах и масках с большими буквами ОМОН на спинах. Два вагончика и одно кирпичное здание мгновенно оказались блокированы, внутрь ворвались полицейские и всех без разбора уложили на пол с заведенными за голову руками.

Гуров не сомневался, что операция «Петля» пройдет без сучка и задоринки. Кто оказался внутри этой петли, будет взят, все улики будут сохранены, но Миронов!

— Первый, «Ауди» с номером 010 задержана при попытке вырваться на трассу. Проводится досмотр и установление личности водителя.

Плохо, подумал Гуров. Если он что-то заметил, то мог успеть кому-то позвонить, кого-то предупредить. А нам нужен канал, нам нужны все потребители, вся сеть сбыта. Но Лев еще не знал, что дела обстоят гораздо хуже, чем он думал. В машине оказался не Глеб Миронов, а всего лишь один его знакомый. Восемнадцатилетний парень, весь бледный и потный, скороговоркой объяснял, что покататься ему разрешил сам Миронов, что он должен был прокатиться и вернуться в определенное место. Естественно, что в указанном месте никого не оказалось. Как не оказалось Миронова и дома.

Гуров шел по территории в сопровождении своих помощников и удивлялся масштабам. Он в самом деле не ожидал такого масштаба. Теплица за теплицей, собранные из фабричного каркаса и обтянутые тепличной специальной пленкой, стояли ровными рядами. Одна, вторая, третья... пятая... двенадцатая...

— Это кто? — ткнул пальцем в человека со знакомым лицом полковник. — Кажется, Равиль, так? А ну, давайте его ко мне в машину — и в управление.

Но ни Равиль, приезжий партнер Миронова, ни рабочие в теплицах не могли сказать, где Миронов может скрываться. День склонился к вечеру, но он как в воду канул. Гуров шел домой к Калинину пешком и думал о результатах своей работы в Рязани. Главное он сделал, даже доказал, что был прав в своих прогнозах и подозрениях. Неприятно, что не взяли главного преступника, организатора. Неприятно, что Татьяне Калининой придется выдержать допрос. Но это неизбежно, ведь у нее когда-то были отношения с Мироновым, и следователь просто обязан допросить ее на предмет того, знает она или предполагает, где Миронов может укрываться, знает ли она людей, которые ему в этом могут помочь.

И, наверное, лучше девушку и ее отца к этой процедуре подготовить. Не в смысле подсказать, что и как отвечать, а провести опрос самому, до того, как это официально сделает следователь. Вряд ли Татьяна что-то знает, да и не эту цель Гуров преследовал. Просто она должна быть готова к допросу, должна узнать, что Миронов преступник и его активно разыскивает полиция.

Татьяны дома не было. Юркина жена Вероника встретила Гурова во дворе. В последние дни он женщину почти не видел и теперь приветствовал ее как родственницу, по которой страшно соскучился. Вероника ответила вежливо, пригласила поужинать, если Лев Иванович не хочет ждать, пока Юра вернется с работы. Гуров сказал, что подождет, чтобы не ломать семейных традиций. Соберутся все, и тогда уж за стол.

Сказал он это зря. Вероника заметно поникла, отвела глаза и ушла в дом. Гуров подумал, что очень даже хорошо, что завтра он уедет домой. От проживания в доме своего одноклассника он устал не меньше, чем от работы, которую пришлось ему проделать.

Первой вернулась домой Татьяна. Гуров увидел девушку в окно, когда она только еще открывала калитку и входила во двор. Вид у нее был утомленный, не лицо, а маска скорби. Гуров не выдержал и вышел из комнаты, чтобы встретить ее.

— Что с тобой? — поздоровавшись, первым делом спросил он. — На тебе лица нет. Обидел кто?

— Сама я себя обидела, — тихо ответила девушка. — Ничего, все нормально.

— Танюша, что случилось? — упорно требовал ответа Гуров. — Я же вижу, какое у тебя лицо. Как с похорон пришла!

— В какой-то мере, Лев Иванович, — грустно улыбнулась она.

Гуров взял ее за локоть, завел в комнату и усадил на диван. Сам уселся на стул верхом и положил подбородок на спинку.

— Ну-ка, давай рассказывай! Что произошло?

— Ничего, просто встретила одноклассницу, — ответила Татьяна, и на глазах у нее навернулись слезы. — Так... нахлынуло все. Воспоминания, прошлое. Вам никогда не бывает грустно вспоминать прошлое, дядя Лева?

Татьяна впервые назвала его так. Раньше она звала Гурова по имени-отчеству, а теперь это прозвучало как признак какого-то родства, сближения.

— Воспоминания о прошлом не должны вызывать слез, — философски заметил он. — Я стараюсь жить так, чтобы воспоминания доставляли удовольствие. От того, как прожил, от того, как работал, с кем общался. А тебе грустить не надо! Не так уж и плохи твои дела, нет ничего непоправимого. Вы же на днях с отцом едете в Москву к моему хорошему знакомому в клинику. Все будет хорошо, Таня, вот увидишь. Тебя вылечат.

— Я украла у себя столько лет счастливой жизни. Вы вот все думаете, что я его люблю, страдаю по нем. Но это все было давно, все перегорело. Я жить хочу, а меня что-то терзает. Как кошмарный сон, понимаете?

— Больше он тебя терзать не будет, Таня. Я не хотел тебе говорить, ну да ладно. Этот Миронов преступник, его ищет полиция. Арестованы все его помощники, накрыта вся его деятельность по выращиванию конопли и распространению наркотиков. Все, не будет его больше. Забудь о нем.

— Так он сбежал? Вы его не поймали?

— Это дело времени, — махнул рукой Гуров. — Ты не волнуйся, но тебя обязательно допросит следователь. Простая формальность, Таня, но он обязан это сделать, такой порядок. Но это совершенно не означает, что тебя в чем-то подозревают.

— Я понимаю, — спокойно кивнула девушка. — Я была с ним знакома, я употребляла наркотики. Конечно, он должен меня допросить как давнюю знакомую Миронова. А так, я ведь ни в чем не виновата.

— Вот и хорошо, что ты это понимаешь, — улыбнулся Гуров. — Я вот еще что придумал. Вы с отцом будете жить у меня на даче. Там такие места, такой воздух. А когда обследование закончится и тебя положат в клинику на лечение, я буду тебя навещать часто-часто. Даже надоем!

— Вы не можете надоесть, — засмеялась Татьяна. — А ваша жена, она дома?

— Моя жена, если ты забыла, актриса. И она сейчас на гастролях. А вот когда ты поправишься и когда наступит зима, ты обязательно приедешь к нам в Москву, и я отведу тебя на спектакль, где играет Маша. Это будет очень здорово! Ты только представь себе зиму, снегопад, белые бульвары и елки под снежными шапками по краям тротуаров. Мы подходим к театру, к желтым круглым фонарям на чугунных стойках, а там афиши, нарядные люди, там теплое, пропахшее парфюмом фойе и очень много зеркал. Театр, гардероб! Что может быть прекраснее, нежели предвкушение спектакля, торжество фантазии авторов и игра актеров!

— Как вы здорово рассказываете! — завороженно глядя на Гурова, произнесла Татьяна.

— Я знаю, о чем говорю! Ведь не зря же появилась поговорка, что театр начинается с вешалки. Знаешь почему? Потому что вешалка, то бишь гардероб, — это грань между реальностью и фантазией. Но фантазией красочной, высокой, недосягаемой. И ты можешь ее ощутить, прочувствовать, пропустить через себя, но только не можешь пощупать руками, потому что тебя отделяет от этого выдуманного мира край сцены — авансцена, как это называется в театре. А потом еще занавес. Очень символичное полотно, полотно сказочное, потому что оно приоткрывает окно в тот мир, ради которого ты в театр и приходишь.

— Чего-чего? — раздался за спиной голос Юрки. — Про какие вы тут занавески разговариваете?

— Занавески? — Гуров обернулся и с сожалением посмотрел на Калинина, который стоял, улыбаясь, в дверном проеме комнаты. — Эх ты! Занавески. Занавес! Театральный!

— Да слышал я, слышал, — рассмеялся Юрка. — Как насчет поужинать всем вместе? Ты, кажется, говорил, что завтра уезжаешь?

Ужин прошел в терпимой обстановке. Гуров даже немного пожурил себя за то, что ему показалось, будто и Вероника была сегодня более оживленной, чем в предыдущие вечера, видимо, радовались его отъезду. И только потом, когда они вышли во двор, чтобы подышать перед сном свежим воздухом, Юрка рассказал, что его сегодня задержало на работе.

— Сегодня в конце рабочего дня мы выезжали с проектировщиками на Набережную, кардинально освещение там менять будем. Слышу, шум, оказывается, дедок один погиб. Их там много бывает, рыбу ловят. Этот сидел, ловил, а потом соседние рыбаки смотрят, а его нет. Когда увидели, уже поздно было. Он свалился на нижний ярус, туда, где прогулочные суда причаливают, и головой ударился о бетонную кнехту. Внучка очень сильно плакала. Она только недавно подходила, чай горячий в термосе приносила. А тут... Я так понял, что она любила его очень, а кто-то в толпе говорил, что он ей вместо отца.

— Ты чего это? — недоуменно посмотрел Гуров на Юрку.

— Так, подумалось что-то. Не ценим мы того, что имеем, а когда приходит беда, то спохватываемся. И остается, как после этого деда — ведро с водой, а в нем трепещется пара рыбешек. И слезы близких. Как будто ведро не с водой, а со слезами...

— Юр, ты чего? — одернул одноклассника Гуров. — Ну-ка, прекрати этот бред. Аллегории у тебя, как у... не знаю

269

кого. Тебе триллеры надо начинать писать, цены тебе не будет. Вот взлетишь в писательском мире!

— Ладно, закончили! — миролюбиво ответил Юрка. — Так, накатило на меня. Если бы все хорошо в семье было, то и не хандрил бы.

— Может, и не хандрил бы. Только есть такие люди, которым лишь причина нужна, причем не обязательно веская, чтобы на них «накатывало». Ты не обижайся, пожалуйста, я понимаю тебя. Но постарайся вдуматься, а сколько на свете живет людей, у которых жизнь во сто крат хуже. Вспомни калек, которые, извини, в туалет сами сходить не могут, вспомни тех...

— Это мы проходили, можешь не стараться! Я психологию в институте тоже изучал. Прав, конечно, во всем прав! Все, давай лучше расскажи мне про эту клинику. Есть у Таньки шанс?

— Я не медик, ответить тебе не могу. А вот Бориса Моисеевича Лозовского знаю хорошо. И отзывы о нем в медицинской среде знаю. Если шанс есть, то он обязательно Татьяне поможет. Можешь быть уверен.

Юра с Татьяной уже несколько дней жили у Гурова на даче. Выполнить обещание и навещать их как можно чаще Льву не удалось. Работы Орлов навалил на Гурова и Крячко столько, что хоть домой не уходи. Лето, период отпусков, а преступность в отпуска не уходит, она трудится ради своего благосостояния день и ночь. А тут еще сплошные нарушения посыпались в областных ГУВД, и генералу пришлось отправлять часть сотрудников в эти области. Соответственно, на тех, кто остался в стенах министерства, работы навалилось вдвое больше.

Гуров сидел и работал над квартальным отчетом по своей теме, когда дверь рывком открылась и в кабинет вошел генерал Орлов. Уже по звуку шагов, по тому, как распахнулась дверь, Гуров сразу почувствовал неладное.

— Что, прихватило? — вскочил он со стула и кинулся к старому другу. — Сердце?

— Прихватило, — поморщился Орлов, потирая грудь с левой стороны. — Слушай, я корвалола хватанул, можно, я у тебя полежу немного на диванчике? В кабинете ведь покоя никто не даст, а мне хоть минут пятнадцать покоя надо.

— Давай, давай, — улыбнулся Гуров. — Ты же генерал, чего разрешения спрашиваешь? На совещании в верхах был?

— Еще чего! Чтобы я сердцем и нервами мучился из-за начальства? Двое суток без сна, а возраст уже не тот. Ты работай, работай, не обращай на меня внимания.

Орлов примостился на небольшом диванчике в углу возле журнального столика, где стоял электрический чайник, лег на спину, поерзал, устраиваясь поудобнее, и прикрыл глаза. Гуров покосился на него и снова сел за отчет. Цифры, мероприятия, фамилии, статистика, рекомендации, данные проверок на местах.

Орлов услышал, как Гуров выругался вполголоса, и открыл глаза:

— Ты чего там шипишь?

— Зашипишь тут, — проворчал Гуров. — Тут лаять начнешь. Вот областной центр... э-э, «М» и областной центр «К». Это к примеру. Расположение одинаковое — центральная Россия, население миллионное и там и там. Уровень преступности одинаковый, раскрываемость, в принципе, тоже... Доля городского населения и сельского в одинаковых пропорциях, занятость по слоям, количество вузов, промышленных предприятий — все практически одинаковое. Даже граничат друг с другом.

— Названия у областей, что ли, разные? — пошутил Орлов. — Это иногда бывает. Терпи.

— Если бы названия, — не принял шутки Гуров. — В областном центре «К» затраты на выплату агентуре вдвое выше, чем в областном центре «М». Понимаешь? Это же на сколько нужно втирать нам очки, насколько нужно подкладывать рапорта под важные сообщения агентуры, чтобы списывать такие деньги? И ведь писал я, ты же сам выходил с этим вопросом на руководство. И что? Тишина третий месяц! Их за руку хватать нужно!

— Погоди хватать, — посоветовал Орлов. — Ты полковник, я генерал. Мне видней.

271

— Что, веяния новые?

— Грядут, — хмыкнул Орлов. — Кадровые перестановки грядут, вот я и подозреваю, что кто-то наверху припас себе компромата на некое или неких должностных лиц, чтобы надежнее свалить. Скоро опять погоны полетят и у нас, и на местах.

Дверь в кабинет распахнулась, и на пороге замер удивленный Крячко.

— Скучаете? — промурлыкал он.

— Все, полежал! — недовольно произнес Орлов, но попыток встать не сделал. — Веду себя тихо, никому не мешаю. Какой же ты все-таки вредный, Стас.

Крячко решил воздержаться от шуточек, потому что уже давно заметил, что Петр Орлов шутит тем чаще, чем хуже у него самочувствие. Он подошел к Гурову и присел рядом.

— Ориентировки на Миронова я отправил. В Рязани организовали засады в местах его наиболее вероятного появления. Теперь по убийству. Материалы я в МУРе забрал, со свидетелями сам переговорил, как ты и хотел. Мне кажется, что наш надзор там не нужен. Ребята сработали грамотно, план в порядке, у следователя замечаний нет. Только полное взаимопонимание, что бывает довольно редко.

Речь шла о преступлении, которое было взято на контроль Главком, и надзор за оперативной разработкой был поручен Гурову и Крячко. Теоретически удалось раскрыть его, как это называется в полиции, «по горячим следам».

— Раз считаешь, то пиши рапорт, — вполголоса посоветовал Гуров. — Только аргументируй. Придется попробовать тактично убедить в этом Петра.

— Слышу, слышу, — отозвался с дивана Орлов. — Ладно, убедили, но рапорт напишите.

— Перестраховщик! — с укором бросил Крячко.

— Начальник! — веско поправил Орлов и закряхтел, садясь на диване. — Ладно, с вами не полежишь. Чайку никто крепкого не заварит? Сейчас бы крепкого и сладкого.

— Стас заварит, — сказал Гуров, не поднимая головы. — У него все равно палец болит после вчерашней писанины.

Демонстративно и глубоко вздохнув, Крячко отправился заваривать чай в керамическом чайнике, в их кабинете

272

чайные пакетики не признавались. Колдуя возле столика с чайными принадлежностями, он стал рассказывать о происшествии, свидетелем которого был сегодня утром.

— Представляете, ребята, я когда в МУР отправился утром, решил, что на метро быстрее будет. Такие пробки с утра были внутри Садового кольца. Стою, жду поезда. И тут боковым зрением вижу, как что-то мелькнуло, и, главное, там, где мелькнуть не должно. Это я уже задним умом сообразил. А потом визг такой истошный со стороны пассажиров, а поезд...

— Стоп, стоп, Стас! — опешил Гуров. — Не гони так. Что случилось-то?

— Девушка под поезд бросилась, — уже лаконично сказал Крячко, немного огорченный тем, что ему не дали рассказать о всех своих ощущениях. — Тело мелькнуло, визг, а потом поезд вылетел из тоннеля.

— Жуть какая, — подал с дивана голос Орлов, — история специально для сердечников.

— Да я тоже в шоке был, — признался Крячко. — И, главное, минуту назад она только с парнем прощалась. Чмокнулись, и он, убежав на противоположную сторону платформы, сразу в поезд сел. Я эту сцену хорошо помню. А полминуты спустя она такое совершила.

— Может, ее столкнули? — не поверил Гуров. — Может, случайно кто-нибудь столкнул?

— Я, честно говоря, потолкался там немного. Сами знаете, ребята, как у нас народ в панику кидается. Я дежурному сообщил, «Скорую» вызвал, попытался очевидцев собрать, а потом смотрю, там камера видеонаблюдения есть. Я както не обращал внимания раньше, а она вдоль платформы направлена.

— Думаешь, что несчастный случай? — спросил Орлов, принимая из рук Крячко чашку с чаем.

— Не знаю, Петр. Пусть транспортная полиция разбирается, но я вот Льва Ивановича хочу спросить — как современная творческая интеллигенция в лице его жены относится к современной молодежи?

— Она к ней не относится, Стас, — с сожалением в голосе ответил Гуров. — Она уже старше, ближе к категории зрелых женщин.

— Вы вот все шутите, — возмутился Крячко, — а меня в самом деле волнует проблема современной молодежи. Я не удивлюсь, что эта девчонка покончила счеты с жизнью добровольно. И не смотрите на меня так, я помню, что про ее парня рассказывал. А вдруг он признавался ей, что полюбил другую и пришел попрощаться? А она просто ответила, что все нормально, что бывает такое, что это жизнь, а сама... Могло такое быть?

— Возможно и такое, — вспомнив стихи в Интернете, согласился Гуров. — Вообще-то, месяца не проходит, чтобы у нас в каком-нибудь городе старшеклассницы с крыши не спрыгнули или не утонул кто-то. Может, ты и прав, есть такая проблема.

— А я всегда говорил, что идет она из семьи, — проворчал Орлов. — У нас все кивают на полицию, на школу. А ведь то, что в семье закладывается, что оттуда идет, это уже ничем не исправить, никаким влиянием учителя, участкового. Если не заложено уважение к старшим изначально, если не привито то, что чужого брать нельзя, потом разговаривать уже поздно. И психику детям в семье уродуют, а не в школах на переменах. Вот откуда нам профилактику начинать надо, от корней!

Вечером Гуров решил, что домой не пойдет. Что-то не очень ему хотелось в одиночестве ужинать, таращиться перед сном в телевизор или не таращиться, но все равно в одиночку. Он позвонил профессору Лозовскому и приехал к нему в клинику. Борис Моисеевич, встретивший сыщика, выглядел усталым.

— Ну, как моя протеже? — поинтересовался Гуров.

— Знаете, Лев Иванович, я пока обследую ее, но в клинику не кладу...

— Знаю, — рассмеялся Гуров, — она с отцом живет у меня на даче, поэтому мы часто видимся.

— Да? Ну вот. Я считаю, что казенная обстановка все же подавляюще действует на психику, не стоит торопиться. Если понадобится серьезное лечение, если вскроется что-то такое... То, безусловно, я ее положу, назначу курс терапии, а пока пусть ночует рядом с родителем, гуляет на лоне природы, дышит свежим воздухом.

— Так вы разобрались с ее проблемой?

— Трудно сказать наверняка, Лев Иванович, — покачал головой профессор, — но факт нарушения имеет место. Ведь что такое работа нашего мозга? Это электрические импульсы, это биохимия, это реакции. Мало выявить, где и как нарушены связи, необходимо ведь определить причину. Потому что только от причины и следует принимать решение о том или ином способе лечения. Но ничего, это не самый сложный случай в моей практике. А я ведь хотел вас давно спросить, Лев Иванович, почему вы эту девочку ко мне решили привести? По идее, вы должны были подумать об Институте мозга, а вы к психиатру пришли. Что вас толкнуло на такое решение?

— Очень сложный вы вопрос задали, Борис Моисеевич, — рассмеялся Гуров. — Скорее всего, это тоже электричество и биохимия, реакции какие-то. Почему-то мне показалось, что нарушения чисто психического характера. Я ведь хоть и не психиатр, но людей за свою жизнь повидал много, всяких, да и контингент, с которым я всю жизнь общаюсь, тоже особенно здоровым не назовешь. Я когда с Татьяной познакомился, то сразу понял, что она нездорова. Что-то в ней такое было, давящее, что ли, подсказывающее, что в голове у нее беда. Вроде и дурочкой не назовешь, а все равно.

— Внешние признаки психического расстройства, — кивнул профессор. — Есть такой оборот. Человек сам не осознает свое психическое нездоровье, а организм выдает его.

Поговорив в Лозовским, Гуров вышел из клиники на улицу, посмотрел в ночное небо, на котором не было видно звезд, и решил, что за город он не поедет. Здесь огни рекламы, здесь уличные фонари, здесь небо даже ночью светлое. А там звезды, темнота, задумчивость. Нет, домой, поужинать и спать! Надо же, в конце концов, выспаться.

Гуров вдруг поймал себя на мысли, что стоило бы стихи из Интернета, подписанные коротким «Я», показать Борису Моисеевичу. Что сказал бы старый психиатр по поводу психического состояния автора? Согласился бы с мнением молодежи, что это «клево», что это оригинальное мировосприятие?

Лев все же не удержался и, поужинав, уселся за ноутбук. Вот и опять обсуждения театра поклонниками Ветрова. Кстати, сам молодой актер уже больше месяца не участвовал в обсуждениях. А вот и новое стихотворение. Гуров вздохнул, настроился и попытался прочитать его вслух и с выражением:

Та аллея, что ведет куда-то,
Что теряется в осенней черноте,
Одиночеству меня сосватав,
Позвала поплакать в темноте.

Я не шла — плыла в тиши как дымка,
Не жила, сливаясь с темнотой.
Я была болотная кувшинка
Над тяжелой топкою водой.

Я как облачко над спящею землею
Проплыла в гнетущей тишине.
Я была немою и слепою
И покорная невидимой волне.

И наутро с болью просыпалась,
Просыпалась мокрая от слез.
Где была я, где душа металась,
Где аллея тех полночных грез?

Мама моя родная, эту девочку срочно надо к Лозовскому! Гуров порылся в переписке и нашел свои обращения. Интересно, что ему ответили завсегдатаи форума? Хм, странную поэтессу, оказывается, никто не знал. Появилась она не так давно и ни с кем в контакты не вступает, хотя многие пытались с ней познакомиться. А «оценили» ее с того момента, когда именно Ветров высказался, что в стихах незнакомки под именем «Я» что-то есть, какая-то глубина. И пошло-поехало! Сразу все стали блистать глубокими познаниями в стихосложении. М-да, зря он затеял эту переписку.

Гуров решительно выключил ноутбук, улегся в постель и взял в руки пульт телевизора. Перебрав каналы, он остановился на старом фильме «Сердца четырех». Миленькая веселая мелодрама, которая с удовольствием смотрится во все времена, потому что насыщена позитивом, потому что там играют Серова, Целиковская, Самойлов. Мастерски сделанная картина, под которую Гуров и уснул. И снилась ему деревенская речка, дождь, перевернутая лодка на берегу. Он почему-то стоял под деревом, и капли дождя попадали ему за шиворот.

Глава 6

— Так, прошу внимания, товарищи офицеры! — Генерал Орлов строго постучал карандашом по столу и посмотрел на присутствующих поверх очков. — Планерка еще не окончена. Что еще по Рязани, Лев Иванович?

— Проработали канал того самого Равиля. Цепочка повела на Нижнюю Волгу и в Татарстан. Теперь придется это дело курировать до самого финала, потому что оно приобретает межрегиональный характер.

— По розыску Миронова что?

— По Миронову пока тишина. Ориентировки разосланы, места его появления определены, и их география постоянно расширяется. Пока он как в воду канул. В принципе, я даже имею в виду и пластическую операцию, и возможность пересечения границы по чужому паспорту.

— Хорошо, докладывай мне два раза в неделю, но учти, вопросы могут возникнуть у руководства в любой момент.

— Это как обычно, — кивнул Гуров с выражением сарказма на лице.

— Там по сводке у нас проходят, — продолжил Орлов, — два несчастных случая, как их обозвали журналисты. Прокуратура возбудила в обоих случаях уголовные дела, но думаю, что даже оперативников из МУРа они задействовать не будут. Лев Иванович, я попрошу тебя связаться с городским УВД. Пусть не ждут требований из прокуратуры, а сами начинают оперативную проверку.

— А что, есть основания сомневаться, что это не несчастные случаи? — поинтересовался Гуров.

— Не совсем. Точнее, немного не так!

Гуров с еще большим изумлением посмотрел на Орлова. Чтобы Петр не мог подобрать слов, отдавая распоряжение? Что это с ним?

— Если позволите, то я задержусь, — помог он Орлову. — Уточните задачу, чтобы всех не держать.

Орлов быстро глянул на полковника и согласно кивнул головой.

Наконец кабинет опустел, и он, тяжело поднявшись из-за стола для совещаний, неторопливо прошел к своему рабочему столу, по пути излагая ситуацию. Крячко подумал и решил тоже остаться в кабинете.

— Значит, так, прозорливый ты мой. Там все на самом деле не так просто. Ты правильно понял, Лев Иванович. Этот старый актер Белов очень хороший знакомый одного влиятельного человека. Одним словом, поступила просьба подключиться и разобраться, а не убийство ли это, грешным делом!

— Убийство? А сколько ему было лет? Семьдесят девять? Да перенесенный недавно инсульт.

— Ты хочешь, чтобы я отказался выполнить... просьбу? — вскинул брови Орлов.

— Я хочу, чтобы ты не особенно настраивался на иной результат.

Гуров чисто физиологически терпеть не мог таких вот «просьб» сверху. Это попахивало частной лавочкой. Кто-то наверху (и тот, кто просил, и тот, кого просили) считает, что это их личное пространство, что они вольны распоряжаться структурой МВД не по велению долга, а по собственному желанию. И все-таки ему приходилось выполнять такие приказы. Во-первых, он носил погоны, а значит, обязан был приказы выполнять. А во-вторых, не хотелось подставлять старого друга и коллегу Орлова.

Через два часа Гуров был на Тихвинской улице, где случилось несчастье. Крячко по его просьбе созвонился и привез на место оперативника из МУРа, который обслуживал эту зону, и местного участкового. Капитан Афанасьев был широк в плечах и одним только своим взглядом походил на матерого сыщика. Гуров знал Афанасьева по нескольким недавним делам, и представление о нем у полковника сложилось положительное.

А вот участковый не впечатлил. Щуплый, с тонкой шеей, лейтенант имел и фамилию очень несерьезную — Угрюмов. Он весело блестел глазами, его рот то и дело расплывался в счастливой улыбке. Возникало ощущение, что этого лейтенанта радовало все вокруг, даже два полковника из МВД, которые невесть почему заинтересовались этим несчастным случаем.

— Ну, кто первый? — спросил Гуров, окидывая взглядом двор дома. — Дайте картинку происшествия.

— Давай, Макс, — велел Афанасьев. — Сначала ты, ты же выезжал, когда его нашли.

— Давайте, — жизнерадостно согласился лейтенант. — Значит, так, мне в опорный пункт позвонил оперативный дежурный и сказал, что у подъезда этого дома нашли тело человека. Я, естественно, прибежал. Потом группа приехала, потому что уже знали, что тут труп. Я актера Белова знал лично, поэтому...

— Свои мнения и впечатления потом, — прервал лейтенанта Крячко. — Сначала картинку происшествия, факты.

— Хорошо. Он лежал вот здесь, лицом вниз, головой вон к той лавке. Окно на пятом этаже лестничной площадки было открыто. Возле тела стояли двое мужчин и четыре женщины. Все жильцы этого дома. Свидетелей самого падения не было. Данные всех шестерых я записал и степень их осведомленности тоже. Теперь можно...

— Что, никто не видел момента падения? — удивился Гуров.

— Выявить не удалось, — подтвердил Афанасьев. — Даже потом, когда подворный обход делали. И что тут удивляться, когда секундное дело?

— Хорошо, допустим, — согласился Лев. — А минуты, предшествовавшие смерти? Кто его видел незадолго перед трагедией, с кем он общался?

— Внучка, — кивнул Афанасьев, — Алена, девять лет. Она гуляла во дворе, он сидел на лавке, потом, как говорят другие очевидцы, а они в протоколе есть, Белов позвал внучку, и они пошли к подъезду. Все, после этого ничего. В присутствии матери мы девочку расспросили. Она рассказала, что побежала вперед дедушки, потому что в туалет сильно хотела. Ну, в общем, так его и не дождалась. Думала, что дедушка куда-то пошел, в магазин, например. А потом, когда соседи позвонили ее матери, то уж все выяснилось. Никого посторонних в подъезде девочка не видела.

— Значит, зашли в подъезд все, — подвел итог Гуров. — Интересно, а мертвая временная зона насколько велика?

— Мертвая зона была с момента, когда Белов и внучка находились, как мне кажется, на половине пути к подъезду. Им вслед из опрошенных никто не смотрел. Ну, пошли домой и пошли.

— Значит, кто-то мог войти следом, — добавил Крячко.

— Вы в самом деле считаете, что это было убийство? — спросил Афанасьев. — И что, есть основания так считать? Нам не удалось установить, что у Белова были враги, желавшие его смерти, или люди, у кого с ним просто были неприязненные отношения. Спокойный, уравновешенный дед.

— Только после перенесенного инсульта, — наконец вставил Угрюмов, — у него начались странности с головой. Заговаривался, забывал, мучили приступы головной боли.

— Это версия следствия? — спросил Гуров. — Самоубийство? А признаки предшествующего суициду настроения зафиксировали? Кто-то подтвердил? Дочь, которая является матерью этой внучки Алены, она ведь не боялась отпускать девочку со стариком на площадку. Значит, ничего подозрительного не было?

— Это вы точно подметили, — согласился Афанасьев. — Дочь очень была удивлена, что Белов выбросился из окна. Точнее, она в это не верит. Странности странностями, но он был нормальным живым человеком. А убивать его некому, мотива нет.

— Остается версия несчастного случая, — снова вставил Угрюмов, которому хотелось участвовать в профессиональном обсуждении с такими маститыми сыщиками из Главка. — Поднялся к себе на этаж, запыхался, не хватало воздуха. Вот он и открыл окно на лестничной площадке, чтобы подышать. Может, сильно воздуха не хватало, высунулся, а там... потерял равновесие, и все. Подоконник-то на уровне ниже пояса. Вполне мог выпасть.

— Кто-нибудь копию протокола осмотра места происшествия привез? — спросил Гуров на всякий случай, хотя догадался, что ни у кого никаких бумаг при себе нет.

— Я пытался, — несколько сконфуженно признался Афанасьев. — Знал, что захотите ознакомиться, но мне сказали, что вы должны сделать официальный запрос, и вам подготовят...

— Ладно, придется съездить к следователю, — проворчал Гуров. — Не думаю, что там удастся вычитать нечто особенное, но порядок есть порядок. Пошли, поднимемся в подъезд. Я хочу осмотреть окно, из которого он выпал.

Осмотр окна ничего Гурову не дал, кроме подтверждения слов участкового. Он открыл обе створки, примерился и лег животом на подоконник. Центр тяжести находился где-то в районе таза, а не ближе к груди.

— Как вы думаете, погибший был выше меня ростом?

— Высокий, — первым ответил Угрюмов. — Хотя когда тело лежит... Нет, вы с ним примерно одного роста, а обувь у него была примерно сорок второго или сорок третьего размера.

— Не получается, — проворчал Гуров, — никак не получается. Только если помогли, под ноги подтолкнули. Или помутнение в голове.

Вечером Лев посчитал необходимым зайти к Орлову с докладом по делу о гибели бывшего актера Белова.

— Вот это, — протянул он бланк, — запрос в прокуратуру о подготовке для нас копий протокола осмотра места происшествия и материалов вскрытия тела. Подпиши, пожалуйста, и завтра утром Крячко отвезет.

— Есть в этом необходимость? — с сомнением спросил Орлов. — Если ты их читал и ничего там интересного не нашел, то...

— Пусть лучше будут под рукой. Я не знаю, что завтра будет важным, а что не будет.

— У тебя сложилось определенное впечатление? — насторожился генерал. — Все-таки не веришь в несчастный случай?

— Петр, мы с тобой столько лет работаем в уголовном розыске, что пора уже перестать верить очевидному. Мы повидали множество несчастных случаев, которые выглядели как убийство, и знаем множество убийств, которые мастерски замаскировывали под несчастные случаи или самоубийство. Много было и нелепостей, и случайностей. Здесь нет мотива ни для самоубийства, ни для убийства. Вот что настораживает! А несчастный случай... Он может иметь место, но это пятьдесят на пятьдесят. Придется нам обращать внимание в сводках по Москве на все несчастные случаи со смертельным исходом.

— У тебя что-то в голове! Ну-ка, Лев Иванович, расскажи, что тебе твоя интуиция подсказывает?

— А она ничего не подсказывает. Она не особенно верит в несчастный случай, и всего лишь!

Гуров не ограничился бумагами. Он все же нашел время и встретился со следователем, который выезжал на место и составлял протокол осмотра. Потом он договорился о встрече с патологоанатомом и поинтересовался его впечатлениями, которые остались после вскрытия и не вошли в официальный протокол.

Ничего нового или особенного он не услышал, кроме подтверждения чисто житейских истин. Или подсказок человека, который вскрывал тысячи трупов, или следователя, через руки которого прошли сотни таких дел. Все сомневались, что Белов выпрыгнул из окна, все сомневались, что его кто-то выбросил из окна, никому не верилось, что он мог нечаянно вывалиться. Но факт был налицо, и с этим что-то надо было делать.

Два дня прошли в размышлениях, но в голове новые идеи не появились. На третий день, когда Гуров уже после работы приехал домой, позвонил Крячко и сказал, что пару минут назад по рации услышал о сообщении. Погиб молодой человек, свалившись в четырехметровую хорошо огороженную яму, вырытую для ремонта городского коллектора.

— Ты интересовался, вот я и звоню, — пояснил Стас. — Хочешь, я съезжу, сам на месте посмотрю, что там произошло?

— А ты почему позвонил?

— Не понял? — удивился Крячко.

— Что тебя заинтересовало в этом сообщении? Что ты необычного почувствовал? У нас за эти сутки разве не было сбитых пешеходов, несчастных случаев на стройках, на водоемах?

— А-а, вот ты о чем. Знаешь ли, ухо резануло, что котлован хорошо огорожен и к тому же освещен. Туда можно или умышленно прыгнуть, или...

— Где это? Я выезжаю!

Через час Гуров был на месте. Он стоял на краю большой ямы размером четыре на четыре метра и примерно такой же глубины. Внизу виднелись толстые трубы, какие-то гигантские вентили, деревянная опалубка или мостки. Котлован в самом деле был огорожен по всем правилам. Здесь не веревочки были натянуты, а установлен невысокий деревянный заборчик, а по углам горели красные сигнальные фонари. И бетонные блоки лежали со стороны проезжей части, чтобы какая-нибудь машина ненароком заборчик не протаранила и в яму не улетела.

Эксперт-криминалист с лупой снимал пинцетом какие-то невидимые нити с края доски забора. Было видно, что вертикальные стойки смещены, и тело лежало внизу как раз под этим местом. Резонно было предположить, что свалился парень именно здесь. Свидетелей падения, как уже выяснил Крячко, приехавший раньше Гурова, не было. Тело увидел участковый, который случайно шел мимо и, по привычке проверять порядок везде и во всем, заглянул вниз. Он же и попытался провести первый опрос прохожих.

— Что думаешь? — хмуря брови, спросил Гуров Крячко.

— Например, по малой нужде захотел, перешагнул заборчик и рухнул вниз. Или пьяный был, или обкуренный, или обколотый. Вот и потерял равновесие.

— Слишком хорошо одет для наркомана или алкаша, — проворчал Гуров. — Хотя мы с тобой это узнаем, когда следователь и эксперт закончат осмотр. Насчет твоих подозрений вскрытие подскажет.

— А что, прилично одетый человек не может быть пьяным или наркоманом? Может, он из богатой семьи, вот тебе и дорогая одежда. А наркоман он, к примеру, начинающий.

— Значит, ты категорически не хочешь произнести, что его могли умышленно толкнуть.

— Годы работы в уголовке подсказывают мне, что простое надлежит объяснять простым. И не искать всюду руку злодея. К тому же, сверху мало чего видно. Спустимся, тогда и выводы будем делать.

Гуров промолчал, потому что Станислав был прав на все сто процентов.

Они дождались, когда закончат составлять протокол и когда эксперт сложит все в свой объемистый серебристый чемоданчик. Только потом, получив разрешающий кивок, сыщики из Главка спустились вниз по шаткой деревянной лестнице. Внизу было очень грязно из-за протечек воды в момент разбора прогнивших труб.

Парень оказался симпатичным, насколько это можно было определить после того, как его обезобразила смерть. На вид около тридцати или чуть меньше. Темные, слегка вьющиеся волосы слиплись от запекшейся крови, а сама голова была не очень естественно вывернута. Во время падения он ударился головой о край большой трубы. Видимо, смерть наступила не столько от травмы черепа, сколько от множественных переломов шейных позвонков. И наступила мгновенно, потому что глаза трупа были приоткрыты, и в них еще сохранилось выражение напряжения и страха. Руки и ноги разбросаны безвольно, и это понятно, раз он летел с такой высоты.

Гуров наклонился к лицу покойника, но запаха алкоголя не уловил. Зато увидел, что лицо тщательно и очень аккуратно выбрито, виски аккуратно подстрижены, видимо, стрижка салонная, хотя точно сказать нельзя по слипшимся от крови волосам. Одежда не дешевая, не с рынка. И часы на руке дорогие, и бумажник был, Гуров слышал, как описывалось содержимое. Не ограбление.

Пришлось вылезать, потому что тело нужно увозить, и группу задерживать тоже не стоило. У них вся ночь впереди, а новый вызов может последовать в любую минуту.

— Так что там при нем интересного нашли? — спросил Гуров следователя.

— Вы про ценности? — задумчиво переспросила немолодая грузная женщина-следователь. — Наверное, все в наличии. Больше ста долларов, три с лишним тысячи рублями, две банковские пластиковые карточки, дорогой айфон. Да и нет впечатления, что у него по карманам кто-то шарил. Как упал, так и остался лежать нетронутым. Наверное, все же несчастный случай.

— А странных, неуместных вещей не было?

— А что сейчас считать неуместным или странным, когда парни глаза подводят и когда гигиенической губной помадой оба пола пользуются? Разве что платок.

— Какой платок?

— Сеня! Покажи платок! — обернулась к эксперту следователь.

Эксперт, уже взявшийся за ручку машины, остановился и кивнул Гурову головой, чтобы тот залез в дежурную «Газель». Там он на сиденье раскрыл чемоданчик и извлек прозрачный полиэтиленовый пакетик. В пакетике лежал белый батистовый носовой платок, явно не мужской, судя по способу обработки краев. И на нем было несколько пятнышек крови.

— Это его? — поинтересовался Гуров.

— Пока ничего сказать нельзя, — ответил эксперт. — Лежал в трех шагах от тела. В грязь не втоптан, не скомкан. А анализ крови сделаем в лаборатории, его это кровь или не его.

Гуров взял из рук эксперта пинцет, осторожно вытащил платок из пакетика и расправил белый квадратный кусок ткани. Да, носовой платок с фабричной обработкой краев.

— Ткань тонкая, края обработаны оверлоком. Платок явно женский, у мужских все проще, там подворачивают ткань и прострачивают. Не находите, а?

— Да, согласен, платок явно женский. Думаете, что его толкнула женщина?

— Может, и не толкнула, может, и сам упал, но в таком случае парень незадолго перед трагедией разговаривал с женщиной, может, ссорился с ней. И платок был в момент падения все еще в его руке.

Гуров поблагодарил эксперта и вышел из машины. Крячко разговаривал с участковым и подъехавшим оперативником, но, увидев, что Лев освободился, сразу подошел к нему.

— Надо его личность устанавливать и от нее плясать, — начал он. — Все может оказаться гораздо прозаичнее, потому что люди часто в состоянии аффекта падают, стукаются лбами, попадают под машины. А он ведь с кем-то недавно встречался, разговаривал, проблемы какие-то решал.

— Да, только пусть этим занимаются в МУРе и прокуратуре. Завтра ты поедешь в клиническую больницу, где лежал с инсультом Белов, а я с Афанасьевым и Угрюмовым пройдусь еще раз по квартирам. И с его дочерью хочется поговорить.

— Добро, договорились, — кивнул Крячко. — Я телефончик участкового и опера записал. Так что с этим попозже разберемся.

Часам к десяти вечера Гуров обошел с помощниками восемь квартир в подъезде, где жил бывший актер Белов. Отзывались о погибшем все, в основном, тепло. Многие его помнили еще молодым, или уж, как минимум, здоровым. Был он человеком улыбчивым, приветливым, любил детей и всегда останавливался, если кто-то из соседей с ребятишками у подъезда гулял.

Дочь Белова встретила Гурова настороженно. И это было понятно. Неужели все-таки старика кто-то убил, помог ему свалиться с пятого этажа? Думать об этом было неприятно и дико, хотя следствие еще не закончено и выводов никто окончательных не сделал. А теперь еще этот полковник из МВД. Но на вопросы Гурова она отвечала обстоятельно и с заметной грустью.

Профессиональная жизнь актера уже давно закончилась, и в последнее время он редко куда-то приглашался. В театре Белов уже не играл, два года назад снялся в эпизодической роли в одном фильме, да иногда ездил на торжества к знакомым актерам или в театр. А потом, после инсульта, вообще дальше двора никуда не ходил. Да и ходил-то он не очень.

Вечером Гуров и Крячко вернулись в свой кабинет в управлении. Лев сразу опустился на свой излюбленный диванчик у стены и откинулся головой на спинку. Крячко уселся и стал терпеливо ждать. У полковника Гурова что-то рождалось в голове, и этому процессу мешать не стоило. Крячко даже любил эти минуты, любил наблюдать, как после длительного и кропотливого процесса сбора информации в голове шефа начинают складываться в картинку разрозненные кусочки мозаики.

Гуров сидел и смотрел в окно на огни многоэтажек, на отсветы уличных фонарей, но видел внутренним взором, кажется, совсем иное.

— Слушай, Стас, — вдруг сказал он, — ну-ка, открой там папку на столе с копиями материалов по смерти Белова.

— Что посмотреть конкретно? — с готовностью спросил Крячко.

— Протокол осмотра места происшествия. Пробеги его вслух.

Крячко нашел копию протокола и стал читать. Время, дата, освещение, положение тела... Он дошел до описания одежды, признаков видимых повреждений и запнулся на словах «носовой платок». В самом деле, на теле погибшего Белова лежал белый носовой платок без рисунка с пятнышками крови. Крячко сразу все понял.

— Его надо посмотреть, — напряженным голосом предложил он.

— Во-от, — назидательным тоном произнес Гуров и для убедительности даже поднял вертикально указательный палец. — Это загадка как раз для двух таких старых олухов, как мы с тобой.

— Прошу не обобщать, — с улыбкой возразил Стас. — Я давно это понял, только не хотел субординацию нарушать. Ты шеф, это твоя прерогатива.

— Моя, моя, — кивал Гуров головой, а мысли его были уже не в этом кабинете.

Быстро пощелкав кнопками телефона, он набрал номер дочери погибшего актера.

— Извините, что так поздно беспокою, но ответьте мне еще на один вопрос. У вашего отца какие были носовые платки?

— Обычные, — замялась женщина, не понимая, как ответить на этот вопрос.

— Обычными у мужчин считаются клетчатые, — подсказал Гуров.

— Ну да, конечно. В основном, клетчатые. Я в последний раз покупала десяток одной упаковкой.

— В основном... Понятно. А еще какие были? Белые батистовые у него были? Или у вас?

— Простите, я вас не понимаю...

— На теле вашего отца, когда его обнаружили лежащим под окном, лежал белый батистовый платок.

— Может, это ветром принесло или кто-то уронил перед подъездом, а он, когда упал... — голос женщины задрожал.

— Он мог ваш платок взять? Без вашего ведома?

— Да нет у меня таких платков. Парочка есть, но не белых, да и не пользуюсь я платками. Я салфетки предпочитаю одноразовые. С ними и удобнее, и...

— Спасибо. Извините еще раз.

Гуров опустил руку с телефоном и посмотрел на Крячко. Тот взглянул на часы и молча пожал плечами. Сейчас они друг друга понимали без слов. Такое состояние возникало все чаще и чаще после долгих лет совместной работы. Оба подумали об одном и том же — хотя и поздно, но стоит позвонить следователю, который выезжал на место гибели актера Белова. Крячко порылся в бумагах на своем столе, нашел номер мобильного и набрал его. Когда пошел вызов, он поднялся и протянул мобильник Гурову.

— Да, слушаю, — отозвался женский голос.

— Добрый вечер, это полковник Гуров из Главного управления уголовного розыска. Не очень поздно для одного служебного вопроса?

— Не очень. Тем более что я еще в кабинете.

— Вот и мы тоже, — хмыкнул Лев. — Я по поводу смерти актера Белова. Помните, вы выезжали на место?

— Конечно. А что вас интересует?

— Платок, который лежал на теле погибшего во время осмотра и составления протокола. Помните такой белый платочек? Вы его еще в протокол внесли.

— Помню, и что?

— У вас впечатления какие-нибудь сложились по этому поводу? Мы на месте не были, а вы первая, кто его осматривал. Ассоциации какие-нибудь, невольные мысли?

— А-а, да, были. Лежал этот платок странно. Я, честно говоря, еще личные вещи не возвращала родственникам, но мысль расспросить дочь о нем у меня была. В самом деле, возникла у меня тогда мысль, что платок не в руке погибшего зажат, не рядом валяется, как если бы вывалился у него во время падения из кармана или из руки, а лежит на теле так, словно его кто-то специально небрежно бросил на труп.

— Скажите, а платок в морге с вещами погибшего или у эксперта?

— Платок? Нет, он у эксперта. Мы его изымали, а что? У вас есть какие-то мысли на этот счет?

— Пока только подозрения. Вы не знаете, а эксперт ваш уже ушел или...

— Не он, а она. Еще не ушла, я ее как раз жду, чтобы...

Убедить следователя в том, что сыщикам из Главка срочно нужно посмотреть на этот платочек, было не сложно, потому что она тут же почувствовала важность этого звонка. Опытный следователь обычно доверяет нюху сыщика, который с ним работает, его опыту и тем сведениям, которые тот добывает оперативным путем. Пусть оперативные данные и не включают в уголовное дело, но опираться на них приходится, помощь в расследовании они могут принести очень большую. Следователь мгновенно «загорелась», тем более что это был сыщик не из МУРа или районного УВД, а из самого Главка.

Через час Гуров и Крячко были в кабинете следователя и рассматривали платок. Он был точно такой же, как и найденный неподалеку от тела погибшего в котловане парня. Пообещав следователю, что они будут держать ее в курсе, если связь подтвердится, сыщики уехали.

— Может, это ритуальное убийство? — размышлял вслух Крячко, ведя машину по ночной улице. — Толкают жертву, бросают окровавленный платок и взывают к духу какого-нибудь демона.

— Не окровавленный, а со следами крови, — поправил Гуров. — Буквально несколько капелек.

— Для ритуала вполне подходит. Капнуть на платок пару капель, буквально окропить. Интересно, что даст экспертиза крови?

— Конан Дойль! — вздохнул Гуров.

— Почему Конан Дойль? — не понял Крячко.

— Был у него один рассказ. Мститель приехал в Лондон и предлагал своим жертвам выпить таблетку из двух предложенных. Одна безобидная, а вторая — яд. Так сказать, месть на волю судьбы. Но не в этом дело, там мститель оставлял следы крови на стене, надпись какую-то. И у нас тоже следы крови, только на платке. И трупы.

— И тоже без признаков насильственной смерти, — добавил Крячко.

— Вот-вот!

— Слушай, но тогда нам придется поднимать всю жизнь обоих погибших, чтобы найти там связывающее их с убийцей. И потом попытаться понять, как убийства были совершены?

— Возможно, что и придется, — согласился Гуров. — И еще с психологами проконсультироваться. Может, платок что-то означает, символизирует, какой-то образ создает в глубинах человеческого мозга. Лично я из своего опыта ничего подобного не помню. А два случая — это уже намек на серию. Только серийного убийцы нам и не хватало.

— Ты, Лев Иванович, всегда говорил иное. Один случай — это случай, два случая — совпадение, а три — закономерность. Боже упаси нас, конечно, от третьего трупа, но не спешишь ли ты с выводами? Ты же знаешь, что совпадения иногда бывают настолько фантастическими, что и...

Крячко вдруг замолчал на полуслове, потом крутнул руль и резко нажал на тормоз. Гуров от неожиданности схватился одной рукой за ручку двери, а второй уперся в панель перед собой. Он с недоумением и беспокойством посмотрел на напарника, потом прислушался к звуку мотора машины.

Крячко глубоко вздохнул и чуть ли не со стоном и с нарочитой медлительностью выключил зажигание. Мотор послушно замолчал. Станислав почесал лоб, уперся руками в рулевое колесо и в глубочайшей задумчивости уставился вперед, сквозь лобовое стекло.

— Чайник забыл выключить? — спросил Гуров, которому уже надоело ждать пояснений.

— Чайник? Нет, чайник я выключил, — грустно ответил Крячко. — Про олухов ты хорошо сказал.

— Я сказал про старых олухов, — напомнил Гуров.

— И про старых тоже, — кивнул Крячко. — А ведь есть третий платочек, Лева.

— Что-о?

— Помнишь, я пришел и принялся рассказывать вам с Петром в кабинете про то, как девушка упала под поезд на станции метро? Я тогда не сразу ушел оттуда. Пока помог вызвать оперативные службы, пока попытался свидетелей выявить, место происшествия от затаптывания сохранить. Ну ты понимаешь, о чем я. А потом, когда группа приехала, когда пассажиров убрали, и станцию перекрыли, я там побродил немного. Поразмышлял, попытался картинку из подсознания вытащить. Это ведь все случилось чуть ли не на моих глазах. Попытался вспомнить приметы людей, которые рядом с ней стояли. Бродил, бродил и отошел к колонне. А там лавка мраморная для пассажиров. И платок там лежал. Не белоснежный, конечно, наступили на него, и не один раз, но то, что он женский, я почему-то тогда подумал. Просто мимоходом отметил, а потом забыл напрочь, потому что он не имел отношения к случившемуся.

А платок точно был, и примерно такого же качества. И капельки крови на нем, несмотря на следы обуви, я заметил. Тут можешь не сомневаться, я ведь сыщик. Чего-чего, а кровь уже на подсознании запоминается.

— Я и не сомневаюсь. Только...

— Вот и я сейчас подумал, что платок в стороне валялся, не на теле. Может, и совпадение. Вдруг человека толкнули в толпе, и у него кровь носом пошла, ведь давка какая была? Мог случайно обронить. А если мы утверждаем, что он женский, то «могла обронить». Вот тебе и совпадение, да?

— А мог убийца, если он толкнул жертву на рельсы, бросить платок на тело, как в двух последних случаях? Подумай, ты же там был.

— Наверное, не мог. Во-первых, тело было уже под поездом. Во-вторых, ему сматываться срочно надо было с места преступления, пока кто-то не вспомнил, что видел его в толпе.

— И даже если бы мы нашли платочек на трупе девушки под поездом, то не было бы у нас причин сомневаться, что платок не ее. И не было бы причин удивляться, почему на платке кровь. Тело-то, я думаю, было... — Гуров поморщился и покачал головой. — Давай, Стас, разворачивайся. У нас десять минут до закрытия станции, успеем.

Они опоздали на пять минут, но работники, проводившие уборку, и ремонтники были еще в вестибюле. Предъявив удостоверение, Гуров взял за рукав дежурного полицейского лейтенанта и велел проводить вниз, на перрон. С дежурным они беспрепятственно прошли по вестибюлю, им даже включили эскалатор.

— Вот тут, — показал рукой Крячко и повел Гурова к краю платформы. — Да, точно. Здесь.

— Покажи, где ты стоял, а где стояла она, — велел Гуров Станиславу, не обращая внимание на вопрошающее лицо лейтенанта.

— Я стоял вот здесь. Да. Народ стекался с обоих эскалаторов и кучковался ближе к началу поезда и к хвосту. Здесь передо мной было человека четыре. Девушка появилась вот отсюда. — Крячко перешел на новое место и показал, как девушка подошла. — Парень был рядом. Они остановились, не протискиваясь к краю платформы, она повернулась к нему, приподнялась на носки и поцеловала. Он тут же повернулся и бросился на другую сторону, потому что там подходил поезд. Она ему махнула вслед, а потом неторопливо пошла к краю платформы.

— Грустная? Это не было расставанием навеки? В каком она была состоянии, не заметил?

— Нет! Я на чем хочешь могу поклясться, — заверил Крячко, — в нормальном состоянии она была, никакого намека на суицид. Не скажу, что веселая, но мрачной не была точно.

— Хорошо, протиснулась она к краю платформы, — продолжал Гуров допрос, — а дальше что? Как она себя вела дальше? Встала на самый край в нетерпении, чтобы первой в вагон зайти, старушку вперед себя пропустила, поздоровалась с кем-то за руку, кивком, поцелуем в щечку?

— Не-не-не, — закрутил головой Стас. — Ничего подобного. Просто подошла к краю, народ стал уплотнять свои ряды, потому что из тоннеля послышался звук поезда. Я и сам машинально глянул туда, откуда он должен был появиться. И тут боковым зрением все и увидел.

— Так повтори еще раз, что ты увидел боковым зрением, — нетерпеливо потребовал Гуров.

— Как бы тебе сказать, — пожевал Крячко губами в задумчивости. — Не то чтобы резко метнувшееся тело. Нет. Наверное, резкий взмах рукой. Взмах ее руки, когда она полетела вниз на рельсы. В такие секунды люди за воздух пытаются ухватиться. Народ, естественно, колыхнулся при этом. Это уже вторая фаза. Сначала все назад, потом большая часть вперед, но было поздно. И визги, конечно, душераздирающие. Я думаю, что тот, кто толкнул, на этих волнах толпы и скрылся незамеченным. Там же потом многие зажимали рты и пытались отбежать от края платформы.

Утром Гуров и Крячко попросили задержаться в кабинете у Орлова после планерки. Генерал внимательно посмотрел на сыщиков, на часы и разрешил. И только когда кабинет опустел, Гуров заговорил:

— Петр, я очень коротко. Не хотел при остальных сотрудниках, потому что продолжаю надеяться, что это все не так. Но учти, я думал всю ночь, взвешивал, анализировал и вот теперь готов сделать выводы.

— Убедительно, я понял тебя, — кивнул Орлов, нахмурившись. Он явно не ждал ничего хорошего.

Гуров коротко пересказал историю трех смертей и привязанных к ним носовых платочков, даже вытащил из кармана и протянул как образец новый чистый платок, который они с Крячко купили ночью в гипермаркете.

Орлов взял платок в руки, пощупал его, зачем-то перевернул на другую сторону и наконец изрек:

— Женский. Самый обычный и недорогой.

— Это серия, Петр, — торопливо произнес Гуров. — И не делай вид, что ты этого не понимаешь.

— Если бы я тебя не знал еще сопливым капитаном, мальчишкой, который то и дело краснел щеками, я бы сейчас послал тебя... э-э, делом заниматься, — с задумчивым видом кивнул Орлов.

— Теперь он уже краснеет чисто гипертонически, — поддакнул Крячко. — И не щеками, а намечающейся лысиной. Но ты по-прежнему веришь в его интуицию.

— А ты-то согласен? — повернулся генерал к Стасу.

— Вот когда я про третий платочек вспомнил, в смысле, про первый, если придерживаться четкой хронологии, то сразу и поверил. — Крячко некоторое время помолчал, глядя с довольным видом на Гурова и генерала, а потом брякнул: — Если, конечно, он был первым, а не пятым. Кто ж на них внимание обращал? Мы и то не сразу обратили.

— Типун тебе... — вяло поморщился Орлов. — Пятый! Ладно, что делать дальше будем? Циркуляр рассылать по структуре? Призывать вспоминать про платочки на трупах? С большим энтузиазмом никто не станет вспоминать, значит, надо раскручивать без лишнего шума эти три случая. И добираться до самых низов и истоков.

— Тут я согласен, — ответил Гуров. — Хуже нет, когда министерство инициирует панические слухи. Одним словом, мы со Стасом берем это дело под себя, и берем очень плотно. Второе! По-серьезному озадачиваем оперативников из МУРа, на чьих зонах эти трупы проявились. Потом, это уже через тебя, Петр, нужны железные бумажки в Следственное управление и в городскую прокуратуру. Чтобы нам беспрепятственно показали уголовные дела. И показывали впредь. Если каждое дело будем согласовывать при нашей бюрократии, то разрешение получим через месяц.

— Напрягаем участковую службу, — предложил Крячко. — Все неблагополучные семьи, все с суицидными наклонностями, все состоящие на учетах территориально. Отдельно продублировать психоневрологические диспансеры и проконсультироваться со светилами в этой области. Просто так платочки на трупы не бросают.

— Хорошо, согласен, — кивнул Орлов. — К вечеру набросайте план работы. Подготовьте на подпись мне необходимые письма и запросы. И... ребята, давайте аккуратнее. Не дай бог, просочится наружу... Пока у нас, кроме оперативной информации, нет ничего.

Глава 7

Огромный поток информации, писем, справок, отчетов стал иссякать, как ручей весной, вытекавший из-под снежного наста. Солнце припекает, снежный наст садится, и на земле только следы бывшего шумного ручейка, несущего старые сухие листья, окурки и сосновую хвою.

Примерно такое происходит и в конце первых двух недель работы над очередным делом. За первую неделю, что Гуров вернулся из Рязани в Москву, к нему через канцелярию Главка стекалась все информация о работе по наркоканалу Миронова. Отработали поставщиков, отработали каналы сбыта, представителей, расставили сети на самого скрывшегося Мирона. Но поток иссяк, как иссяк и энтузиазм местных полицейских начальников. Отчитались, отработали, и теперь это неприятная и бесполезная рутина, от которой министерство никак не хочет отказаться. Шлют и шлют запросы о дополнительных мероприятиях, а смысла в них уже никакого.

И все же, как еще обычно бывает в работе уголовного розыска, грамотно расставленные сети приносят рыбку. И очень часто крупную.

Гуров зарылся с головой в поток информации о жизни и связях трех погибших и почти не вылезал из кабинета. Выбросившийся из окна бывший актер Александр Белов, менеджер по продажам фирмы «Технолизинг» Сергей Бочаров и студентка Гуманитарного университета Оксана Чуканова. Кто эти люди, что их могло связывать, кроме причин смерти? Личность убийцы? Нелепость случайной смерти? Обе версии предстояло проверить самым тщательным образом.

Гуров звонил, требовал из МУРа новых сведений, давал очередные задания. И когда Крячко ворвался в кабинет, он поднял на него очень недовольное лицо. Стас ему был нужен уже давно, а найти его Лев никак не мог. Теперь он намеревался очень серьезно выяснить, какого черта Крячко выключает телефон и не выходит на связь, когда вокруг кипит такая работа и сам Гуров...

Почему-то стало ясно, что ворчать и выражать иным способом недовольство не стоит. У балагура и зубоскала Крячко такое лицо бывает всегда, когда наклевывается что-то серьезное. Сейчас он вошел именно с таким лицом.

— Лев, я на Мирона вышел! — на ходу бросил Стас Гурову и, достав из холодильника бутылку воды, приник к ней, гулко глотая воду и шевеля небритым кадыком.

— Ты серьезно?

— Вполне. Я же по старинке люблю работать, без всяких этих экспертиз, полиграфов.

— Стас, полиграфы у нас не используются. Давай рассказывай!

— Вот и я о том же, — с довольным видом кота, наевшегося сметаны, согласился Крячко. — Агентуру надо иметь толковую, с людьми работать надо. — Он уселся за свой рабочий стол, с наслаждением вытянул ноги и откинулся на спинку кресла. — Короче, опознали его по описанию, а потом по фотке. Сдали гаврика! Он в Москве решил на дно лечь, умник. Как бабла срубить, как преступный бизнес организовать, это они хорошо соображают, а вот прятаться не умеют. Он решил, что в многомиллионном городе затеряться легко, что тут черт ногу сломит. Не понимает, дурак, что эффективнее всего наша работа строится там, где населения больше, там, где оно гуще.

— Стас, ты кончишь баланду травить? — холодно осведомился Гуров. — Если напрашиваешься на похвалу, то молодец. С другим бы я не стал столько лет кабинет делить. Еще что?

— Достаточно, — недовольно буркнул Крячко. — Эх, не допросишься у тебя простой похвалы. Нет, чтобы душу погреть старому полковнику.

— У старого полковника теперь заплата большая, а пенсия будет еще лучше. Стас, мне не до шуток!

— Улица Новослободская, дом тридцать шесть, квартира двенадцать. Живет там одна «маруха», которая ему и жратву готовит, и связь с миром держит. Насколько я понял, дорогонько этому Мирону «хаза» досталась. Из-за этой крыши над головой он все свое богатство растерял. Обобрали его упыри уголовные, «облагодетельствовали». Спрятали, а взамен почти все заработанное на конопле отобрали. Жизнь якобы дороже. Волчары!

— Информация точная? — на всякий случай спросил Гуров. — Не подстава?

— Уверен. В квартире живет Катька Северная. Это «погоняло», а фамилия у нее Северцева. Деваха с историей и с солидным прошлым. По малолетке отсидела под Вологдой пять лет за разбой. Пытались на клофелине одного дельца обчистить, а им помешали. Пришлось с боем прорываться, кое-кого порезали, вот разбой и получили. Там же в колонии, когда ее на «бесконвойку» перевели, познакомилась с одной бабой из обслуги. Еще та лярва, которой самой зону топтать пора, а она... ну, неважно. Короче, эта баба подложила Катьку, а была она тогда симпатичной девкой, под сынка своего. А тот возьми и влюбись. И Катька не промах оказалась, подловила на криминале мамашу, шантажировать стала. Та и решила, что дешевле обойдется на мировую пойти. Квартиру им купила в Москве.

Крячко рассказывал по памяти, а память была у него феноменальной. Он помнил имена, фамилии, клички, перечень татуировок, связи практически всех уголовников, с которыми его сводила работа. И сейчас он рассказывал все это Гурову не потому, что это было важно для дела, сколько для того, чтобы намертво уложить информацию в своей голове, а потом, когда она понадобится, взять ее оттуда, стряхнуть пыль многих лет и использовать по назначению. Гуров процессу не мешал.

— Фраерок ее, — продолжал рассказывать Крячко, — быстро сгорел, так ничего путного в жизни и не совершив. Водка, «колеса», потом укольчики. А Катька осталась хозяйничать. Впрочем, ее довольно быстро разыскали прежние дружки. Но вела она себя по-умному. Никаких пьянок и кутежей не позволяла, не светилась в глазах общественности и органов. Но МУР давно к ней присматривается и не первого «лежака» оттуда снимает. Но делают грамотно, берут после того, как пару суток «поводят». Вот под этим «колпаком» я Мирона и надыбал.

— И сколько он там лежать будет? Не хотелось бы местным операм картинку ломать, Стас, но пора эту блатхату брать.

— Согласен. Я, кстати, их убедил, но своим способом. Катьке пару дней назад, по моим данным, слили «рыжья» на несколько десятков тонн баксов. Это те же ухари, которые за две недели в Москве и Подмосковье грабанули четыре ювелирных и два салона связи. Брать надо всю цепочку, пока она не оборвалась, а Катюху возвращать на нары. Хватит ей прохлаждаться.

— Тогда планируй операцию, — велел Гуров. — Сейчас сочиним задание от Главка, подпишем у Петра, и вперед, под нашим чутким руководством.

— Да я... вообще-то, начал уже, — с виноватым видом признался Крячко. — Извини, но твою реакцию я предвидел и кое-что предпринял.

— Да? Ну ладно, — спокойно отреагировал Гуров.

Умел Стас, когда это было необходимо, лавировать и организовывать процесс, как ему было нужно и для пользы дела. Попадало ему за «самодеятельность» часто, но Орлов полковника покрывал и в обиду не давал, хотя сам ругал частенько. Но в этом был весь Крячко. Эмоциональный, на вид мужиковатый и простецкий, а, по сути, хитрый старый лис, умеющий просчитывать ситуацию на несколько шагов вперед и с большим пренебрежением относящийся к тому, как на это посмотрит начальство, если была польза для дела.

— Значит так, МУР завертелся, — стал Крячко загибать пальцы, — с ОМОНом я договорился, но бумажечку от нас все равно надо. Это я сейчас сочиню и Петру подложу на подпись. Дальше, квартирку мы под плотным наблюдением подержим еще пару суток. В МУРе уже подготовили обоснование и разрешение на прослушку сегодня получили.

— Как это они успели? — с сомнением спросил Гуров.

— Связи, Лев Иванович, — наставительно заметил Крячко, — с людьми работать надо. Каналы мы перекроем, так что ни люди, ни товар оттуда не уйдут. А уйдут, так мы их на перевозке возьмем.

— Связь у Мирона с миром есть?

— Есть, но он ни с кем не толковал и дел не имел. Чисто отлеживается и ждет удобного случая слинять, когда степень накала розыска уменьшится.

Двое суток пролетели быстро. Точнее, пронеслись практически незаметно. Гуров в завале информации едва успевал отмечать, как солнце снова клонилось к девятиэтажкам за окном, а потом наступали сумерки.

Операцию решили проводить утром, потому что сложились очень удобные обстоятельства. «Прослушка» сообщила, что к Катьке около десяти утра должен зайти некто Тыква, который предупредил об этом по телефону. По оперативным учетам МУРа проходил некто Тыква из мелкоуголовной братии. Не использовать такой вариант было глупо.

Тыкву взяли за квартал от 36-го дома и сразу посадили в автобус ОМОНа. Пухлый парень с широко раскрытыми глазами таращился на здоровенных омоновцев в черных масках и судорожно соображал, во что он влип, в какое серьезное дело. Опера быстро объяснили, что Тыкве грозит, если он не будет вести себя лояльно, и какое послабление получит, если выполнит все, что от него требуется.

Тыква оказался сообразительным и трусоватым. Через час он уже стоял перед дверью с номером «12» и жал на кнопку звонка. Опера, чтобы сохранить тайну захвата, стояли по бокам вне поля обзора с дверного глазка. Никаких омоновцев в подъезде не было. Риск, конечно, но шум решили не поднимать. Была надежда, что в квартиру еще какое-то время будут идти «интересные» люди. А там их ждала бы засада. ОМОН держали наготове, на случай перестрелки и необходимости оцепления района.

На звонок никто не реагировал. Наконец старший группы оперативников решился и нажал на ручку двери. Она медленно и со зловещим скрипом открылась. Держа наготове пистолеты и поочередно проверяя все внутренние помещения, оперативники вошли в квартиру, и уже в спальне перед ними предстала неутешительная картина. Человек, по комплекции похожий на Мирона, лежал на двуспальной кровати с высокой спинкой. Руки и ноги его были привязаны женскими колготками, брюки недвусмысленно расстегнуты, на лице лежала подушка. Этот факт наводил на не очень веселые размышления.

Когда подушку сняли, то увидели, что это в самом деле Миронов. Правда, лицо его было искажено конвульсиями асфиксии и чуть тронуто синевой, присущей лицам задушенных, которая появляется уже через пару-тройку часов после смерти. Никого в квартире больше не было.

Гуров и Крячко, ожидавшие результат операции по захвату в автобусе, получили извещение о найденном трупе и быстро поднялись в квартиру. Никто из оперов МУРа, участвующих в этой операции, не знал об истории с носовыми платками, которые стали находить на трупах. Поэтому они не придали значения увиденному и были крайне удивлены реакции двух полковников из Главка.

— Твою ж мать, — недобрым голосом прорычал Крячко, подходя к кровати и наклоняясь к платку, что лежал на груди трупа, — четвертый!

— И капельки крови алели на нем, как сочные ягоды, — процитировал Гуров. — Только теперь это уже не лезет ни в какие ворота.

Беглый осмотр, это пока все, что можно было себе позволить. Срочно пришлось всех удалять из квартиры, потому что там предстояло работать криминалистам из оперативно-следственной группы. Им нужны следы, а оперативники и так наследили сверх всякой меры. Войти и продолжить осмотр можно будет после криминалистов и составления следователем протокола осмотра места преступления.

Сидеть в духоте автобуса не хотелось. Гуров предложил пройтись, может, и по чашечке кофе выпить, если таковое место рядом найдется. Час или полтора у них в запасе был.

— Ну, что ты думаешь по этому поводу? — как обычно задал вопрос Гуров.

— Насколько я понимаю в сексе, он был привязан женщиной. И именно для ролевых сексуальных игр. Только его партнерша решила изменить финал.

— Финал?

— Да, виноват, — поспешно поправился Крячко. — Не финал. Там до физиологического контакта не дошло. Была прелюдия, а потом она его задушила подушкой. Вопрос первый: а она ли? Но ответить на него смогут только эксперты, был ли там еще какой-то мужчина, был ли второй человек или нет.

— Но в любом случае женщина, с которой Миронов собирался заниматься сексом, была ему хорошо знакома. Его не насильно привязывали. И в квартиру она как-то попала.

— Значит, ты уверен, что задушила его не Катька? — покосился на Гурова Крячко. — Может, ты и прав. Душить в своей квартире и бежать потом... Слишком она предприимчива и хитра для того, чтобы совершать такие глупые поступки. Даже если это инсценировка, даже если кто-то захотел выставить ее невиновной. Например, она ушла в магазин, а тут вон что. Не лепится. Ее срочно брать надо, эту Катьку. Не исключено, что она сейчас очень далеко или очень глубоко.

— Что-то мне подсказывает, что твоя Катька и не подозревает о случившемся, — вдруг сказал Гуров.

— А подробнее?

— Если бы я мог тебе подробнее рассказать, что ощущаю, — проворчал Гуров. — Так, интуиция, аура места преступления, если хочешь. Теперь нам остается только ждать. МУР по своим каналам взялся за розыск Северцевой, причину смерти установит вскрытие, эксперты поищут следы в квартире, соотнесут со своей картотекой. Хочешь не хочешь, а нам сидеть и ждать.

— Что-то ты упорно, Лев Иванович, обходишь тему платка, — напомнил Крячко.

— Обхожу, — с некоторым унынием в голосе ответил Гуров. — Обхожу, потому что на данный момент у меня в голове ни единой мыслишки и догадки по этому поводу нет. Если три платка на трех предыдущих трупах я себе еще мог как-то объяснить, то этот...

— Да уж, — кивнул Крячко и оживился, показав рукой на «Кофейню». — Вон, пойдем посидим.

Гуров молча повернул в сторону «Кофейни». Станислав шел рядом и молчал. Потом, наконец, предложил:

— Слушай, а давай исходный посыл поменяем. Что мы все с тобой про месть говорим и от мести отталкиваемся? А если это чистая мания? Давай поговорим, например, с тем же самым Лозовским. Укладывается такой поступок в схему, предложенную современной наукой, или не укладывается? Тут, может, и нет никакой личной неприязни, может, вообще нет личного знакомства.

— Миронов, — напомнил Гуров с невеселыми интонациями.

— Миронов — да, — вынужден был согласиться Крячко. — Миронов тут не лепится. Но любое правило тем и хорошо, что всегда случаются исключения. Они там... э-э, лобзались на кровати, он ей или она себе сама губу прикусила. Вот тебе и платок с капельками крови!

— Ага, а потом обиделась и придушила его подушкой. И где в этот момент была Катька? И почему это не могла быть Катька?

— Катька не шалава, она под каждого не ляжет, — авторитетно заявил Крячко. — Это я выяснил. Она себе цену знала и в любовь верила.

— И по любви замуж вышла, — усмехнулся Гуров.

— Тот случай как раз из разряда жизненной хитрости. Это не система. А с Миронова ей взять было нечего, хотя... влюбиться в него она могла. Только остается вопрос, а зачем ей Мирона убивать? Только если Катька и есть тот самый маньяк, который ходит по Москве и убивает прохожих.

— А если она специально ушла, чтобы дать гостю возможность поваляться с девочкой? Например, он вызвал проститутку, а та решила грабануть квартиру. Если это бригада, которая на грабежах под видом сексуальных услуг специализируется?

— Сколько мы с тобой версий уже набросали, — с сожалением констатировал Крячко, открывая дверь в «Кофейню», — и все отрабатывать надо.

Телефон у Крячко зазвонил, когда они с Гуровым пили уже по второй чашке кофе со сливками и набрасывали в блокноте дополнительный план работы по делу «о платках».

302

В связи, так сказать, с вновь открывшимися обстоятельствами.

— Слушаю, — отозвался Станислав.

— Товарищ полковник, Екатерина Северцева идет по улице по направлению к своему дому.

— Ух ты... — Крячко поперхнулся кофе и потянулся за салфеткой. — Как ведет себя?

— Спокойно. Свернула к подъезду. Остановилась с какой-то женщиной... сейчас микрофон включим... болтают про дворника-узбека. Явно собирается подняться домой. Что делать будем?

Крячко посмотрел на энергично жестикулирующего Гурова и ответил в трубку:

— Сообщить наверх, чтобы затихли. И от двери снаружи постового уберите. Пусть она войдет, а там зафиксируйте ее реакцию. Потом берите. Мы с полковником Гуровым сейчас будем.

— Так, события развиваются как в сказке, — допивая кофе и поднимаясь на ноги сказал Гуров, — чем дальше, тем страшнее. Дурдом, а не «дело». До чего же все нелепо!

Когда полковники поднялись в квартиру, молодой следователь уже топтался у дверей.

— Могу вам Северцеву оставить на некоторое время, — предложил он, — но потом уж привезите ее ко мне. Боюсь, что придется ее арестовать.

— Что, есть основания? — насторожился Гуров. — Как она себя вообще вела?

— Основание простое — приказ начальства. Судимая, сбыт краденнго, в квартире труп человека, находящегося в розыске. Меня никто не поймет, если я ее хотя бы на трое суток не задержу. А вела она себя вполне натурально. Хорошо, что мы успели свою работу закончить, и я всех выгнал, с двумя оперативниками в спальне ее ждал. Она, как дверь открыла, так и села на пол. Только потом нас увидела, и даже с каким-то облегчением посмотрела на полицейскую форму.

— Это она из практических соображений, — хмыкнул Крячко. — Представила, что бы ей пришлось делать, если бы она без свидетелей все это обнаружила. Голову сломаешь, прежде чем придумаешь. А тут все без нее решили. Только лапки вверх, и глазки в пол стыдливо.

Договорившись со следователем, Гуров и Крячко вошли в большую комнату, где под охраной молодого оперативника из МУРа сидела в кресле девушка. И только приглядевшись к ней, можно было понять, что девушке уже под сорок, стройность фигуры и нежность кожи она сумела сохранить, лишь в волосах еле заметно проглядывала ранняя седина.

— Я — полковник Гуров, — представился Лев, усаживаясь напротив женщины в кресло. — Главное управление уголовного розыска МВД России.

— Я должна испугаться? — хмуро буркнула женщина из-под опустившихся на лицо волос.

— Нет, вы должны понять, что вляпались в очень непростую ситуацию. Что здесь произошло?

— А вы не видели? — Она подняла заплаканное лицо на сыщика и сверкнула карими глазами. — Сходите, посмотрите. Там он лежит, в спальне.

— Кажется, вы испытываете к Миронову чисто женскую симпатию, — догадался Гуров. — Что ж, парень он видный, говорят, умел красиво ухаживать.

— Ой, только вот не надо с вашими милицейскими понтами и подходиками! — скривилась женщина.

— Вы многое в жизни пропустили, Северцева. И милиция давно уже называется полицией, и вы уже не девочка, на которую такие парни заглядываются, и женские радости как-то мимо вас прошли. Не те ориентиры вы выбрали в жизни, не те.

— А я на фабрике должна была вкалывать? На камвольном комбинате?

— Не надо воровской философии, — брезгливо поморщился Гуров. — Работать, видите ли, западло! Хватит! Я, детка, полковник, а не сопливый лейтенант. Я вашей братии в разных видах насмотрелся. Давай-ка без эмоций и по-деловому. Ты его убила?

— Нет, конечно! — взорвалась Катька. — Если ты полковник, то соображать должен!

— А ты не ори, — спокойно предложил Гуров. — Я не только соображать должен, а еще и спрашивать, предлагать добровольно признаваться. Это, милочка, процедура, правила. Успокойся, и давай серьезно поговорим. Если ты не виновата, то на тебя «мокруху» никто вешать не будет, я тебе это обещаю. За остальное получишь, тут закон суров. Поэтому давай-ка без соплей отвечать на мои вопросы. Откуда Миронова знаешь, как он к тебе попал?

И началось. Сначала приходилось тянуть как клещами по слову, по предложению, потом, по мере прояснения мозгов у Северцевой, она стала более откровенной. По манере держаться, да еще интуитивно, она поняла, что человек перед ней не простой и в ситуацию она попала в самом деле очень сложную. Дошло, наконец, что перед ней люди даже не из МУРа, а повыше. Сработал элементарный расчет, что за сотрудничество ей скостят годика два-три на суде.

Она рассказала, кто и почему к ней привел Мирона, как ему надо было перекантоваться какое-то время, как она прониклась к этому красивому парню симпатией, всколыхнулось в ней что-то. Но и грустить пришлось, потому что старовата она была для Мирона, не его сказки принцесса.

Об убийстве она представления не имела. Разборки какие-то с Мироном у уголовников были, но она не вникала. Ей заплатили — он жил. И бабы к нему не ходили. Он, правда, иногда отлучался, но ненадолго и нечасто. А сегодня она с самого утра собралась на базар. И тут выяснилось, что не с утра, а еще с вечера Мирон просил ее купить свежих овощей. Захотелось ему салата из свежих помидоров. И Северцева согласилась, что еще с вечера Мирон знал, что она уйдет на рынок и что поход этот займет у хозяйки часа четыре. Согласилась она и с тем, что мог Мирон бабу к себе на это время позвать. Не деревянный же он, в самом деле.

Два часа самого подробного допроса ничего больше не дали. Не было и оснований полагать, что Северцева врет, слишком по-бабьи она переживала все случившееся.

Гуров велел отвезти Северцеву к следователю, позвонил ему сам, чтобы предупредить, и попросил, чтобы следователь направил Северцеву на психиатрическую экспертизу. Объяснить причину такой просьбы Лев обещал чуть позже.

— Ну, что ты думаешь? — спросил он у Крячко, когда они вышли из подъезда на улицу.

— Думаю, что она к платкам отношения не имеет, но проверять на причастность все равно придется. А что касается убийства, то мы пока ничего для себя нового не узнали, только можем предположить, что Северцева тут не при делах.

— Стоит все-таки проверить, а не она ли наняла киллера, чтобы он красавчика грохнул, — предложил Гуров. — Знаешь ведь, как бывает: в симпатиях отказал, «рыжье» под матрацем прятал, да еще ревновать заставлял, душеньку терзал. В их среде такие решения на раз-два принимаются. Могла она его убить. Чужими руками, а могла.

— Чисто теоретически я с тобой согласен. — кивнул Крячко, — а по-житейски нет.

— Так и я с собой не согласен, — хмыкнул Гуров. — Теория одно, а практика — другое.

Профессор Лозовский с удовольствием согласился встретиться с Гуровым и предложил приехать к нему в клинику. У них там закончился какой-то симпозиум или семинар и все гости разъехались. В клинике бардак, антисанитария и большой аврал. Борис Моисеевич намекнул, что вполне можно уединиться в его кабинете, где теперь достаточно коньяка и закуски всех видов.

Отдав последние распоряжения оперативникам, Гуров и Крячко отправились в клинику. Профессор Лозовский, блестя стеклами очков и лысиной между крупных ушей, потащил гостей к себе в кабинет, по пути отдав кому-то строгий приказ всем говорить, что он уже уехал и до завтра его не будет.

В кабинете тоже порядка не было. Белое светлое помещение, где всегда царил идеальный порядок и стерильная чистота, сейчас выглядело иначе. Множество совершенно лишних стульев, захламленный приставной столик у рабочего стола профессора, куча пакетов и бумаги на кожаном диване и гора посуды на журнальном столике в углу.

Проводя гостей мимо этого безобразия, профессор морщился и потирал руки. Он распахнул еще одну дверь и пригласил сыщиков во вторую комнату, где порядок удалось сохранить в первозданном виде. Это была святая святых профессора: его комната отдыха и комната для размышлений. Судя по ноутбуку на столе, он тут и работать любил больше, чем в основном кабинете.

— Вы не представляете, каких нервов стоят такие мероприятия, — вещал профессор. — Но учреждению без этого нельзя. Если хотите жить в научном мире, приобщаться к его течению и его достижениям, нужно иногда на себя сие бремя надевать. И себя показать и на других посмотреть.

Наконец они устроились у окна. Крячко взял на себя обязанность разливать и вообще хозяйничать, а Гуров стал расспрашивать о ходе лечения Татьяны Калининой.

— Вы знаете, Лев Иванович, я хвалю себя за то, что не положил девочку в клинику. Чутье, что ли, подсказало, опыт. У нее, при всей видимости адаптивных способностей психики, очень ранимая структура. Как бы вам проще это объяснить? Очень хрупкая начинка в очень крепком сосуде. Но и проблема лежит в том, что сосуд это крепок, как изнутри, так и снаружи. И туда попасть сложно и оттуда что-то вытащить. Понимаю, что это речь не психиатра, но терминологией я вас задавлю насмерть.

— Да уж, — согласился Гуров, — вы уж попроще, как для идиотов. У нас тоже в конце дня с головой проблемы. Трудно воспринимаем новое и чуждое.

Выпили, посмеялись, закусили, и профессор, потирая руки, продолжил:

— Наверное, у вашей Татьяны затронуты глубинные слои. Сканирование мало что дает, а вот рефлексы, реакции нарушены, это я вам совершенно точно говорю. Самый простой способ — заглушить раздражитель медикаментозно, подавить в комплексе. Но вы же знаете, каких результатов мы обычно добиваемся, идя таким путем? Подавление, торможение. Это путь превращения человека в овощ. Она девушка не буйная, не агрессивная, поэтому кощунственно так поступать.

— То есть вы в замешательстве и ничего не понимаете? — спокойно врезал правду-матку Крячко.

— Отнюдь, — возразил профессор и выразительно посмотрел на рюмки.

Крячко согласно кивнул и разлил еще по одной. Выпили молча, закусили.

— Тут ведь как, — сказал профессор, — мы идем путем аналогий, сходства реакций. Собаку Павлова представляете?

— А как же! — с готовностью подхватил Крячко. — Мы ей звонок, она нам желудочный сок.

— Конечно, — согласился захмелевший профессор, для которого эти две рюмки были за вечер не единственными. — Только я не о том. Представьте другой подход. Выделяется слюна на звонок или включение лампочки — собака жива, а не выделяется... Тут уровень нервных реакций совсем иной, господа мои. Если у человека происходит раздвоение личности, если наслаивается второе «я», что спровоцировано внешним сильным раздражителем, то в основе лежит нечто потаенное, сформировавшееся еще в детстве. Причем этот конгломерат прочен, потому что сформировался устойчиво, потому что тип психики именно такой.

— Какие-то фобии, которые корнями лежат в детстве? — переспросил Гуров.

— Я бы представил это как затаенную боль, — вдруг более трезвым голосом произнес профессор. — Пусть не боль, пусть обостренную реакцию на случившееся в детстве, которую наружу не пускает сформировавшийся за последующие годы психотип. Если вас интересует мое пожелание, девушке на всю оставшуюся жизнь нужен будет психоаналитик, куратор.

— Хорошо, Борис Моисеевич, — кивнул Гуров, — я понял вас. Выводы предварительные...

— Вы, Лев Иванович, молодец, что поселили девушку с отцом у себя. Крайне положительная атмосфера, плюс теплое отношение к вам, ваше позитивное влияние.

— Я понял, Борис Моисеевич, а можно мы вам еще один вопрос зададим? Что вы скажете о человеке, который, став свидетелем несчастного случая со смертельным исходом, оставлял на теле или рядом с телом погибшего носовой платочек?

— Простите?

— Человек, который четырежды был свидетелем таких происшествий и всегда оставлял рядом свой носовой платок, в двух случаях — прямо на груди погибшего.

— Ого, вот вы загнули загадку! — Глаза профессора заблестели уже совсем хмельным блеском. — Ваш загадочный человек ходит по городу и «случайно» попадает в места, где происходят несчастные случаи со смертельным исходом?

— Здорово! — восхитился Крячко. — Вы просто гений, профессор. С ходу сообразили, что случайно человек в такие места часто не попадает. Ладно, спросим вас иначе. Как вы

308

отнесетесь к человеку, который убивает, имитируя несчастные случаи? А потом еще и одинаковые платочки раскладывает на месте каждого преступления?

— Это уже маниакальные наклонности, поздравляю вас, господа сыщики, — кивнул профессор. — А вы чего хотели? Болезненная ассоциация, странная, но фобия. Боюсь, когда вы этого маньяка поймаете, в Кащенко вам дадут неутешительное заключение о его невменяемости.

— Ну спасибо, — усмехнулся Гуров, — успокоили. Значит, по-вашему, тут налицо ненормальность?

— Любое умышленное лишение человека жизни есть ненормальность. Это, господа мои, в любой религии осуждается. Неумышленное может быть в единственном варианте, а у вас, как я понял, серия убийств. Так что же вы хотите?

— Я хочу вас попросить предположить, — напомнил Гуров, — какого рода фобии, какого рода психологические травмы могут привести к таким действиям.

— Ну, я не знаю... Носовой платок?

— Да, белый дамский носовой платочек с капельками крови во всех случаях.

— Тут может иметь место очень сложный ассоциативный ряд. И вряд ли прямая ассоциация с саваном или слезами.

— Или насморком, — серьезно добавил Крячко.

— Или насморком, — согласился Лозовский. — Могу вам сказать, что платок может быть вообще ни при чем. Что держал или держала в руках, то и бросила на прощание. Тут, скорее, дело не в платке, а в символе. Например, упокойся с миром, а я тебя простила. Или, фу, какая гадость, и брезгливой бросок того, что было в руке.

— Это понятно, — согласился Гуров. — А что-нибудь вы можете сказать о внешних признаках психической болезни этого человека?

— Странности налицо, такое трудно не заметить. Но вот признаки агрессии могут в обычной жизни не проявляться. И еще... я не уверен, что это женщина.

Крячко поперхнулся бутербродом с колбасой, и Гурову пришлось похлопать его по спине.

— Придется выяснять, — прокашлявшись, заговорил, наконец, Станислав, — а не имел ли Миронов гомосексуальных наклонностей?

На территории дачного поселка дышалось хорошо. Особенно, когда сумерки превращаются в вечер, когда в окнах загорается свет, и звуки слышны теперь далеко. Гуров увидел свет в окне и успокоился. Значит, Юрка с Татьяной в доме. На даче Лев не был уже с неделю, если не больше, а со своим одноклассником общался только по телефону. Сегодня, после общения с профессором, ему захотелось приехать, навестить своих гостей. Внутри появилось какое-то чувство вины.

Открыв калитку, он прошел по дорожке из цветной тротуарной плитки и поднялся на веранду. В доме была слышна музыка, чем-то вкусно пахло. Толкнув дверь, Лев увидел Юрку в фартуке перед плитой. На плите что-то шипело и фырчало в кастрюльках.

— О-о! Хозяин пожаловал! — обрадовался Калинин. — На запах шел? Руки мой, у меня гуляш готов с картошечкой. Татьяны там не видел?

— Она что... не дома? — опешил Гуров, стараясь не выдать своего волнения.

— Да она вышла пройтись немного. Сказала, голова разболелась в духоте сидеть.

— А ты чего с ней не пошел?

Юрка повернул голову и с укором посмотрел на Гурова:

— Ты что, Лева? Она же не совсем... того. Чего с ней тут случится, в поселке-то?

— Да нет, я ничего! — поспешил ответить Гуров. — Беспокоюсь просто. Как вы тут живете? С продуктами как? Хватает?

— Если что, я бы позвонил. Да и магазин у вас на том конце поселка есть. Это если на крайний случай.

За окном стукнула калитка, и вскоре на пороге появилась Татьяна. Она улыбнулась им, но улыбка была какой-то вымученной, болезненной.

— Ребята, а давайте выпьем шампанского! — с энтузиазмом предложил Гуров. — Там, помнится, в холодильнике у меня еще с весны стояла бутылка. И повод вполне подходящий. Я сегодня разговаривал с профессором Лозовским...

Две пары глаз мгновенно обратились на него, и Лев сразу пожалел, что начал это свое вранье. Вранья он терпеть не мог всю жизнь, а тут приходится.

310

— Борис Моисеевич считает, — мужественно продолжил он, — что успех лечения налицо. Теперь он может его прогнозировать. Одним словом, все у вас, ребята, будет хорошо.

Шампанское нашлось, гуляш в исполнении Юрки Калинина был очень неплох. В результате, все трое хорошо посидели перед сном и поболтали о том о сем. Татьяна с особой благодарностью смотрела на Гурова и старательно улыбалась, когда встречалась с ним взглядом. Юрка большей частью отводил глаза. Это тоже было заметно.

Глава 8

Крячко не спеша вошел в кабинет. Сегодня повезло, пробок на дорогах почти не было, поэтому он приехал на работу аж на полчаса раньше, чем планировал. В этом был свой большой плюс, а находить во всем плюсы Станислав Крячко умел лучше других.

Например! Можно очень неторопливо вскипятить чайник и заварить кофе. А потом с такой же солидной неторопливостью выпить его на диване. Именно с солидной неторопливостью, с неторопливостью человека, который себя уважает, который в жизни добился того, чего хотел: он много-много лет проработал на любимой работе, его на этой работе уважают, ценят и считают незаменимым. Ну, почти незаменимым.

Однако, к огромному удивлению Крячко, в кабинете уже сидел Гуров, разумеется, на своем излюбленном месте на диване, и созерцал красный диск солнца, который медленно поднимался над многоэтажками Большой Якиманки. Крячко в последнее время заставал своего начальника в таком положении все реже, поэтому замер в дверях и довольно усмехнулся про себя. Сейчас это был опять тот Гуров, которого он знал тысячу лет, которого любил, уважал, с которым ему нравилось работать.

— Заходи, чего замер, — первым нарушил молчание Гуров. Голос прозвучал ровно и немного расслабленно.

— Не хотел мешать медитации. — Крячко подошел и привычно сунул свою пятерню в ладонь Гурова: — Доброе утро, шеф. Кофе уже пил?

— Да, спасибо, — кивнул Гуров и, немного помолчав, вдруг проговорил: — Стас, скажи, а часто у тебя в жизни возникало недовольство собой?

— Недовольство собой? Ну-у, бывало... пару раз.

— А почему, с чем это было связано? — продолжал настаивать Гуров.

— Эх, теперь разве вспомнишь! Ну-у, на четвертом курсе по пьянке с девушкой в постели не получилось. Очень был, помнится недоволен. Потом, это еще в лейтенантах было...

— Господи, Стас! — поспешно перебил его Гуров. — Я же совсем не о том! Я с тобой о внутренней неудовлетворенности, я о жизненной позиции, о морали и этике.

— А ты думаешь, было этично притащить девку домой, — возмутился Крячко с самым серьезным видом, — наобещать ей с три короба, а потом...

— Какой же ты все-таки... — вздохнул Гуров и сокрушенно покрутил головой. Но при виде довольного лица Станислава не удержался и рассмеялся: — Умеешь ты вывести меня из унылого состояния, Стас. Вот что умеешь, то умеешь!

— Это еще что, — промурлыкал Крячко, — я еще и вышивать умею, и на машинке... м-р-р!

Капитан Афанасьев явился точно в девять часов, как и было велено. Своей властью Гуров добился того, чтобы в МУРе «делом платков» занимался именно Афанасьев. Во-первых, он был, что называется, в теме, а, во-вторых, труп Миронова на воровской квартире с платком на груди снял некоторые ограничения с этого дела. Орлов решился придать ему официальный статус оперативной разработки. Теперь имелась соответствующая папка в МУРе, куда стали подшиваться результаты оперативных установок, рапорта сыщиков, копии агентурных заданий и остальное, что могло отражать работу сыщиков по этому делу, включая и планы работ на каждую неделю.

Плечистый, с крупной, коротко остриженной головой, Афанасьев выглядел человеком нагловатым, самоуверенным, почти хамоватым. Год назад Гуров его таким и посчитал, пока не увидел опера в деле и не посмотрел на него другими глазами. Весь этот образ был не более чем маской, необходимой для работы, для подавления противника, которым была уголовная среда. А старший опер Афанасьев как раз и специализировался на преступлениях в этой среде.

МУР вообще мелочовкой не занимался, а занимался он тяжкими преступлениями, преступлениями против представителей органов власти и иных важных лиц. Бытовухой, менее тяжкими преступлениями, как хулиганство, квартирные кражи, мелкие грабежи, занимались территориальные управления внутренних дел. Если, конечно, за квартирными кражами и разбоями не стояли серьезные банды, если это были не серийные преступления. В этом случае МУР включался в работу со всем своим могучим аппаратом. Одним словом, МУР есть МУР.

И капитан Афанасьев был высочайшим профессионалом МУРа. Он умен, даже хитер, умеет задавить бандита своей аурой матерого сыщика, авторитетом. Его боялись, уважали, ему «кололись», хотя Афанасьев в жизни не ударил ни одного вора или бандита. При задерживании несколько раз было, когда ему оказывали вооруженное сопротивление, но не более того. А в жизни, в среде коллег, капитан слыл улыбчивым и веселым парнем, человеком, который в состоянии понять чужую проблему, который первым протягивал руку, если у кого-то из коллег случались неприятности личного характера. И не только личного. Взаимопомощь, взаимовыручка среди сыщиков тоже не последнее дело.

— Разрешите? — раздался голос Афанасьева в дверном проеме.

Гуров посмотрел на капитана в форме и невольно поморщился. Следовало самому подумать об этом и предупредить, чтобы Афанасьев приходил сюда в «гражданке».

— Заходи, Андрей Андреевич, — пригласил он. — Ну, докладывай, что там получается по личностям убитых? — предложил он капитану и заложил руки за голову.

— Получается у нас следующее, — доставая ежедневник с записями, начал Афанасьев. — Сергей Бочаров двадцати восьми лет, сотрудник компании «Техносервис». Работает там менеджером по продажам, коллегами и начальством характеризуется положительно. Я бы хотел отметить, что парень ушиблен был карьерой, работал много и успешно. Страсть много зарабатывать навела, конечно, на мысль, что причиной убийства могла быть его профессиональная деятельность, но думаю, что это не так.

— Я тоже так думаю, — согласился Гуров. — Он менеджер по продажам, а ты знаешь, Андрей Андреевич, что это за работа?

— Примерно. Как я понял, он подыскивает покупателей среди организаций на их инженерное оборудование и организует поставку.

— Правильно. Тут криминалу места практически нет, если только он не собирал предоплаты наличными и не скрывался от покупателей. Но тогда его уже вся страна ловила бы, и мы бы об этом знали. Надо, скорее, плясать от его заработков, от того, как и на что он тратил заработанные в фирме деньги.

— Увы, тратил он их нормально.

— Ты, капитан, как будто сожалеешь, что парень в криминале не замешан, — подал голос Крячко. — Радоваться надо, что не замечен и не замешан. А ты — «увы»!

— Виноват, — сухо отозвался Афанасьев. — Значит, тратил он их, в основном, двумя способами: погашал ипотечный кредит и копил на хорошую машину. В остальном вел себя вполне скромно. Иногда ходил по клубам и барам, но завсегдатаем не назовешь. Откровенных ссор с кем-либо, каких-то конфликтов я в его истории не нашел. Послал запрос по месту прежнего жительства в Тулу. Там у него мать и младшая сестра. Вполне благополучная семья, как говорили коллеги, но дождемся ответа на запрос.

— В запросе ты что указал? — спросил Гуров.

— Обычные вопросы: привлекался ли, замешан ли, имел ли отношения, состоял ли на учете в психдиспансере. То же самое и о ближайших родственниках.

— Понятно, давай дальше.

— Дальше — результаты вскрытия. Признаков наркотических веществ в организме не обнаружено. Алкоголь на уровне пол-литра пива. Причина смерти: черепно-мозговая травма от удара во время падения о железные конструкции, а так же перелом основания черепа в каких-то там позвонках, но и это вполне соответствует положению тела и результатам падения с такой высоты в строительный котлован. Иных признаков, говорящих о насильственной смерти, нет.

На деревянных поверхностях ограждения котлована обнаружены частички его одежды, точнее, брюк. Так что падал он, споткнувшись об ограждение.

— С чьей только помощью, — проворчал Крячко.

— Пока не факт, — смело возразил Афанасьев. — Теперь девушка. Оксана Чуканова, девятнадцать лет, студентка Гуманитарного университета. Причина смерти, гм... ну, тут сами понимаете, множественные повреждения, несовместимые с жизнью. Там подробно описано, что переломано, что разорвано и так далее. Думаю, нет смысла воспроизводить содержание документа. Главное, что наркотических веществ и алкоголя в организме не обнаружено, хроническими заболеваниями, от которых люди теряют ориентацию и чувство равновесия, не страдала, припадками тоже. Училась без троек, на хорошем счету у преподавателей. Отец и мать по месту жительства и работы характеризуются положительно. Судимых среди близких родственников нет, связи с оными тоже не выявлены. Оперативная установка по месту жительства сделана. Подшита в дело. Аналогичная работа проведена в отношении вероятного подозреваемого — ее парня Олега Скуратова. Студент юридической академии, на год младше Чукановой.

— А по результатам работы на месте происшествия? — спросил Гуров. — С прокуратурой связывался?

— Да, я даже смотрел изъятые с пульта материалы видеонаблюдения. Составил описание людей, которые находились в момент падения рядом с Чукановой. Кстати, он на девяносто процентов совпадает со списком, который составили до меня другие опера со следователем. Если вас интересует мой вывод, то убивать девчонку было не за что. Я двое суток опрашивал однокурсниц, соседей, друзей ее парня. Никто и ничего! Даже ревновать ее было некому к этому парню. Не нашел я таких ревнивых девочек даже в его группе.

— Это не факт, капитан, — снова вмешался Крячко. — Тут зарекаться нельзя, тут изучать и изучать окружение надо. Молодежь, она нынче не совсем адекватная. Никто и не вспомнит, если какая-то краля в запале пьянки брякнет, что убила бы. У них такое вырывается легко.

— Ну, — спросил Гуров, — а по Белову что-то новое есть?

— Нет,— честно признался Афанасьев. — По Белову и потенциально подозреваемым — никаких мотивов. У меня складывается впечатление, что мы связи этих людей так и не найдем. Два разных района Москвы, три категории людей, и в смысле социальной группы, и в смысле возрастной. Попахивает случайностью. Или это в самом деле несчастные случаи, или убийца выбирал жертву без определенных критериев. Наобум! Кто подвернулся, того и... толкнул.

— Вот видишь, Андрей Андреевич, — усмехнулся Гуров, — как полезно размышлять вслух. И вывод сам на языке появился. Связывает их способ убийства, а это уже говорит не о случайности, а еще там всегда присутствует белый носовой платок с капельками крови. Понимаете, он жертвы толкает, а в этом слове есть свой глубокий смысл. Толкнуть!

— Толкнуть куда-то, на что-то, — задумчиво повторил Афанасьев.

— Почему-то, — подсказал Крячко. — Не забывайте о мотиве, который надо искать. Предложение номер один: убийца толкнул вниз жертву, потому что в этом есть смысл именно для него. Если он бросает на труп платок, то он явно не совсем нормальный. Значит, в его действиях есть ассоциация. Что там Лозовский говорил про психическую травму? Допустим, убийцу самого когда-то так толкнули, он выжил, но психическая травма осталась.

— Это хорошо, что ты убийцу не предлагаешь называть в женском роде, — кивнул Гуров. — И в принципе я с тобой согласен. Но у нас есть еще одна подсказка — следы крови на платке. Это должно что-то обозначать.

— Кстати, — оживился Афанасьев, — самого главного я не сказал. О крови заговорили, а я ведь принес результаты экспертизы. Во всех трех случаях кровь на платках одного и того же человека. И она не совпадает с группой и резусом жертвы. Убийца один и тот же. Точнее, тот, кто платок бросал, — один и тот же.

— Еще вариант, — хмыкнул Крячко. — Ходит по городу унылая женщина, иногда видит, как люди падают и убиваются насмерть. И она каждому бросает платочек вслед. Как вам идея для триллера? Женщина-смерть в городе!

— А она и есть женщина-смерть, — не принял шутливого тона Гуров. — Только откуда кровь? Не из пальца же, не на сахар ведь она себе проверку устраивает в этот момент. И самый реальный результат нам может дать направление Катьки Северцевой. Тут уже очень близко. Кто-то же был в квартире, кого Миронов знал, кого привел или кто пришел к нему сам. Надо Катьку трясти снова и снова. Может она знать эту женщину — может. И есть основания скрывать знакомство с ней. Среда такая, что там сложные отношения и суровые обязательства.

Афанасьев ушел с новым перечнем заданий. Самым главным в нем Гуров назвал завершение поквартирного обхода в доме, где жила Северцева. Не все жильцы даже ее подъезда были опрошены, потому что не удавалось всех застать дома. Гуров приказал самым строгим образом хоть ночевать в подъезде, но за двое суток всех жильцов опросить. Даже если выяснится, что кто-то в день убийства был дома, а на следующий день улетел в Сочи.

Через сутки, когда Гуров возвращался к себе из кабинета Орлова, где делал доклад по текущим делам, ему встретился Крячко, спешивший на работу из МУРа.

— Пошли скорее, Лев Иванович, — лихорадочно блестя глазами, потребовал Станислав и потащил шефа за локоть к кабинету. — Есть Бог на свете, сжалился Всевышний!

— Тихо-тихо, — слабо вырывался Гуров, поняв, что произошло что-то очень важное. — Толком объясни, что ты хватаешь.

— Все, теперь скажу, — уже в кабинете, закрывая за собой дверь, проговорил Крячко. — В соседях с Северцевой живет некая разбитная деваха, разведенка. Личность крайне эмоциональная, что ее и сгубило. Она видела, что в день убийства, точнее утром, в квартире у Северцевой кто-то был.

— Давай-ка сначала и подробнее, — велел Гуров и уселся на свой диван.

— Даю, — кивнул Крячко и сел напротив в кресло. — Ее зовут Алина Игонина, двадцати семи лет. Уроженка города Рязани.

— Рязани? — Гуров аж подался всем телом вперед. — И давно она тут живет?

— Та-ак, вижу завело тебя это дело, — с довольным видом заметил Крячко. — Я тоже сразу подумал, что они с Мироновым были еще там знакомы. Но она пока отнекивается. Следователь хочет официально опознание устроить. Ну так вот. Она утром видела, как Катька вышла из дома, хотела у нее сигарет стрельнуть, потому что самой неохота было за ними бежать. Потом она услышала, что в квартире вроде дверь стукнула. Выглянула, но дверь у Северцевой была заперта. Потом снова стук... Обрати внимание, если Игонина не врет, то убийца вел себя очень неосторожно — дверью хлопал. После второго раза она снова выглянула и увидела, что дверь закрыта неплотно. Игонина, на правах соседки-подруги, вошла без стука и, естественно, увидела труп мужчины на кровати. Она испугалась и убежала домой. И молчала все это время.

— Та-ак, час от часу не легче, — пробормотал Гуров. — Это что же, рязанский след? Надо Игонину задержать на трое суток и отрабатывать по полной программе. Дай телефон следователя, а сам позвони Афанасьеву, чтобы он привез Игонину к себе и не выпускал до нашего приезда.

— Она как раз сейчас в МУРе.

— Ну и отлично. Значит, сейчас поедем.

На Петровке Гуров не был давно. Чуть меньше года. Как-то получалось, что в случае служебной необходимости туда ездил Крячко, чаще сотрудников вызывали к себе в кабинет в Главк. А еще, не считая Рязани, Гуров в этом году уже дважды ездил в командировки в разные города. Летит время, думал он, идя по коридору и встречая на своем пути множество новых лиц.

Давно полковник Гуров не сталкивался с таким явлением, как текучка кадров. Нет, в районах, областных центрах он с ним сталкивался практически постоянно, но чтобы в МУРе... Лев вспомнил свою работу на Петровке еще в советские времена. МУР был МУРом потому, что здесь концентрировались самые опытные, грамотные, талантливые оперативники. Отсюда выходили руководители оперативных подразделений. А теперь? Текучка... Чего ждать от организации, когда молодым оперативникам не у кого учиться, да и они сами, покрутившись здесь пару или тройку лет, уходят в поисках работы поспокойнее или подоходнее.

Грусть о прошлых годах навалилась на плечи. Что-то безвозвратно утеряно, и от этого становилось на душе совсем тоскливо.

— Сюда, Лев Иванович, — вывел Гурова из задумчивости голос Крячко. — Ты что, дорогу уже забыл?

— Нет, — проворчал Лев, — просто задумался.

— Я тоже скучаю, — не догадался о тайных мыслях шефа Крячко. — Все-таки хорошие были времена. Живая работа, настоящая! Варились в самой гуще, ерундой не занимались.

— Напиши рапорт и возвращайся, — посоветовал Гуров. — Возьмут с удовольствием.

Станислав некоторое время молча смотрел на него, потом улыбнулся:

— Я тебя понимаю. Но кто-то же должен их учить. Таких, как мы, Лев Иванович, старых зубров, еще поискать надо. А мы с тобой на своем месте. Это просто грусть по молодости. Знаешь, я иногда вспоминаю...

Договорить Крячко не успел, потому что открылась дверь и перед полковниками выросла мощная фигура капитана Афанасьева.

— Приехали? — кивнул он и посторонился в дверях. — Проходите, вот она, красавица.

Гуров вошел в кабинет первым. У одного из столов у окна сидела на стуле с поникшим видом молодая женщина. Одного взгляда на нее было достаточно, чтобы сразу определить ее тип. Такие встречались сыщику Гурову в жизни очень часто, потому что именно этот тип женщин всегда попадал во всякие неприятные истории и ситуации, благодаря своим особенностям, своему характеру. А характер, как известно, отражается на поступках, которые, в свою очередь, определяют жизненную линию индивидуума.

Своенравная, импульсивная, завистливая, стремящаяся жить одним днем, ищущая выгоду во всем, но не обременена интеллектом, а потому все ее попытки быть публичной дамой, заниматься творчеством или удачно выйти замуж разбиваются о подводные камни течения жизни. И все по причине нелепости поступков и неправильно сделанных выводов. Наверняка любит всевозможные тусовки, клубы, наверняка имеет в числе знакомых различных представителей богемы, но сама туда не вхожа, потому что в богему войти

319

сложно. Не с такими данными, к тому же без денег. Наверняка курит, наверняка балуется травкой, любит крепкие спиртные напитки. Наверняка легко возбудима под воздействием алкоголя, а значит, связи беспорядочные, и мужчины той среды, в которой она вращается, ее избегают. Раз случилось переспать, и хватит. От греха подальше.

— Здравствуйте, Алина, — спокойно произнес Гуров, подходя к Игониной и вставая так, чтобы она полностью сфокусировалась на нем, а не тупо пялилась в стенку.

Выводы были сделаны правильные, тут все однозначно. Только она еще настолько в растрепанных чувствах, что находится сейчас почти в прострации от страха.

— Алина, меня зовут Лев Иванович Гуров. Я полковник полиции и работаю в Главном управлении уголовного розыска. Понимаете, на каком уровне расследуется это преступление? На уровне Министерства внутренних дел.

— Он... этот, такая важная шишка? — одними губами спросила Алина. — Сынок чей-нибудь... из правительства, депутата?

— Это очень крупный преступник, Алина, это представитель страшной среды, с которой вы столкнулись. И поэтому я решил с вами побеседовать лично. Прошу вас очень серьезно отнестись к нашей беседе и отвечать вдумчиво.

Гурову понадобилось все его умение, весь его талант, чтобы от вопросов об этом загадочном убийстве в квартире Северцевой перейти к ее личной жизни, чтобы Игонина не поняла, что ее подозревают, иначе она моментально замкнется и начнет выпускать шипы.

Вопросы ставились и так и сяк, но, видимо, Игонина в самом деле не видела того, кто в отсутствие соседки приходил к ней в квартиру. И о том, что у Северцевой уже почти месяц кто-то живет, она тоже не знала.

А вот о работе своей Игонина говорила не совсем внятно. По сути, у нее не было определенного места работы, а зарабатывала она тем, что периодически кому-то в чем-то помогала. Можно было назвать ее профессиональным организатором, мелким агентом в творческой среде. Жила она на комиссионные от выставок, которые помогала организовывать, от разных творческих встреч, корпоративов. Она знала многих, и многие знали ее в огромной Москве, но уровень знакомств оставался довольно низким, скажем, уровень осадка столичной богемы.

— Хорошо, Игонина, — перешел Гуров на новый виток допроса. — Вы знали, что Северцева ранее судима по уголовной статье?

Женщина замялась, в ее глазах лихорадочно отразилась внутренняя борьба. Наконец она решилась ответить, но при этом бросилась в атаку на сыщика:

— Да, знала, а что это вам дает? Чтобы я сказала, что Катька этого мужика убила? Не дождетесь, не подловите! Мало ли с кем что в молодости было.

— К чему вы произнесли «не подловите»? — поинтересовался Гуров.

— К тому! — веско ответила Игонина. — А то я не знаю, какими вы методами работаете.

— И какими же? Вы в полицейской академии учились или детективов начитались?

— Да все знают... — начала остывать женщина, поняв, что завела не тот разговор.

Гуров специально заострил внимание на этом «выпаде» в адрес полиции. Ему нужно было столкнуть Игонину с позиций упорного молчания, пробить психологическую стену, которой она отгородилась.

— Если вы наслушались граждан, которые постоянно находятся в конфликте с полицией, то не советую делать поспешных выводов. Если насмотрелись телевизора с разоблачительными сюжетами, то тоже посмотрите на это более внимательно. Много сюжетов проходит и на тему, как мы изгоняем из своей среды взяточников и преступников. И если говорить уж совсем откровенно, то в любой семье не без урода. В вашей среде разве нет откровенно преступных элементов?

— Я... извините, конечно, товарищ полковник...

— Терпеть не могу этого обращения, — поморщился Гуров. — Предпочитаю или просто полковник, или по имени-отчеству. Извинить я вас могу, но вы сами себя загнали в ситуацию, когда мне приходится быть с вами снисходительным. Вам это ведь неприятно? Так зачем же вы нападаете на полицию? Давайте обсуждать то, ради чего мы тут собрались: в соседней квартире убили человека. И неважно, что он сам преступник, важно, что там совершено преступление, а в нашей стране за это карают по закону. И вы, Игонина, почти свидетель.

Игонина взяла себя в руки и стала добросовестно вспоминать всех, кого она видела в тот день в подъезде, кого видела приходившими к соседке, разговоры о том, не угрожал ли кто Северцевой в прошлом, не жаловалась ли она на кого.

Арестовывать Игонину следователь, конечно же, не стал, даже подписки о невыезде с нее не взял, но провести еще одну серьезную беседу пришлось.

А вот Северцева в камере успела за сегодняшний день посидеть. Заодно и вспомнить, как это было в ее молодости. На допросе у Гурова она выглядела собранной, сосредоточенной и хмурой, отвечала на вопросы неторопливо и вдумчиво, чувствовалось, что тщательно подбирает слова, что тоже было показателем — боится сболтнуть лишнего. Не порвала Катька Северная с преступным миром, как заявляла, и понимала, что вляпалась по полной программе и что колонии ей снова не избежать.

Причина убийства и личность убийцы Мирона ее вряд ли интересовали. Знала, кто он такой, знала, что в бегах, предполагала, что и бывшие дружки-подельнички могли Мирона искать. Наверное, и разыскали его те, кому он задолжал, кого кинул. А уж найти человека, который «пришьет» — пара пустяков. Катьку беспокоило другое — в каком положении лично она оказалась в связи с этими событиями? С одной стороны, выдавать в уголовке на допросе вообще кого-то из уголовного мира ей не велел их закон. Как ни крути, а кое-что от него осталось и в наше время, и болтовня не поощрялась. Но, с другой стороны, по тем же уголовным законам разрешалось принимать все меры к тому, чтобы скостить себе будущий срок.

Еще один важный момент существовал в этой ситуации, как его понимал Гуров. Катька всегда может оправдаться перед «своими», особенно если возникнет такая тема на «толковище», что ее подставили. Нужно вам кого-то наказать, «грохнуть», так зачем же другого под «уголовку» подводить? Не по-людски это, тем более что в квартирку Катьки Северной много людей было вхоже, «товара» много через нее проходило. Убийство Мирона в ее квартире — это как бы вызов местным уголовникам, наезд на местное общество, беспредел. И тут уж она могла смело попытаться сдать этому полковнику нарушителей «понятий». Вроде как святое дело.

На это и стал давить Гуров на допросе. Вбивать Катьке, что нечего ей выгораживать чужих, которые ей же могут жизнь поломать. Но беда в том, что Катька, похоже, понятия не имела, кто и почему Мирона убил.

— О чем вы разговаривали, что он о себе рассказывал? — зашел Гуров с другой стороны.

— Ничего, — хмуро покачала головой женщина. — Он больше телевизор смотрел да ерунду всякую болтал.

— Обхаживал тебя?

— Чего? — вспыхнула Катька, но тут же взяла себя в руки. — Не было у нас ничего. Парень он симпатичный, статный. Да только не по возрасту я ему, это же сразу понятно. У него молоденьких столько, что с закрытыми глазами выбирать можно.

— Это он так говорил?

— И без того понятно.

— Почему? — стал наставить Гуров. — Кать, я почему так подробно на этом останавливаюсь, ты постарайся понять. Я ведь мужик, я по-вашему, по-женски думать не умею. У вас глаз другой, интуиция другая, вы видите то, что мимо мужиков проходит.

— А потому, что на меня не соблазнился, — серьезно пояснила женщина. — Вроде и не уродина, и фигура у меня еще приличная, не расползлась. И, чего уж тут греха таить, пыталась я ему глазки строить, подкатываться. Не то чтобы в постель тащила, а так, намекала, что не прогоню, если забредет не в ту комнату. Не забрел, другие у него в голове. Да и уходил он иногда по вечерам. Когда на час-другой, когда подольше. Я же не спрашивала. Но видно было, что иногда и по бабам ходил. У вас, извините, это хорошо видно. Когда вы с... ну, после этого дела, то у вас глаза блестят и морды, извините, лоснятся, как у котов мартовских. Не скроешь.

— Вечером накануне убийства Миронов уходил куда-нибудь?

— Уходил. Часа два его не было. Говорил, что гулял, свежим воздухом дышал. Так это у него называлось.

— И в этот вечер он просил тебя свежих овощей купить, салат сделать с помидорами?

— Д-да, — согласилась Северцева.

— Кать, а что тебе твой глаз женский подсказал, в этот последний вечер Миронов от женщины вернулся или правда гулял?

— Да поняла я, поняла, куда ты, полковник, клонишь, — вдруг разозлилась Катька. — Думаешь, что Мирон меня специально из дома спровадил, чтобы бабу привести?

— А ты сама так не думаешь?

Северцева глубоко вздохнула и промолчала, уставившись в окно.

— Ладно, с этим вопросом мы выяснили, — решил сменить тему Гуров. — А соседка твоя Алина не могла о Мироне узнать, не видела она его?

— Кто? Алинка? — пренебрежительно спросила Северцева. — Да ладно! Она, кроме себя, никого не видит. Да и не заходила она ко мне уже месяца три. Как Мирон у меня стал квартировать, так я к ней больше ходила. Ну, чтобы она не заподозрила ничего. А то получается, дружили-дружили, а потом и на порог не пускаю. А чтобы она ничего такого не думала, я к ней приходила с разговорами всякими о делах бабских. Ну, она на эти темы падкая.

— А у Алины тоже бабья доля не очень? — на всякий случай забросил удочку Гуров.

— Не знаю. Болтала всякое. Я так думаю, что она мужика на один-то раз найти всегда могла. Ей сто пятьдесят водки налей, танцы с ней станцуй под музыку, она и готова...

— Неразборчива была в связях с противоположным полом? — сформулировал Гуров.

— Ага, неразборчива, — усмехнулась Катька. — За эту неразборчивость ее мужик и бросил.

— Какой мужик? У нее любовник был?

— Ну не муж же. Да при ее характере кто с ней уживется? А мужик этот, она еще про него рассказывала, что талант он какой-то. Только не признают его. Вроде бывший актер, даже в фильме каком-то сыграл.

Гуров быстро начеркал записку на листе бумаги и протянул Крячко, сидевшему рядом. Тот вышел в коридор и развернул записку:

Пусть Афанасьев немедленно установит личность этого бывшего любовника.

Афанасьев появился из соседнего кабинета, откуда выводили после допроса задержанного Тыкву.

— Давай Андрюха, это очень срочно, — протянул записку капитану Крячко. — Чего-то наш Лев Иванович зацепил, какая-то идея у него в голове созрела. Ты с Тыквой закончил? Перескажи вкратце.

Наконец Северцеву увели обратно в камеру. Гуров сидел задумчивый и смотрел в окно. Он даже не обернулся, когда Крячко загремел чашками и электрическим чайником. А когда перед ним на столе, источая аромат, появилась чашка кофе, очнулся и благодарно посмотрел на Станислава.

— Да, спасибо. Очень кстати.

— На здоровье. Так что там с этим любовником, что за идея?

— С любовником? Видишь ли, Стас, мне не понравилось, как о нем говорила Катька. Не находишь?

— Я уловил только то, что эти две соседки по лестничной площадке находятся не в очень простых отношениях, — пожал плечами Крячко.

— Поясни, пожалуйста.

— Ну посуди сам. Разница в возрасте у них больше десяти лет. Не аргумент, конечно, но обычно крепко и беззаветно дружат одногодки. Если исходить из характеров обеих дам, то Алине пофигу, с кем дружить, лишь бы сигаретку было у кого стрельнуть да душу излить. Она ведь вся в неудовлетворенности. И, по-моему, не только в творческой, но и в сексуальной. Ее Катька интересует как собеседница. А Катька к Алине относится немного иначе. С одной стороны, она старше соседки, но и по характеру, и по происхождению она проще, бабистей, что ли. Может, надеялась, что Алинка ее с мужиком хорошим познакомит, все-таки у Алинки знакомые не то что у Катьки.

— Хм, заметил, — обрадовался Гуров. — А я думал, что мне показалось. Завидовала Катька ей, ох завидовала. У нее же на лице написано — мне бы твою судьбу, я бы уж мелкими заработками сейчас не побиралась, я бы за народного артиста замуж вышла, хоть за старого, хоть за больного, за профессора какого-нибудь. А ты «косячки» стреляешь и на судьбу жалуешься. Вот почему Катька нам и про любовника брякнула, фактически сдала соседку. Потрясите ее, господа сыщики.

— Странно только, что она этого любовника по имени и фамилии не знает, — покачал головой Крячко. — Врет ведь!

— Не обязательно. Могла пару раз увидеть, если он домой к Алине приходил, и весь образ себе дорисовать, представить, как она могла бы жизнь устроить с каким-нибудь вот таким же фраерком от кинематографии. И учти, что Миронов на ее стрельбу глазками не клюнул, а он парень симпатичный. И как ни крути, а всюду у Катьки Северной облом с мужиками. И не верит она, что Алинка тут ни при чем. Подозревает она ее в убийстве Миронова. У меня полное ощущение, что Катька просто уверена, что Миронова убивать больше некому, что-то она про него знает.

— А вот тут ты, Лев Иванович, ошибаешься. Я успел переговорить с Афанасьевым. Он все это время Тыкву тряс в соседнем кабинете. Тыква связь поддерживал между Мироном и Крестом.

— Крест? — нахмурил брови Гуров. — Это какой Крест? Мищенко? Хотя нет, Мищенко получил «четвертак» и скоро не выйдет. Шура Буравихин?

— Точно.

— Та-ак, Стас, час от часу не легче. Этот откуда взялся в Москве?

Глава 9

Крячко отчаялся отговорить Гурова от участия в операции и погрозил Афанасьеву кулаком за спиной.

— Я все вижу, — надевая подплечную кобуру, сказал Гуров. — Я курирую розыск, Афанасьев обязан был ввести меня в курс проведения очередного этапа работы по делу. Так что не оказывай давления.

— Правильно, курируешь! — возмутился Крячко. — Ты мозг нашего треста, идейный вдохновитель, генератор идей, а мы — грубая физическая сила. Давай мы без тебя его возьмем!

— Лесть, господин полковник, — ткнул Гуров пальцем в напарника, — украшает официантов, мастеров по индпошиву верхней одежды и секретарш. Сыщик должен резать правду-матку в глаза.

— Истинно! — выпучил глаза Крячко и щелкнул каблуками. — Святые слова!

— То-то же, — хмыкнул Гуров.

— Может, правда не поедешь? — на всякий случай спросил Крячко.

— Стас, я тебе благодарен за заботу, но как профессионал ты должен понимать, что мы находимся в гуще информации. И в какой момент, в каком месте прозвучит то, что приоткроет завесу тайны, мы не знаем. Ты чувствуешь, что цепочка фактов опять повела нас назад в Рязань, опять к этому делу, с которого все и началось. Я просто удивляюсь, как могло так повезти и натолкнуть нас на дело об этих платках и как они совместились.

— А если честно, — выходя следом за Гуровым из кабинета, сказал Крячко, — то я, например, нахожусь в состоянии раздвоения личности. С одной стороны, все опять замкнулось на эту рязанскую наркомафию. Хорошо, это многое объясняет. Но при чем тут смерть менеджера торговой организации Бочарова? При чем тут студентка Чуканова или старый актер Белов? Все логично, кроме подозреваемой Игониной, которая вхожа в кое-какие творческие круги. И сразу проклевывается связь между смертью Миронова и смертью Белова. Все через Игонину или через эту чертову творческую среду! Скажи мне, что тут первично, а что вторично?

— Вот поэтому, Стас, я не могу и не хочу пропустить что-то очень важное, которое может оказаться едва заметным. — Гуров даже остановился на лестнице и посмотрел другу в глаза: — Например, вывалившийся из кармана Креста и потерявшийся в процессе захвата белый батистовый платочек. Никто же внимания не обратит, значения не придаст. Сам же понимаешь, что мы стоим на таком распутье с этим делом, что... — Он махнул рукой и торопливо стал спускаться вниз по лестнице.

— Что меня радует, Лев Иванович, так это изменения в твоем настроении, — улыбнулся Крячко, догоняя его. — Ты из Рязани приехал какой-то заторможенный и пожухлый. Если бы я тебя не знал как облупленного, то подумал бы, что у тебя там случилась несчастная любовь.

— Типун тебе на язык! — громко произнес Гуров, не оборачиваясь.

Две девушки с лейтенантскими погонами, стоявшие на площадке второго этажа, прыснули в кулак. Крячко состроил страшную гримасу и показал им язык.

Через три часа, после всех напутствий, обсуждений и приказов, Гуров во главе группы оперативников приехал к станции метро «Партизанская». Здесь в Парке аттракционов и скрывался Александр Буравихин, известный в некоторых кругах как Шура Крест. Причиной этой клички был глубокий крестообразный шрам над правым глазом. Примета, от которой так просто не избавиться, поскольку еще в юности в пьяной драке ударили чем-то подвернувшимся под руку Шуру Буравихина в лоб. И ударили так сильно, что кожа лопнула до самой черепной кости. Сразу пластической операции никто не сделал, да и пациент был не из таких, кому предлагают данные дорогие услуги. А он поздно сообразил, какой приметой теперь обладает. Примерно после второй судимости, когда его снова опознали на очной ставке по этому шраму.

Срезать кожу на лбу было бесполезно, потому что там останется другой приметный шрам. И Буравихин утешился тем, что в воровских кругах и на зоне его теперь узнавали по этой визитной карточке. А в обычной жизни, вне колонии, Буравихин имел обыкновение постоянно носить кепки или бейсболки, которые глубоко надвигал на лоб, да еще цветные косынки-банданы, благо они давно уже являются признаком стиля и моды среди молодежи и байкеров.

Три автобуса «Форд-транзит» заняли позиции на дорожках парка. Полсотни омоновцев с автоматами и в масках ждали приказа на случай, если операция пойдет не так, как предполагалось. Гуров, зажав миниатюрный микрофон между пальцев, подносил его ко рту и тихим голосом отдавал распоряжения. Две группы оперативников из МУРа блокировали пути отхода Креста в сторону Измайловского парка. Там ими руководил сам капитан Афанасьев. Здесь же, со стороны широкой аллеи, Гуров должен был наблюдать, как группа захвата из трех человек будет брать Креста.

Все заняли нужные позиции, переговоры в эфире закончились. Сейчас была только площадка аттракционов и огромная цилиндрическая тумба, закрывающая станину большой карусели, находящейся на ремонте. Мало кто знал, что за неприметной дверцей производителем карусели была предусмотрена комната для техника по обслуживанию механизмов. Там были и распределительный щит, и блоки предохранителей, и что-то вроде мастерской. Должны были быть. К тому же, комната хорошо оборудована, и в ней можно довольно комфортно пожить несколько дней. Тем более что в охране парка есть пара «своих» ребят.

О том, что Крест сейчас ночует где-то здесь, сдуру проболтался Тыква. Какой-то конфликт у него произошел с местными или он просто был очень осторожен, но ночевать у старых знакомых, с кем имел прежние дела, Крест не хотел. И Мирона к Катьке Северной устроил тоже Крест. А вот выследили место его ночевки в парке уже оперативники МУРа. Две ночи наблюдений с приборами ночного видения, и Креста засекли.

С того самого момента наблюдение за уголовником не ослабевало ни на секунду. К моменту прибытия группы захвата Крест топтался в парке, изображая из себя отдыхающего. Невысокий, коренастый, с низко надвинутой на лоб синей бейсболкой, он много курил и часто покупал напитки. То ли с похмелья страдал от жажды, то ли нервы пошаливали. Потом один из наблюдателей предположил, что Крест ждет какой-то встречи и поэтому нервничает. Гурову предположение показалось резонным, и он решил повременить с захватом.

И тут случилось непредвиденное. Крест что-то заподозрил или его кто-то спугнул, но он вдруг поднялся с лавки, на которую уселся пять минут назад, и поспешил в сторону станции метро. Поведение его было настолько красноречиво, что ждать не только бесполезно, но и опасно. Гуров отдал приказ брать.

Черт его знает, каким чутьем обладал Крест, но он почему-то бросился в единственном направлении, в котором мог действительно прорваться сквозь преграды оперативников и скрыться. Побежал не к ажурному забору, через который мог запросто перемахнуть, наступая ногами на горизонтальные конструкции, не к пруду, где единственный мостик вел к спасению через водную гладь к воротам на соседнюю улицу, даже не попытался прорваться через главные ворота к большой автомобильной стоянке. Крест поступил вопреки вообще всякой логике. Наверное, у него в самом деле сдали нервы или он давно чувствовал опасность. Расталкивая людей, он побежал прямо в центр парковой зоны. Гуров и Крячко бежали в том же направлении, только по соседней аллее. Из прибора в ухе Гуров слышал приказы Афанасьева, слышал, как тот перемещает людей и велит омоновцам приготовиться перекрыть восточный сектор. Кажется, один автобус решил переместиться дальше в этом направлении.

Гуров пытался понять логику поступков Креста. Он бежит в самое людное место, там полно охранников парковой администрации, там постоянный пост полиции. Что он задумал? Надеется, что о его личности никого широко не оповестили, что его просто выследил какой-то ретивый оперативник? Глупо! Крест дважды сидел, он уже столько находится в бегах, что достаточно должен был изучить методы работы уголовного розыска.

К зданию администрации парка Крест свернул так неожиданно, что Гуров подумал, что беглец узнал его и Крячко и собрался на них напасть. Это двухэтажное здание красного облицовочного кирпича со стилизованными архитектурными элементами находилось как раз метрах в десяти от Гурова. Синяя бейсболка Креста мелькнула за спинами гуляющих людей, и кто-то тут же истошно закричал. Лев увидел опрокинутую детскую коляску и, выругавшись бросился прямо через газоны к красному зданию. Рядом Крячко что-то кричал в микрофон Афанасьеву. Но они не успели. Крест всего лишь споткнулся о детскую коляску, а сейчас он уже забежал в здание. Что у него на уме? Укрыться, попытаться сбежать через другую дверь, взять в заложники кого-то из работников администрации и потребовать себе «коридор» для отхода?

Афанасьев и трое молодых плечистых оперативников появились на алле почти сразу. Капитан махнул рукой в одну сторону, в другую и устремился к двери. Кто-то из отдыхающего люда начал что-то понимать и стал поспешно покидать опасное место. Создалась специфическая суета, за которой что-то должно было последовать.

Последовал звон разбитого стекла и стук упавшего со второго этажа офисного стула. Потом раздался громкий мужской голос:

— Не подходить к зданию! Я вооружен, и у меня заложники. Если кто к двери подойдет, я вам труп сброшу!

Тут же в здании завизжал женский голос и замолк. Наверное, ей зажали рот рукой. Гуров, встав за ствол кривого вяза, пытался разглядеть Креста в окне второго этажа. Афанасьев с сожалением потрогал дверную ручку и убедился, что дверь заперта изнутри. Теперь придется идти на поводу у уголовника, теперь Крест начнет диктовать условия. Все, опростоволосились! Упустили инициативу, дали себя заметить, дали возможность Кресту захватить заложников, поставили под угрозу жизнь людей и исход операции захвата.

— Афанасьев, убери людей! — приказал Гуров в микрофон. — Оцепи здание всеми наличными силами, но на расстоянии пятидесяти метров.

— Я могу попасть внутрь через окно первого этажа, — тихо ответил капитан. — Я в мертвой зоне, он меня не видит.

— А если увидит? Если услышит шум? Выполняй, Андрей Андреевич, я Креста хорошо знаю, знаю, что он дурак, когда его к стенке прижмешь. Он, не задумываясь, начнет стрелять и убивать.

— Крест не мокрушник, — попытался возразить Афанасьев, — он аферюга, вор, но не мокрушник.

— Ты о нем по сводкам знаешь, а я его брал и сажал. Он за этот год, что на воле бегал перед последней отсидкой, лично порешил четверых. И именно из-за своих афер! Конкурентов убирал, предателей казнил. Он очень изменился за последние десять лет, так что не обольщайся.

— Что вы задумали, Лев Иванович? ОМОН подтянуть, снайпера?

— Выполняй, что я сказал, — отрезал Гуров и неторопливой походкой двинулся прямо к зданию.

Еще метров десять его будут скрывать деревья, а потом он окажется на открытом пространстве прямо перед фасадом здания, прямо перед окном, из которого кричал Крест. Узнает его Крест или нет? Прошло много лет, Гуров, конечно, внешне немного изменился, но забыть сыщика Крест не мог. Слишком много они провели времени на допросах друг против друга. Один крутился, юлил, второй сверлил его взглядом и прижимал к стенке доказательствами, логикой.

Омоновцы появились за деревьями и стали оцеплять площадку вокруг здания. Оставшихся отдыхающих быстро и очень настойчиво удалили за пределы зоны оцепления.

— Лев Иванович, — послышался в наушнике голос Афанасьева, — мы должны сообщить. Вы порядок знаете.

— Андрей Андреевич, пятнадцать минут, — упрямо возразил Гуров, — дай мне пятнадцать минут, а потом будем действовать по правилам.

Гуров порядок знал. Как только ситуация выходила за рамки обычной операции захвата, стоило только получить хоть косвенные данные, хоть предположить по прошлым делам, что преступник или преступники могут быть вооружены, сразу вступали в действие соответствующие инструкции. Во избежание неоправданных жертв среди оперативного состава, гражданских лиц следовало вызывать специальные силы быстрого реагирования и принимать все меры к удалению из зоны операции посторонних. В случае же захвата преступниками заложников, захвата особо важных объектов и тому подобного операция мгновенно превращалась в общегородскую и попадала под юрисдикцию межведомственного штаба.

Даже соблюдение этих правил иногда приводило к жертвам среди населения, материальному ущербу городского хозяйства, потерям среди личного состава спецподразделений. И, как следствие, трупам вместо задержанных бандитов. А Гуров трупы не любил, даже если это трупы бандитов. Он был убежденным сторонником простой, но очень емкой истины, которая когда-то прозвучала из уст Владимира Высоцкого в фильме «Место встречи изменить нельзя». Вор должен сидеть в тюрьме! Это и философия работы уголовного розыска, и философия жизни сыщика, закон профессиональной чести. Если по земле все еще ходят преступники, значит, ты плохо работаешь.

— Эй, стоять! Кто там идет! — заорал Крест на весь парк и смачно выругался.

— Не ори, Буравихин, — громко крикнул Гуров, — детей в парке напугаешь!

— Стой, я сказал, ты, б...

Гуров остановился, решив, что не стоит до конца испытывать нервную систему Креста. Нервишки у него, кажется, на пределе.

— Стою, стою! Разуй глаза, Шурик. Не узнаешь меня?

— Гуров! Ты? — Крест даже закашлялся, у него от возмущения горло перехватило. — Ты че такой бесстрашный, Гуров? Тебе житуха надоела? Ты же, падла, меня... Я ж тебя...

— Хватит орать, Крест, — сморщился Гуров, засовывая руки в карманы брюк. — Что ты все на публику работаешь? Забыл, с кем имеешь дело? Мы с тобой на допросах как работали? Я спрашиваю, ты отвечаешь. Забыл! Ну, пора вспоминать и опять привыкать.

— Ты... — голос Креста перешел почти на визг, — все те, Гуров...

— Да погоди ты, Крест! Хватит психовать! Ты же жить хочешь, а, убив меня, ты смертный приговор себе подпишешь. Кого-то из заложников убьешь? Ну и кто тебе это простит? Ну послушаются тебя, дадут сейчас уйти, а потом что? Куда ты денешься? Все равно ведь тебя возьмут рано или поздно. И все это время ты жить спокойно не сможешь, будешь по норам сидеть, от каждого шороха дергаться, по ночам в сортир выползать. Это жизнь, Крест? Оно тебе надо?

— Все равно не возьмешь меня! Не дамся!

— Почему? — удивился Гуров. — С чего ты взял-то? Тебя уже два раза брали, Крест. С чего ты решил, что мы работать не умеем? Глупо, Крест, недооценивать людей. Тебе нельзя ошибаться, ни на воле, ни в зоне, из тебя так лидера не получится. Уважают тех, кто людей насквозь видит. Ты видишь людей насквозь, Крест? Меня насквозь видишь?

— Че ты хочешь? — заорал Буравихин, но уже совсем другим голосом. — Че ты эту шарманку завел?

— Мозги твои включить пытаюсь! Ты меня знаешь, Крест, я смерти не боюсь и тебя не боюсь. Боялся бы — сюда бы не вышел. А еще я тебя знаю! Не первый день знаю! Ты на одну чашечку весов положи то, что у тебя сейчас в руках. Пистолет, заложников, стрельбу, которая может начаться в любую секунду, и, главное, чем все это для тебя окончится и сколько тебе суд накинет, если жив останешься. А на вторую чашу весов положи мое слово. Не забыл еще, что Гуров своему слову хозяин, что Гуров не врет даже вашему брату.

— Куда ты клонишь, Гуров?

— Слушай меня внимательно, Шура, — уже спокойным доверительным голосом заговорил сыщик. — Ты меня знаешь, ты обо мне от других слышал. Если сейчас сам выйдешь через дверь, отдашь мне пистолет и пойдешь со мной на Петровку, я тебе гарантирую, что забуду про эту твою выходку с заложниками. Но через пять минут будет поздно, Шура, через пять минут заработает отработанный десятилетиями механизм. Через пять минут начнет раскручиваться механизм смерти, Шура. Твоей смерти! Ты на хрен никому не нужен, чтобы из-за тебя рисковать своими жизнями и жизнями заложников. Тебя пристрелят, Шура, и поставят на тебе жирный крест. Снисхождение получишь, если лапки поднимешь и выйдешь. Учти, что я своим обещанием свой служебный долг вроде как нарушаю, а это нехорошо.

Крест молчал. И это было просто отлично. Вот если бы он продолжал слюной брызгать, продолжал бы орать, что всех порешит и на всех со второго этажа плевал, тогда дела были бы плохи. Тогда бы Гурову пришлось туго, потому что пуля, как известно, дура, а он стоит сейчас в пятнадцати метрах от окна. Тут и слепой с трудом промахнется.

— Сука ты, Гуров, — обреченно сказал в окне Крест. — За глотку ведь берешь, знаешь ведь, на что давить.

— Конечно, знаю. Я ведь вашего брата уже сколько ловлю, десятилетиями срок исчисляется. Конечно, знаю, что говорю. А за суку тебе извиниться придется.

В ответ не прозвучало ни слова. Казалось, гробовая тишина повисла над всем парком, даже карусели замерли в напряженном ожидании, и ветер затих среди деревьев, прижавшись к стволам.

— Ладно, Гуров, твоя взяла, — проворчал Крест. — Я выхожу... Только ты там своим вертухаям скажи, чтобы не шмальнули ненароком.

— Скажу, не волнуйся, — пообещал Лев.

Несколько минут напряженного ожидания прошли. Наконец со скрежетом что-то отодвинулось за входной дверью, и она распахнулась.

— Я выхожу! — угрюмо крикнул Крест. — Волыну бросаю!

Пистолет вылетел и покатился по асфальту к ногам Гурова. Сыщик стоял, все так же засунув руки в карманы. Крест вышел, выставил руки в стороны, демонстрируя, что оружия при нем больше нет.

— Вот он я, — криво усмехнулся он. — Давай команду, сыскарь!

— Ты ничего не забыл, урка? — сузил глаза Гуров. — Ты «суку» назад взять должен. Знаешь, что за базар отвечать придется. Полковник Гуров погон своих никогда не марал и сукой никогда не был. У тебя свои законы, и у меня свои. А слово я свое даже перед вами держал! Ну?

— Ладно, Гуров, беру свои слова обратно, — уже не так нагло усмехнулся Крест. — Извини, сорвалось. Ты, значит, уже полковник?

— А меня начальство ценит. Иди сюда, — вытащил руки из карманов Лев и поднял перед собой за цепочку блестящие наручники, — браслетики пора надевать.

— А чего же ты, полковник, не в кабинете сидишь? — уныло проговорил Крест, подходя и нехотя протягивая руки. — Ты командовать должен, а под окном скакать положено тому, кто помоложе.

— А скакать там бы никто не стал, — защелкивая наручники, ответил Гуров, — тут не цирк. И я не скакал, а убеждал тебя, к твоему разуму обращался.

— Гуров, — вздохнул Крест, — до чего же с тобой тяжело разговаривать. Что ты все к словам цепляешься? Ты же мне тогда еще все нервы истрепал.

— Можно подумать, что я ночи не сплю, все жажду встречи с тобой и тебе подобными! Не воруйте, не убивайте, живите как люди, вот и не будем встречаться, разговаривать и трепать друг другу нервы.

— Старый базар, — проворчал Крест, идя с сыщиком в сторону выбегавших навстречу омоновцев с автоматами. — Никогда мы друг друга не поймем.

— Никогда, — согласился Лев.

Гуров летел в самолете и думал о телефонном разговоре, который у него сегодня утром был с капитаном Матуриным. Сыщики там в Рязани успешно двигались по размотанным ниточкам сети распространения наркоты. Покупателей, посредников было много, ведь к Миронову приезжали из других городов. Но Гуров не очень верил, что Миронов свой бизнес замутил в одиночку, что не было у него подельников, помощников, а то и своего босса, по чьему указанию он работал. И очень было возможно, что до Миронова дотянулась чья-то рука из Рязани. Это вариант следовало очень тщательно проверить.

Матурин тоже считал, что Миронов вряд ли работал один, но доказательств этому у него пока не было. Первым в списке сыщика стоял некий Равиль, на которого все указывало как на частого гостя и крупного покупателя. Матурин очень тщательно, насколько это вообще возможно, проверил связи этого Равиля. Не очень они у него в уголовном мире обширные, не сидел Равиль ни разу. Вообще-то, он был предпринимателем из Самары. Просто пришла ему когда-то идея в голову, да и деньги у него были для этого. Вот он и организовал с хорошим знакомым бизнес по выращиванию высококачественной конопли. И самым надежным его партнером был именно Миронов. И неважно, что он из Рязани, главное, что надежный.

Могли дотянуться до Миронова из Рязани в Москву его бывшие партнеры по наркобизнесу или не могли — было узловым вопросом в расследовании. Этот рязанский след мог оказаться целым направлением, отдельной разработкой, которая поможет раскрутить все то, что стояло за пределами бизнеса Миронова, граничило с его бизнесом, а может, было его частью. Или, наоборот, бизнес Миронова был частью чего-то большего, более грандиозного.

В Турлатове Гурова встретил лейтенант Нефедов. Все такой же интеллигентный, сдержанный, с задумчивым взором, он стоял в сторонке в аэропорту и ждал московского полковника.

— Здравствуйте, Лев Иванович, — расплылся Нефедов в улыбке и сделал попытку взять у него дорожную сумку. — Как долетели? Какие погоды нынче стоят в столицах?

— Давай-ка, Алексей, сначала о делах говорить, а потом уж о погодах.

— Что, все так плохо? Еще работы по этому делу добавилось? — спросил Нефедов, ведя Гурова через зал к выходу, где на служебной стоянке их ждала машина из ГУВД.

— Эх, Леша, Леша! — покачал головой Гуров. — И ты туда же. Ты сейчас сказал так, как будто тебе твоя работа в тягость. Радоваться должен, что дело двигается, что работы по нему все больше и больше, что на хороший след вышли. Радоваться должен, а ты... Что у вас за мышление, у молодых?

— Извините, Лев Иванович, — рассмеялся Нефедов, — наверное, это в самом деле привычка. Я в том смысле, что сказал по привычке.

Лейтенант говорил что-то еще в свое оправдание, продолжал рассуждать на тему стандартности мышления, но Гуров его не слушал. Он вдруг ощутил то же давление, какую-то нездоровую атмосферу. Рязань, что ли, так на него действует? Аллергия на этот город? Непереносимость в психологическом смысле? Что-то здесь важное, но что? Ведь все это обычные уголовные делишки, в них нет ничего необычного, загадочного.

— А потом генерала Герасименко вообще сняли, — продолжал рассказывать Нефедов. — Говорили, что он замом ушел куда-то в район. Зато теперь Матурин в фаворе, теперь ему все условия создают, а с начальником уголовного розыска отношения испортились. Тот же полагает, что Игорь Васильевич его подсиживает, что он ждет его места. Никому и невдомек, что для Матурина должность значения не имеет. Он опер! С большой буквы «О»! О, как красиво сказал. Не находите, Лев Иванович?

— Нахожу, — со вздохом согласился Гуров. — Красиво выражаться в нашем деле обязательно надо уметь. Просто необходимо.

Лейтенант покосился на Гурова и промолчал, не зная, как относиться к его замечанию. Как к насмешке, к ехидному комментарию к болтовне молодого лейтенанта? Нефедов подумал, что так и не смог до конца понять Гурова, хотя работал с ним несколько недель, буквально проводя рядом дни и ночи. Много о чем пришлось поговорить, многое обсудить, в том числе и за пределами служебных вопросов. А вот понять так и не удалось.

В управлении с Гуровым здоровались с большим энтузиазмом. Именно с энтузиазмом, а не с выражением уважения, радости или страха. Кажется, Герасименко на всех давил, создавал неприятную атмосферу, а теперь с его уходом ситуация изменилась в лучшую сторону. Дай-то бог!

Наконец закончились лестницы и коридоры. Гуров толкнул знакомую дверь и вошел. Кабинет изменился. Теперь тут стоял только один стол. Рядом со столом мягкое кресло с высокой спинкой, новый большой сейф. У окна появился столик с новым электрическим чайником и симпатичными чайными принадлежностями. Даже шкаф для верхней одежды новый, а уж о ноутбуке на столе и говорить нечего.

Спина согнувшегося возле сейфа человека распрямилась, и на Гурова посмотрело знакомое лицо. Да, капитан Матурин, пардон, майор Матурин тоже изменился. Нет в его лице теперь злой усталости, есть только здоровая, нормальная, вполне приемлемая усталость человека, который привык работать день и ночь.

— Я смотрю, тут преобразования некоторые произошли, — протягивая Матурину руку, сказал Гуров.

— Вы про мебель? — одними губами усмехнулся Матурин. — Грех не воспользоваться, если дают. И преимущества отдельного кабинета неоспоримы. Только вот отношения с ребятами стали портиться из-за всего этого. Ну а вас я должен как бы поблагодарить?

— За звание? За все это? — обведя рукой кабинет, нахмурился Гуров.

— И за звание, и за это. Чайник и чашки куплены за свои деньги. На них моя благодарность не распространяется.

— Ты, Игорь Васильевич, когда ерничать перестанешь с начальством? Звание ты давно заслужил, работой своей заслужил. А в остальном я не виноват. Тут чисто твоя вина, что со своим руководством стал в эти игры играть. Не нравится — кулаком по столу. Хочу сидеть в кабинете с тремя операми! И чтобы по телефону говорить было невозможно, и на деле сосредоточиться тоже!

— Вообще-то, я пошутил, Лев Иванович, — спокойно произнес Матурин. — А если серьезно, то благодарен вам не я одни. И не за это, а за Герасименко. Без него многие вздохнули свободнее.

— На здоровье, — проворчал Лев. — Только давай все-таки о делах.

— Давайте, — деловито отозвался Матурин, которого эта тема, видимо, тоже тяготила. — Равиль сидит внизу в «обезьяннике». Если хотите, могу прямо сейчас его поднять сюда.

— Давай сначала сами поговорим, без него. Твое впечатление после допросов?

— Думаю, что не врет, — уверенно заявил Матурин. — Все доступные факты проверял, и очень тщательно. Все совпадало до мелочей. И его бизнес в Самаре, и его связи в Саратове, Нижнем, Волгограде, Казани. В том числе связи криминальные. Врать ему смысла нет, потому что по его статье разница в сроках от минимального до максимального довольно велика. Ему выгодно сотрудничать со следствием, иначе он может получить пятнарик, да еще строгого режима.

— А насчет мотива убийства Миронова?

— Я старался не особенно заострять внимание на этом, чтобы он не подумал, что мы откровенно подозреваем его в организации убийства. Так, мимоходом. Получается, что смысла ему не было Миронова убивать. А что, деньги так и не нашлись? Я рассчитывал, что в Москве он осел вместе со своим капиталом.

— Местные уголовники его грамотно развели. Иными словами, он много денег потерял на решение своих проблем с местными авторитетами.

— Так, может, они его и грохнули?

— Думаешь, что мы эту версию не прорабатывали? Еще как прорабатывали.

— Не они?

— Вряд ли, но в этом направлении нам все равно придется работать до победного конца. Версия очень реальная. Ладно, давай Равиля сюда минут через тридцать, а пока расскажи, как он держится, какие стили допроса ты применял, какие у него слабости...

Равиль за время, проведенное в СИЗО, заметно похудел. И во взгляде его карих глаз появилось что-то иное. Гуров помнил, что в глазах этого коренастого молодого человека раньше преобладала самоуверенность, теперь же сквозила обреченность. Это хорошо, значит, самоуверенность в нем всегда была наносным явлением, а не сутью. Или он все же оказался трусоват для таких дел. Так или иначе, но дожимать Равиля надо. Слишком он заметная дорожка в другие города, и слишком у него темные отношения были с Мироновым, в отличие от других постоянных «покупателей».

— Не забыл меня, Равиль? — спросил Гуров, когда арестованного посадили на стул посреди комнаты.

— Помню, почему же, — дернул тот плечом. — Вы тот... из Москвы. Полковник.

— Почему я здесь, понимаешь?

— Понимаю, — криво усмехнулся Равиль. — По мою душу.

— Не по душу! — резко бросил Гуров. — Твоей душой пусть священнослужители занимаются, а мне твои земные дела интересны. Ты слишком широко развернулся, нагадить успел в нескольких областях. И Главному управлению уголовного розыска МВД России очень интересно, как тебе это удалось.

— Я майору все рассказал. Вроде и не молчу.

— Правильно делаешь, что не молчишь. Давай в том же духе, если не хочешь Фемиду злить. В каких отношениях ты был с Мироновым?

Гуров умышленно сказал именно «был», а не «находишься». Он хотел спровоцировать Равиля на мысль, что Мирон убит, и проверить его реакцию. Очень часто неожиданные вопросы у неподготовленного человека вызывают такую реакцию, после которой и «полиграф» не нужен. Равиль же отреагировал вполне нейтрально. Можно сказать, что он не обратил внимания на прошедшее время глагола. Не знал, что Миронов убит? Знал, но не имеет к этому отношения? Имеет прямое отношение, но крепкие нервы позволили не выдать себя? Ладно, это не последняя уловка, на какой-нибудь все равно проколется.

— Я рассказывал, — ровным голосом ответил Равиль, — что он выращивал, частично проводил грубую переработку, а я сбывал по своим каналам.

— Миронов не такой человек, чтобы потянуть бизнес на половину Европейской части России, — покачал головой Гуров. — А ты как раз такой человек, который способен, благодаря природной энергии и беспринципности, организовать ему такой сбыт.

Равиль опустил голову, как бы подчеркивая, что вот опять не дали скрыть его истинное участие в этом деле. Скорее всего, он уже смирился и устал.

— Значит, ты подтверждаешь, что Миронов не сам придумал эту схему? Что это ваш совместный бизнес?

— Да, я вкладывал в этот проект свои деньги. Получается, что у нас был совместный бизнес.

— Почему «был»? — не удержался Гуров от вопроса.

— Так вы же его накрыли! — грустно улыбнулся Равиль.

— Или потому, что ты Мирона «накрыл»?

— В каком смысле? — чуть удивился Равиль. — В смысле, что я его на бабки накрыл? Не-ет, я с ним честно работал.

— Накрыл, в смысле убил, — снисходительно поправил Гуров, — в смысле того, что убрал партнера, чтобы денежки присвоить.

— Кого убрал? В смысле, как убил?

— А как убивают? Чтобы умер, больше никак. Так вот и убивают.

— Я убил? — очень натурально вытаращил глаза Равиль. — Так я же у вас в СИЗО сидел!

— Да вы убили, Родион Романыч! Вы и убили-с!

— Какой... — шумно сглотнул Рамиль, — какой Родион Романыч?

— Ну, это так, — усмехнулся Гуров. — Достоевского на досуге читать надо. А теперь выпей водички, а то вон как во рту у тебя пересохло. Боишься, друг ситный! А потом обстоятельно поговорим о деньгах, за которые ты его и убил.

И тут Равиль завелся. Разумеется, сам он своими руками убить Миронова не мог, и именно этого ему в вину никто не ставил. Речь шла о том, что он организовал убийство. И вот тут Равиль запаниковал. Но паника у него, как у нормального дельца, вылилась не в интеллектуальный ступор, а в напряженную работу мысли. Он сбивчиво, но очень убедительно доказал, что расчеты между ним и Мироновым проводились в определенных пропорциях, даже назвал людей, которые этими расчетами занимались, делили прибыль, обналичивали, занимались переводами на банковские счета. Эти люди были задержаны и вполне могли подтвердить слова Равиля.

Кое-что удалось проверить за несколько часов прямо в Рязани. Но интересным оказалось то, что вместе с Мироном из Рязани пропала и крупная часть наличных денег, так называемого «черного нала». Сумма была большая, что-то около десяти миллионов рублей крупными купюрами. Об этих деньгах в Рязани знали трое помощников Миронова, но о них не знал Равиль. И рассказали об этом два часа назад, когда началась проверка показаний Равиля. Поздно рассказали, наверняка намеревались вскоре воспользоваться этими деньгами самостоятельно, а теперь...

Трое суток розыска, проверок, допросов показали, что небольшой черный кожаный кейс пропал из тайника примерно в одно время с исчезновением самого Миронова. Таким образом, круг подозреваемых в его убийстве расширялся. Вполне было логично предположить, что кейс не уехал вместе с Мироновым, он попал в руки человека, который и нанял убийцу. Оставалось разгадать одну маленькую загадку: а как этот конкретный подозреваемый мог узнать, где прячется Миронов. И, видимо, Равиль был тут действительно ни при чем.

По истечении трех суток, когда оперативники уже падали с ног, неожиданно позвонил Крячко:

— Здравия желаю, Лев Иванович. Как продвигаются дела в Рязани?

— Стас, — недовольно ответил Гуров, — если ты по делу, то излагай. У нас тут работы выше крыши, мы трое суток без сна и отдыха. С ног сбились.

— А-а... А я ничего, я извиняюсь, шеф, — виноватым голосом спохватился Крячко. — Я же исключительно проверить, как там у вас. Просто забочусь.

— Ладно-ладно, — примирительно отозвался Лев, — если есть что, то говори, у меня совещание.

— Да так, — помялся Крячко, — какие у нас тут дела могут быть? Вот у вас там, это да! А у нас мелочи. Кейсик вот нашли один неприметный, а в нем «капусты» миллионов на восемь. Не интересует?

— Что-о? — подскочил Гуров на стуле. — Какой он из себя, какими купюрами деньги, точно подсчитали? И вообще, он...

— Лев Иванович! — с укором проговорил Крячко. — Я же знал, что тебе интересно будет, что ж ты так разошелся-то!

— Стас, вот столько лет тебя знаю, а никак не привыкну к твоим шуткам. Своеобразные они у тебя, мягко говоря.

— А ты меня за то и любишь, что я в скучную рутину нашей профессии привношу элемент игры, здорового розыгрыша, интриги. Вот и сейчас она представляется в виде небольшого кожаного черного кейса, в котором лежат рубли в пачках. Большая часть пятитысячными купюрами, но есть и тысячными. Я даже скажу тебе, что кейсик принадлежал Миронову. Это чтобы ты там голову не ломал понапрасну. Отпечаточки мы с него сняли.

— Ну-ка, давай подробнее, старый интриган, — велел Гуров, — я сейчас телефон переключу на внешний динамик, чтобы мои оперативники слышали. — Положив телефон на стол, он прикусил губу и стал слушать.

— Дамы и господа, — зазвучал в полной тишине кабинета под смешки молодых оперативников голос полковника Крячко, — пока вы там в Рязани стаптывали ботинки и протирали штаны, это к тому, что у вас наверняка разный стиль работы, мы тут, сирые, в Москве нашли денежки, которые пытался припрятать ныне покойный Миронов. Проверкой показаний мелкого уголовника Тыквы и его старшего товарища Креста, которого без вмешательства полковника Гурова взять бы не смогли. А он буквально в два присеста...

— Стас, тут, между прочим, люди, которые с тобой совершенно незнакомы, — проворчал Гуров.

— Да-а! — испугался Крячко (или сделал вид, что испугался). — Извиняюсь, товарищи, я думал, что Лев Иванович там только вдвоем с майором Матуриным. Так вот, Крест показал, что Миронов в общей сложности передал ему на различные нужды, в том числе и в уплату за «крышу» в Москве, два миллиона двести тысяч рублей. Уголовник по кличке Крест полагал, что Мирона, как он сам выразился, вытряс полностью. Однако, учитывая личность Миронова и показания другого уголовника по кличке Тыква, который заявил, что Миронов вечерами и по ночам часто отлучался из квартиры Северцевой, мы решили устроить проверку одной гипотезы, то есть определить места прогулок Миронова, места возможного хранения денег. Ведь хозяйка квартиры Северцева не видела у Миронова таких денег, как не видела сумки, в которой он мог их хранить.

— Где нашли? — поторопил Гуров напарника. — Остальное может потерпеть.

— Да на вокзалах, Лев Иванович! Он ездил по вокзалам и перекладывал кейс из одной камеры хранения в другую. В этот раз мы обнаружили его на Казанском.

— Хорошо, я отправлю к тебе троих помощников Миронова, которые могут этот кейс опознать. Спасибо, Стас!

Последние слова были произнесены уже совсем тихо. Просто на Гурова навалилась дикая усталость. Такое напряжение этих трех суток и такой подарок от Крячко.

— Не за что, — спокойно ответил Станислав. — Но это не все. Я тут кое-какие запросики сварганил. Ну... конечно, для ускорения ответов пришлось с подписями... ну, неважно. Короче, по имеющимся сведениям, это ваш Равиль, который никогда к уголовной ответственности не привлекался и в местах лишения свободы наказаний не отбывал, имеет довольно обширные для несудимого связи в уголовном мире. Это и понятно, учитывая сферу его деятельности. Так вот, оперативным путем установлено, что Креста Равиль не знает и никогда с ним не пересекался. Так же, по моим сведениям, Крест никогда в Самаре, Саратове, Нижнем Новгороде и Казани не был. Полагаю, что вопрос о возможном сговоре Креста и Равиля по устранению Миронова Глеба Николаевича пока отпадает.

Однако полного удовлетворения Гуров не испытывал. Перед отъездом в Москву у него в Рязани оставалось еще одно обязательство. Он обещал навестить Веронику Калинину. Кое-что по списку забрать для Юрки и Татьяны, рассказать, как идет лечение и как они вообще в Москве устроились. Встреча предстояла тягостная и мучительная.

Глава 10

— Алина Игонина? — Директор выставочного комплекса, миловидная женщина в возрасте где-то от тридцати до пятидесяти, задумчиво посмотрела на полковника. — Она личность, конечно, неординарная, но не настолько, чтобы представлять какой-то интерес в творческих кругах.

Гуров старался смотреть на собеседницу с интересом не только чисто служебным. Это у него отчасти получалось, потому что он не переставал удивляться и восхищаться возможностями современной индустрии красоты. Ну как можно так ухаживать за собой и, главное, чем ухаживать, что выглядеть приемлемо в таком широком возрастном диапазоне — от тридцати до пятидесяти? Или она в тридцать-сорок *уже* так выглядит, или в сорок-пятьдесят *еще* так выглядит?

— Скажите, Галина Андреевна, а бойфренда Игониной вы знали?

— Фу, господин полковник, — игриво взмахнула ресницами женщина.

— Ну, простите меня, — улыбнулся Гуров. — Простите, но это ведь моя работа.

— Понимаю, понимаю, — кивнула директор. — Только я вам вряд ли могу в этом вопросе помочь. Я ее личной жизнью никогда не интересовалась. Отношения у нас всегда были чисто деловыми. Я ей поручала при подготовке выставок или камерных встреч с артистами свою долю работы. Ну, на которую мне не хотелось отвлекаться самой или загружать своих девочек. Всякую и не очень благодарную работу.

— Нанять клиринговую компанию, пригласить буфет?

— Ну что вы, — рассмеялась она. — Эти вопросы решаются чисто по телефону. А вот более щепетильные... Например, найти номер телефона директора какой-нибудь звезды, узнать планы летнего тура...

— А что, номера телефонов — это тайна? — удивился Гуров. — Я полагал, что номера, наоборот, должны знать многие. Это ведь в интересах самого директора, его доступность напрямую, как мне кажется, влияет на широкие связи и наличие заказов на выступления.

— Тут вы правы. Но есть заказы, которые афишировать не любят. И не потому, что они звезду каким-то образом дискредитируют. Понимаете меня?

Гуров понял. Есть заказы официальные, официальные доходы, с которых концертирующая звезда платит налоги, а есть «халтурки», причем не очень дешевые, которые проходят «в черную». Просто среда должна быть надежная и гарантирующая, что никто никого и никуда не сдаст.

— Вы говорите, что ее очередное увлечение — бывший театральный актер? — спросила Галина Андреевна.

— Полагаю, что бывший актер. Не уверен, что именно театральный и что состоявшийся.

— Да, Лев Иванович, — рассмеялась женщина, — у нас в творческих кругах себя называют актерами и художниками даже те, кто и соответствующего образования не имеет, да и к данному искусству пришел спонтанно или случайно. Я знала одного актера, который даже в театре никогда не играл и ни в одном фильме не снялся. Просто промышлял на корпоративах и считал себя служителем Талии и Мельпомены! Вы знаете, Лев Иванович, а я, пожалуй, слышала про их отношения с Костей Ветровым. Если не ошибаюсь, он с вашей очаровательной супругой играет в одном театре.

— Так что вы о них знаете? Пожалуйста, Галина Андреевна! Поверьте, не одни крутые полковники мир спасают, иногда и милейшие женщины способны...

— Только не намекайте, прошу вас, на Елену Троянскую. Не хочу, чтобы из-за меня случались войны. А про Алину и Ветрова я слышала что-то такое. Ну, во-первых, они одновременно поступали в театральное училище. Кажется, в Щукинское, но он поступил, а Алина — нет.

— Что так? По какой причине не прошла?

— Да вы знаете, Лев Иванович, слухи ходили разные, только я не привыкла верить пустословию. У нас любят то превозносить чужие таланты, то относиться к ним уничижительно. Не берусь судить, какого именно рода причина, но неоднократно слышала от других людей, что Алина както озлобилась тогда, показалась многим обиженной, обиженной незаслуженно. То ли несправедливо что-то там на экзаменах оценили, то ли иное. Не знаю точно. Возможно, у девочки все же был какой-то талант. Я, по крайней мере, слышала, что на вступительных экзаменах она читала собственные стихи.

— Может, это и подтолкнуло экзаменационную комиссию на отрицательное решение ее вопроса, — предположил Гуров. — Насколько я понимаю, туда принимают людей, которые хотят учиться, могут учиться, а не тех, кто себя считает уже звездой. Не так?

— Возможно... Не знаю, Лев Иванович.

Интересно, думал Гуров, вот насколько я уже постиг особенности театрального мира, а до сих пор не могу определить, чем же сейчас может заниматься моя жена. Вот и на часах уже половина двенадцатого ночи. Нет, это в реальном мире половина двенадцатого ночи, а в театральном мире это половина двенадцатого вечера. Как раньше говорили:

пополудни, пополуночи. Значит, сейчас половина двенадцатого пополуночи.

Гуров был далек от мысли, что Маша пустилась во все тяжкие, что она веселится на хмельной пирушке, последствия которой ой как непредсказуемы. Разумеется, были в их среде и такие женщины — любительницы всевозможных приключений и утех. Но своей жене Гуров верил. Во-первых, потому что он ее хорошо знал, во-вторых, он ее любил. А когда женщину любишь, ты ей веришь. И еще он всегда помнил, что Маша любит его. Она любит театр, искусство и... своего мужа.

Но не это смущало Гурова, который сидел перед телефоном и старательно представлял себе, чем же сейчас занята его жена в далеком городе, где находилась с театром на гастролях. Он никак не мог понять, по какому принципу у актеров строится день и в каком напряженном ритме они работают. Усталость актера — это вам не усталость сыщика или грузчика, она у них иного рода.

Труппа или большая часть труппы могла в данный момент праздновать окончание спектакля, или чей-то день рождения, или еще что-то. А могли и валяться по номерам на постелях и отдыхать, потому что именно сегодняшний спектакль дался им эмоционально несравнимо тяжелее, чем, скажем, третьего числа. Могли вообще гулять шумной театральной толпой по, скажем, набережной. Гулять, читать стихи, монологи, спорить и обсуждать. Такое за ними тоже водилось, особенно на гастролях в чужих городах.

Гуров решил, что со стороны выглядит сейчас глупо, и решительно набрал номер Машиного телефона.

— Лева? Что случилось?

— Ничего, просто соскучился. Решил сделать сюрприз и позвонить.

— В половине двенадцатого ночи?

— В половине двенадцатого пополуночи, — поправил Лев. — А у тебя усталый голос, Маша.

— Ох... просто у нас сегодня не все ладилось. Тяжело шел спектакль, да еще две подмены было. Мы с девочками только вернулись в гостиницу. Так, бродили по городу, любовались звездами. Ты же нас знаешь, Лева!

— Знаю. Хандрите!

— Наверное. А ты как там? Не голодаешь без меня? Как там Юра Калинин со своей девочкой?

— Все хорошо, Маша, не переживай. Ты извини, но я немного по делу звоню...

— Вот как коварны мужчины, — тихо рассмеялась Маша, — увлечь женщину, заморочить ей голову, а потом бабах по башке — «немного по делу». Что случилось-то, неугомонный ты мой? К корпоративу готовитесь, текст не получается?

— Мне нужно поговорить с Ветровым.

— С Костей? — удивилась жена, и в трубке на некоторое время повисла тишина. — А что... случилось?

— Ничего страшного, Маша! — попытался Гуров успокоить жену. — Ровным счетом ничего. Просто у вашего Ветрова была одна хорошая знакомая. Мне надо проконсультироваться с ним по ее... личности.

— О, боже! Преступница?

— Машенька, — мягко, но с нажимом отозвался Гуров. — Ты знаешь правила...

— Хорошо, полковник, перезвони мне через пять минут. Я выясню, не спит ли еще Ветров, и попробую его подготовить. Не волнуйся, я не перестараюсь.

Пять минут тянулись довольно долго. Наконец отведенное на ожидание время прошло, и Гуров снова набрал номер телефона Маши.

— Але, полковник, — дурачась, отозвалась Маша. — Клиент готов, можно брать! Передаю трубку.

Какая все-таки она у меня умница, в который уже раз подумал Гуров. Ведь нашла интонации, нашла образ, чтобы не пугать человека, настроить его на необременительный, но все же серьезный разговор.

— Костя, добрый вечер, — сказал Гуров в трубку, едва услышав мелодичный баритональный тембр голоса Ветрова. — Я могу вас так называть?

— Конечно, Лев Иванович, что за разговор. Мария меня предупредила немного... Чем могу помочь доблестной полиции? О ком речь?

От Гурова не ускользнуло некоторое напряжение в голосе молодого актера. Видимо, он не был на сто процентов уверен, что его молодость и похождения настолько уж невинны и что ничего неприемлемого не всплывет в разговоре с высопоставленным полицейским. Хорошо, хоть есть гарантия в лице Марии Строевой, что нежелательное останется в определенной тайне.

— Вы помните одну вашу знакомую, которую зовут Алина Игонина?

— Игонина, Алина? Н-ну, да, помню. В основном, я ее помню по тем временам, когда мы все были абитуриентами. А потом, потом я с ней, кажется, пересекался раза три-четыре, но только мельком. А что случилось?

— Костя, рассказать я вам о причинах моего интереса пока не могу, а врать не хочется. Просто поверьте, что причина веская, раз я в полночь звоню в другой город и беспокою свою жену, вас. Согласны поверить мне на слово и ответить на мои вопросы?

— Безусловно, Лев Иванович, — с некоторым разочарованием в голосе проговорил Ветров. — Полагаю, что ерундой ваше ведомство не занимается. Так о чем пойдет речь?

— Постарайтесь спокойно выслушать мой вопрос и отреагируйте на него без лишних эмоций, желательно, чтобы окружающие не поняли, о чем идет речь. Хорошо?

— А рядом никого и нет. Я один в номере.

— Отлично. Теперь скажите, Костя, Алина Игонина была вашей любовницей?

— Алинка? — вполне искренне расхохотался актер. — Да вы что? «На абитуре», честно говоря, не до того было. А потом... Потом я ее уже не скоро увидел, да и не в моем она вкусе. Это я вам честно говорю!

— А может, вы слышали, кто с ней имел подобные отношения? Это очень важно, Константин!

— Ну-у, вообще-то, слышал. Только это было год, может, два-три года назад, я точно не помню. Это Максим Валович. Вроде с ним у нее любовь была. Где он сейчас и чем занимается, я не знаю. Он Щукинское закончил на два года раньше меня. Потом, кажется, в паре фильмов снялся и как-то потерялся. Парень был не без таланта, говорили, что его даже Олег Табаков в свою «Табакерку» звал.

— Хорошо, постараюсь найти Максима Валовича. А скажите мне еще, Костя, что вы думаете про Алину. Ну что она за человек, какая у нее душа?

— Душа? Ого, какие ныне вопросы полицию интересуют! Приятно слышать, что вам не чужда забота о человеческих душах, коллега! Вы, наверное, про стихи, которые она на вступительных экзаменах читала? Шумное было выступление, но ее не поняли. Да и стихи, на мой взгляд, несколько мрачноватые.

— Даже так? — насторожился Гуров. — А на память вы ничего не помните?

— Да бог с вами, столько лет прошло. Да и не сторонник я этой «чернухи». Я человек большого позитива.

— Позитивный человек с большой буквы «П»?

— Примерно так. Знаете что, Лев Иванович, если вас ее творчество интересует, разыщите в Щукинском училище Ольгу Евгеньевну Караваеву. Она тогда в приемной комиссии была, слышала эту поэзию. У нее, скорее всего, сохранились. Караваева редко что-то из студенческого творчества выбрасывает. А тут абитуриент блеснул.

Несмотря на то что «Щука», как в обиходе театралы называют Щукинское училище, с 2002 года стала официально именоваться «Театральным институтом имени Бориса Щукина при Государственном академическом театре имени Евг. Вахтангова», она так и осталась Щукинским училищем. Это старое, до боли родное словосочетание не решились удалить из названия. Слишком многое было с ним связано, слишком много великих имен вышло отсюда и покорило сердца миллионов.

Гуров стоял перед старинным зданием в Большом Николопесковском переулке и смотрел на его стены, окна. Гуров не был завзятым театралом, хотя его жена была известной театральной актрисой. Театр он любил, но профессия сыщика не давала возможности посещать спектакли так часто, как иногда хотелось бы. И как-то за долгие годы своей службы Гуров свыкся с этим. Каждому свое.

Здание дышало историей, это Гуров ощущал почти физически. Наверное, это аура величайших талантов, которые тут учились, которые тут преподавали. И сама архитектура здания ощущалась какой-то особенной, несмотря на лаконичный стиль с элементами ар-деко. Высокие окна, декоративный карниз с сухариками, подчеркнуто мощный цоколь — все это придавало монументальность и основательность всему строению. От него веяло непоколебимостью, вечностью театрального искусства. Гуров вздохнул оттого, что пришел сюда по делам своей грубой службы. Это все равно что в грязных сапогах ступить на свеженатертый паркет, да еще паркет векового возраста.

Ольга Евгеньевна Караваева ждала его в деканате. Она оказалась маленькой старушкой с острым носиком и собранными по старинной моде в шишку на затылке седенькими жидкими волосами. Длинное платье с высоким, под горло, воротником, туфли на низком каблуке и неизбежный платок, наброшенный на плечи. Гуров почему-то именно такой платок и ожидал увидеть на женщине. Караваевой было на вид лет восемьдесят, но двигалась и разговаривала она очень живо и эмоционально. Лев еле сдержался, чтобы, поздоровавшись и представившись, не припасть к ручке дамы. Впрочем, это, наверное, здесь показалось бы уместным.

— Так чем же я могу помочь столь бравому полковнику? — осведомилась Караваева, удивив Гурова, что запомнила его звание. Он-то его произнес не очень внятно. — Пойдемте, молодой человек, в эркер в конце коридора. Там мы сможем поговорить без помех.

Он все же не удержался от галантности, предложил старушке руку и буквально сопроводил ее к мягкому дивану в указанном эркере.

— Раньше, помнится, у жандармских полковников была весьма красивая форма, — оправив подол платья, произнесла Ольга Евгеньевна. — Почему вы не в форме?

— Видите ли, я имею честь служить не по жандармскому ведомству, — удивил сам себя Гуров, выдав такую витиеватую фразу. — Я из уголовной полиции.

— Вот как? Кажется, сейчас это называется «сыщик».

— Это всегда так называлось, Ольга Евгеньевна. Вы позволите задать вам несколько вопросов о ваших учениках? Дело весьма серьезное, и я прошу вас отнестись к моим вопросам с пониманием.

— Так задавайте, — поощрила полковника Караваева. — Я вас слушаю.

— Меня интересует некая девица, у которой вы принимали вступительные экзамены несколько лет назад. Это некая Алина Игонина.

— Алина Игонина? Да-да, припоминаю. Такая странная девушка, брюнетка, нервная, как струна. Она не прошла испытаний и не была зачислена.

— А вы помните почему?

— Ну как же, помню. Общеобразовательные дисциплины она сдала вполне удовлетворительно, а вот профессионального призвания мы в ней, видимо, не нашли. И это было не только мое мнение. Хотя что-то в ней было. Но это не для сцены, не для театра.

— А что она читала на прослушивании?

— О! Она читала собственные стихи. Не скажу, что это были шедевры, но поработать в этом направлении мы Игониной посоветовали. Вполне допускаю, что из нее могла получиться приличная поэтесса. А что с ней? Что из нее получилось?

— Нынче она под следствием, Ольга Евгеньевна. Простите, если я вас этим огорчил.

— Как же так! — всплеснула бледными старческими ручками Караваева. — Она девушка была странная, но не до такой же степени, не злодейка. Решительно отказываюсь понимать современную жизнь и современную молодежь. Удивительно просто, непередаваемо удивительно! Мир так прекрасен, в нем столько чудных оттенков человеческого общения, человеческих эмоций. Его хочется созерцать, впитывать, а они... тяжелая у вас профессия, господин полковник, я вам сочувствую. И что же она натворила такого, что попала в руки уголовной полиции?

— Ольга Евгеньевна, вы простите меня, но в нашей профессии есть определенные правила. Нельзя рассказывать всего, что пока еще находится в стадии изучения, проверки. Согласитесь, существует информация, которая может бросить тень на порядочного человека, скомпрометировать его в глазах окружающих. Вы — женщина проницательная, опытный педагог, но и вам я не могу сказать большего. Простите.

— Да-да, — грустно согласилась Караваева. — Вы, видимо, правы.

— Скажите, а у вас не сохранилось стихов Игониной? Мне сказали, что у вас целый архив творчества ваших учеников...

— Вы знаете, должны были сохраниться. Если вам это крайне необходимо, я могу найти.

— Было бы очень хорошо, Ольга Евгеньевна. Завтра вам будет удобно встретиться со мной по этому поводу?

— Безусловно. Я полагаю, что у вас в вашем ведомстве все срочно и безотлагательно.

— Хорошо, я позвоню вам утром. И еще, Ольга Евгеньевна, а вы знали Максима Валовича? Он ведь учился здесь.

— Да-да, милейший был юноша... Валович. Был в нем некий дар располагать к себе людей. Незаменимое качество настоящего актера. Только он ведь обучение не закончил. Если не ошибаюсь, ушел он с третьего курса. Очень мы его отговаривали, жалели его, что-то там, как я слышала, у него происходило. Нехорошая компания, я полагаю. Жаль молодого человека.

— А что вы знаете о его дальнейшей судьбе?

— Вы разве не в курсе? Он погиб. Я решительно помню, как мне говорили о похоронах. Даже кто-то из моих знакомых был там. Кажется, в прошлом году.

— Даже так? Понятно. Бедная Алина, она мне этого не говорила. У нее ведь какие-то отношения были с Максимом.

— Отношения? — искренне удивилась Караваева. — Не знаю... В таком случае, более странной пары я не могу себе представить.

Попрощавшись с Караваевой и договорившись с ней о телефонном звонке в одиннадцать часов (пополудни!), Гуров выскочил на улицу и первым делом набрал номер Крячко.

— Стас, срочно найди информацию о Максиме Валовиче. Мне только что рассказали, причем вполне авторитетно, что он погиб или умер.

— В ключе их отношений с Игониной и наших подозрений, это наводит на нехорошие предположения, — отозвался Крячко.

— Стас, уволь меня от подобной манеры общения. Я только что тридцать минут сидел, как на приеме у английской королевы. Аж язык заплетается.

— Ну, изволь, изволь, — согласился Крячко.

— Тьфу!

Крячко предложил Гурову подбросить его на встречу с Караваевой на машине и по дороге поговорить. Времени до встречи с педагогом «Щуки» оставалось уже мало. Лев посмотрел на часы и чертыхнулся. Сколько не сделано за день из запланированного, а ведь он вечером еще хотел съездить на дачу навестить Юрку Калинина с дочерью. Он их не видел уже несколько дней. А если тому что-то нужно? Ведь Юрка лишний раз звонить и просить не будет, знает, как Гуров занят, да и самолюбие у Юрки еще то.

— Ну что, раскопал что-нибудь? — запрыгивая в машину, спросил Лев.

— Не что-нибудь, а почти все, — пожал плечами Крячко и посмотрел в заднее зеркало, прежде чем вывернуть руль и выехать на проезжую часть. — Слушай. Максим Валович действительно умер в прошлом году. Я бы сказал, что парень сгорел. Развеселая жизнь, деньги, алкоголь, наркотики. Полный пакет. Он в самом деле ушел с четвертого курса, но не потому, что почувствовал себя несостоятельным в актерской профессии. Была одна деваха, у меня данные там в записной книжке есть, которая сбила его с пути истинного.

— Деваха из себя что-нибудь стоящее представляет?

— Нет, абсолютно, — поморщился Крячко.

— Ладно, о ней потом. Валяй дальше.

— Эта деваха, Олей ее зовут, запудрила ему мозги перспективами и деньгами. Она уже тогда была любовницей одного продюсера, но это не по любви, а чисто из-за бабок. А вот в Максима она была влюблена. И постаралась устроить свою жизнь и так, и эдак — отсюда любовь, оттуда финансовая поддержка.

— Стерва!

— Конечно, — согласился Крячко. — Она влюбила в себя Валовича, тот потерял голову и повелся. Он вообще влюбчивый был, как показывают свидетели, падкий до женского тела. А у этой Оли есть на что посмотреть. Короче, она его втянула в продюсерские дела, они открыли какую-то фирму. Кое-какие деньги появились, и от этого Максима понесло. Кончилось тем, что больного и опустившегося Валовича Ольга вытурила. Валович попытался взять себя в руки, начал лечиться. Тут ему в жизни и встретилась Игонина. Больше с Максимом никто не встречался и на тусовках его не видел.

— В каком смысле?

— В прямом. Алина его отвадила от общества, а общество отвадила от него. Прежние приятели сначала отнеслись с пониманием. Человеку лечиться надо, правильно его новая пассия поступает, что от пьянок и веселья отлучает. А потом, где-то через полгода, бабах, и нет Максима. Похороны!

— Причина смерти?

— Причина стандартная, что-то там с сердцем. Я не большой специалист, чтобы тебе объяснить, но смысл таков: изношенное сердце, сосуды, печень. То есть сколько веревочке ни виться, а конец все равно не спрятать. Я попытался разузнать у следователя, у оперов того района. Причастность Алины Игониной к смерти Максима Валовича не рассматривалась. То есть совсем ничего, наводящего на эту мысль. Платка на трупе тоже не было, если ты хотел спросить.

— О-хо-хо! — Гуров потер лицо руками, пытаясь прогнать усталость.

— Ничего, — бодро сказал Крячко, — отрицательный результат — тоже результат.

— Да, это точно. Дело осталось за малым. Спасибо, Стас. Не знаю, как бы я без тебя обходился. — Лев посмотрел на старого друга и улыбнулся: — Хочется что-нибудь тебе приятное сказать, а в голову всякие глупости лезут. Вроде мыла и труднодоступных мест.

Стас захохотал в полный голос, но потом покосился на соседнюю машину, из которой на него с изумлением уставилась молодая чета, и сделал серьезное лицо.

— Мы с тобой, Лев Иванович, старые опера. У нас молодежи есть чему поучиться, в том числе и проникновению в труднодоступные места. Тоже уметь надо.

Гуров похлопал Крячко по плечу и стал смотреть в окно. Наконец они свернули на Пречистенку. Внимательно стал вглядываться в номера домов, пока не увидел нужного. И с магазином «Охота, рыболовство» на первом этаже.

— Иди, я тебя подожду, — сказал он. — Ты же хотел к своим на дачу съездить. Я тебя отвезу, а то, пока ты до работы доедешь, пока оттуда до дачного поселка, уже ночь будет.

— А ты же хотел что-то...

— Да ладно, — махнул рукой Крячко, — обойдется.

Гуров обошел дом, нашел нужный подъезд и взбежал по ступеням к лифту. Дом был старый, но ухоженный. Сам не зная почему, Лев окрестил его «профессорским».

Караваева открыла дверь сама. Была она в длинной юбке, блузке и большом платке, наброшенном на плечи. Только теперь это был другой платок.

— Прошу вас, Лев Иванович, сюда. В гостиную.

Квартира старого педагога вполне соответствовала духу времени ее молодости. Подумалось даже, что и обои (или шпалеры, как их тогда называли) не менялись с довоенной поры, и паркет на полу был дореволюционный. А уж гипсовая лепнина на высоких потолках, обилие тяжелых занавесей на окнах и на дверных проемах между комнатами тоже в духе еще тех времен, времен истинной интеллигенции.

— Прошу садиться, — указала Караваева Гурову на кресло.

Сыщик дождался, пока Ольга Евгеньевна усядется сама, и только потом опустился в предложенное ему кресло. Кажется, этот галантный поступок не остался без внимания.

— Вот, я нашла то, что вы просили. Это ее почерк, Игониной. Здесь три стихотворения, но читала она другое, оно было на отдельном листе и отпечатано на принтере. Хотите прочесть?

Гуров взял листки и стал читать. Прочитал одно, второе, третье из тех, что написаны были от руки, потом взял текст, который Игонина читала на вступительном просмотре. Стихи показались ему детскими, наивными, искусственно напыщенными.

— Ольга Евгеньевна, — отложив в сторону листки, спросил он, — а могу я вас попросить почитать еще одно стихотворение? Даже несколько. Меня интересует ваше мнение, написано оно тем же человеком или другим? Это стиль Игониной или это другой поэт?

Гуров вытащил из кармана пиджака листки, на которых распечатал несколько стихов загадочной «Я» с форума Константина Ветрова. Вчера он нашел там новое стихотворение. Оно сейчас было первым из тех, что должна прочесть Караваева.

— Вы считаете меня экспертом в области поэзии начинающих? — вскинула брови Караваева и взяла со столика очки.

— Я считаю вас высокообразованным человеком, экспертом в области искусства, настоящего искусства. Мне очень важно ваше мнение, даже если вы скажете, что это все очень далеко от настоящей поэзии.

Она хмыкнула и, нацепив на нос очки, стала читать:

Я тенью пройду, растворяясь в печали,
Я шорох оставлю и скрип половиц.
И руки, как слезы, на скатерть упали
Под дрожь замирающих в страхе ресниц.

Ему прошепчу я прощание молча,
И он, холодея, в ответ промолчит.
Улыбка оскалена злобная волчья,
И кол из груди как награда торчит.

Мерцание света, мерцание тени,
Прощания слова, прощания взгляд.
Ничто нам судьбы и любви не изменит,
И нет уже сил обернуться назад...

Гуров, сидя чуть сбоку, видел текст и машинально читал его снова. Наконец Караваева отложила листок и с аккуратной неторопливостью стала складывать очки и помещать их в замшевый чехол. Именно не засовывать, а помещать!

— Ну и как вам это? — спросил Гуров.

— Я, помнится, еще тогда говорила Игониной, что из нее получился бы толк, если бы она серьезно стала работать в этом направлении.

Внутри у Гурова все сжалось в предчувствии, даже холодок какой-то пробежал по спине.

— Сыро все, слабовато, — задумчиво сказала Ольга Евгеньевна. — Вы ведь понимаете, Лев Иванович, что выражение мысли тем глубже, чем больше опыт личных переживаний. А без них все это, простите, неискренне, напускное какое-то. Разве можно писать о любви, если ты не испытал этого высокого чувства? Разве можно передать внутреннюю боль, если ты ее по-настоящему никогда не переносил, если сам не страдал? А без этого... без этого все ложь. А читатель и зритель из зала эту ложь мгновенно увидит, поймет.

— Я принес вам стихи Игониной? — осторожно спросил Гуров.

— А вы разве сами не понимаете? — вскинула нарисованные карандашом брови Караваева. — То, что вы мне принесли, это не поза, не попытка порисоваться перед подругами и педагогами. Это что-то противоестественное. Другой человек, абсолютно другой. С более богатой душой, с более обнаженной. Игонина никогда бы так не написала. А у этой...

— У этой? Вы согласны, что автор — женщина?

— У нее, — Караваева пощелкала в воздухе пальцами, подбирая слова, — что-то рвется изнутри, что-то неприятное. Вы ощущаете?

— Я ощущаю зло.

— Вот-вот. Это маленькое, израненное муками сердце, какая-то вторая сторона сознания, второе «я».

— Вы удивитесь, но в Интернете она публикует свои творения именно под псевдонимом «Я». Спасибо вам огромное, Ольга Евгеньевна. Был счастлив познакомиться с вами, — поднялся с кресла Гуров.

Караваева благосклонно улыбнулась и протянула руку для поцелуя. Он склонил голову и приложился к старческой руке.

— А ведь я вас помню, Лев Иванович, — сказала вдруг Ольга Евгеньевна. — А вы, негодник, скрыли от меня! Ведь Машенька Строева ваша супруга? Я же помню, что прошел слух, будто она вышла замуж за бравого офицера. Значит, вы уже полковник. Похвально, похвально!

Гуров вышел и сел в машину рядом с Крячко.

— Ну, как прошел прием у королевы?

— Хорошо прошел, — тихо ответил Лев. — Знаешь, Стас, вот пообщаешься с такими людьми, как эта Караваева, и сразу вспоминаешь, что есть и иной мир. Мир высокодуховных людей, людей любящих, ценящих прекрасное. Служащих прекрасному, превозносящих его, ставящих его во главу угла человеческого мира.

— Эк тебя понесло! По Маше, что ли, соскучился? У тебя жрица прекрасного всегда под боком. Пришел домой и освятился.

— Наверное, привык, Стас, — с виноватым видом признался Гуров. — Привык по-мещански, по-обывательски. Жена-актриса! Своя собственная, в твоем доме. Каждый день ты с ней общаешься, каждый день можешь отрешиться от грязи нашей работы. А вот не то! Понимаешь, она близкий человек, она не воспринимается как часть мира, лишь как часть моего личного мирка, моей норы. И все же хорошо, что есть дом, Стас. Хорошо, что есть место, где тебя поймут, оградят. Где тебя любят и ждут. Куда можно прийти и закрыться от всего мира. И как мы его мало ценим, когда у нас все хорошо, и как нам его не хватает, когда все очень плохо.

— По-моему, ты просто по Маше соскучился. Ты еще когда в Рязань поехал, хандрить начал.

— По Маше я соскучился, не отрицаю. А Рязань — это вопрос особый. Это ноющая боль. И не только моя.

— Изволите загадками говорить, господин полковник?

— А вы, кажется, хотели меня куда-то подбросить, господин полковник? — в тон другу ответил Гуров.

Когда они приехали в поселок, на улице стало заметно темнеть. Гуров познакомил Крячко со своим одноклассником и предложил поужинать вместе. Но Крячко категорически отказался и, предупредив, что заедет за Гуровым к семи часам утра, укатил в город.

— Помощник твой? — кивнул вслед машине Калинин, запирая калитку.

— Со Станиславом я, Юра, работаю уже так давно бок о бок, что он уже больше, чем напарник. Представляешь, мы порой друг друга без слов понимаем. А уж в трудную минуту... короче, за спину можно не волноваться. И в прямом смысле слова, и в переносном.

— Да, это тоже проблема, — засмеялся Юрка, — когда старый друг тебя перед начальством подставляет, чтобы занять вакансию. Проходи, поужинаешь с нами. Мы с Танькой еще не садились.

— Татьяна! — закричал Гуров, когда они вошли в дом. — Гости приехали! Еды привезли.

— Зачем, есть же все, — громким шепотом стал укорять его Калинин, но тут вышла дочь, и он замолчал.

— Здрасьте, дядя Лева. Вы на служебной машине приехали?

— Нет, это коллега меня привез. Ну, как твое лечение? Головные боли пропали?

— Немного лучше. И я даже не знаю, от чего больше, то ли от вашего дома здесь за городом, то ли от лечения. Лозовский, конечно, профессор, но мне кажется, что тут, в этих стенах, какая-то аура витает. Положительная. А что вы привезли?

— Мяса парного, рульки свиной. Можешь холодец сварить. Умеешь?

— Ой, да я сейчас скороварку налажу! Подождете?

— Ну-ну, человек с работы, устал, а ты с готовкой, — остановил дочь Калинин. Ты давай, выставляй, что там осталось, колбаски нарежь, овощей.

Поужинали они плотно, да еще под ледяную водочку. Мужчины много говорили, девушка много смеялась. И совсем бы была полная идиллия, если бы...

Когда Татьяна перемыла посуду и поднялась на второй этаж к себе в комнату, мужчины остались одни. Разговор пошел уже тихий. О том о сем. Как там Вероника, что Гуров привез от нее из вещей.

Потом, когда решили идти спать, Гуров вдруг через открытую дверь в комнате, где жил Юрка, увидел ноутбук.

— Это Татьянин? Разрешает она тебе его брать?

— А что ты имеешь в виду? — непонимающе посмотрел на Гурова Юрка.

— Ну, всякое бывает. Может, у нее там переписка идет с парнем, может, еще что глубоко личное.

— Да я и пользоваться им толком не умею, — рассмеялся Юрка. — Для работы вон электронную почту освоил, да знаю, как в Интернет выходить. Новости посмотришь, погоду. Вот и все.

Гуров зашел в комнату, как бы просто так. Ленивым движением поднял крышку ноутбука, увидел, что он включен. Пощелкав клавишами, вышел в Интернет, нашел погоду на неделю.

Юрка откровенно зевнул и сказал, что сходит в туалет да умыться перед сном. Гуров рассеянно кивнул и, бросив настороженный взгляд ему вслед, прислушался и уселся на стул. Теперь уже его пальцы бегали по клавишам и работали мышкой с максимальной скоростью. Не то, не то... А это? Опять не то...

Наконец одна из папок, не имевшая имени, а обозначенная просто цифрой «25», открылась, и в лицо ударили знакомые строки:

Ты молчишь как ночь, как лес корявый,
Ты уходишь — все, закончен пир...

...Ждем, когда же все поглотит
Нас зовущий из могилы мрак...

Я тенью пройду, растворяясь в печали,
Я шорох оставлю и скрип половиц...

Они били в лицо, в грудь, заставляя сжиматься сердце. Горло перехватило. Бедная Таня! Вот, значит, куда тебя забрасывало твое затуманенное наркотиками сознание, вот куда тебя завела беда, когда ты уже избавилась от этой зависимости. Беда, беда! Больше ничем эти стихи не были. И эта беспомощная буква «Я» вместо подписи на форуме. Нечем больше подписаться, потому что у этого зверя внутри нет имени. Он ворочается там, скребет когтистыми лапами внутри по нервам, по кровоточащей душе. Как же она живет с этим, Господи!

Когда Юрка вернулся в комнату, ноутбук был уже выключен, в истории просмотров было все стерто, а Гуров уже сидел на кровати в своей комнате, сжав голову руками. Затем он отнял руки и полез в карман за телефоном. Если бы кто-то сейчас видел лицо полковника Гурова, он сказал бы, что именно сейчас он выглядит старым усталым человеком.

На набранный номер записанный голос ответил, что абонент временно недоступен или находится вне зоны действия сети. Гуров подумал, потом набрал второй номер.

— Да, Лев Иванович! — ответил бодрый голос лейтенанта Нефедова. — Добрый вечер!

— Да, здравствуй, Леша. Ты дома?

— Нет, на работе. А что?

— А где там Матурин? Я до него дозвониться не могу. Занят чем, на операции?

— На совещании у начальства. Или позвоните через часок, или я ему скажу, чтобы набрал вас.

— Ты, дружок, лучше вот что передай Андрею Андреевичу... — попросил Гуров усталым голосом. — Помнится, у вас там был один случай, во время моей командировки...

Глава 11

Сегодня с утра лил дождь. И не просто лил, а лил «как из ведра». Гуров подумал, глядя в окно, что это очень точное определение. Стоит сейчас выйти на улицу в одном костюме, и за пару секунд будешь мокрым... «до нитки». Опять точная формулировка. Как точны русские народные пословицы и поговорки.

Он сидел на любимом своем месте — на диване, зябко засунув руки в карманы брюк, и смотрел на дождь, который хлестал по деревьям, по крышам многоэтажек на Большой Якиманке, куда выходили окна его кабинета. Наверное, лучше встать и включить свет? Нет, лучше так, в сумерках дождливого тоскливого утра.

Скорее бы Крячко приехал. Или, наоборот, хочется, чтобы он подольше не приезжал. Старею, что ли. От неприятностей прячусь, покоя хочется? Раньше, бывало, с головой кидался в омут... Кстати, опять поговорка. Или пословица? А чем отличается поговорка от пословицы?

Если чего-то делать не хочется, то надо себя, наоборот, заставить. Гуров решительно встал и подошел к компьютеру на своем рабочем столе. Не включая света и не садясь, нашел в Википедии понятия «пословицы и поговорки».

Оказалось, что пословица — это малая форма народного поэтического творчества, облаченная в краткое, ритмизованное изречение, несущее обобщенную мысль, вывод, иносказание с дидактическим уклоном. Даже с дидактическим, хмыкнул Гуров.

Поговорка — словосочетание, оборот речи, отражающий какое-либо явление жизни, один из малых жанров фольклора. Часто имеет юмористический характер. Из простейших поэтических произведений, каковы басня или пословица... Там малая форма народного поэтического творчества, здесь один из малых жанров фольклора. Как будто фольклор и народное поэтическое творчество — разные вещи. Э-эх, мыслители! Когда же дождь кончится...

Лев снова сел на свой любимый диван, откинулся затылком на спинку и уставился в окно. Вдруг как-то сразу дождь начал слабеть, слабеть, небо понемногу стало светлеть отдельными местами, а потом в рваной дыре одной тучи пробился чистый пронзительный лучик солнечного света. И, как по команде, зачирикали воробьи за окном, зашумела многотысячными моторами улица, ворвалась в открытую форточку жизнь.

— Заходи. — Вместе с распахнувшейся дверью в комнату ворвался шум и гомон голосов. — Вон он. На своем диване медитирует! Вставай, Лев Иванович, я тебе гостя привез.

Крячко щелкнул выключателем, и кабинет залился ярким искусственным светом. Нефедов был в «гражданке». В джинсах и легкомысленной курточке он совсем не походил на сыщика и интеллектуала, скорее на мокрого музыканта. Скрипача, например.

Гуров пружинисто поднялся, расправил плечи и снова стал полковником Гуровым, каким его знали друзья и коллеги. С Нефедова сняли куртку, налили ему кружку горячего кофе и усадили в кресло напротив «любимого места Гурова». Крячко, видимо, был в курсе той информации, которую привез лейтенант из Рязани, поэтому нетерпением не горел. У него было время расспросить Нефедова и обдумать услышанное, пока он вез гостя из аэропорта.

— Первое, — начал лейтенант. — Старик на набережной. Мы изучили тот несчастный случай. Мотивов для убийства мы в деле не нашли. Я и Игорь Васильевич опросили практически всех свидетелей, которые фигурировали в деле, но... Ничего нового. А платок я вам привез, был там платок.

Нефедов полез в свою большую черную папку и извлек оттуда полиэтиленовый пакет. Гуров сразу узнал этот платок. Точно такой же, что были найдены на теле погибшего актера Белова и в котловане рядом с телом Бочарова. Таким же его описывал и Крячко, видевший похожий платок на перроне возле места гибели в метро студентки Чукановой. А потом еще был платок на груди задушенного Глеба Миронова.

— Кровь тоже есть, — прокомментировал Гуров пару небольших темных пятен. — Что дала экспертиза?

— Вот, я привез вам копии, — достал Нефедов прозрачный файл с бланками. — Кровь старику не принадлежит.

— Ты скажи, где платок нашли, — подал голос Крячко. — Льву Ивановичу будет очень любопытно.

— А-а, да. Платок, к большому изумлению криминалистов, был зафиксирован в ведре с водой, в котором плавали три пойманные стариком рыбины.

— Бросила в ведро? — покивал головой Гуров. — На всякий случай спрошу тебя, Леша, про внучку.

— Да, конечно, — согласился Нефедов, — внучку Ларису мы потрясли снова, не считая того, что ее трясли на следствии. А местные опера рассказали, что, грешным делом, имели в виду умысел, видели в Лариске подозреваемую. Не ахти какое имущество, но оно у дедка было. А в жизни случается, что и за рубль убивают. Так что резонные подозрения.

— А по факту что выяснилось?

— По факту платок девушке оказался незнаком, у нее аналогичных платков в квартире не нашлось, свидетели из числа подруг и знакомых не подтвердили, что Лариска когда-то пользовалась такими платками. Кстати, мы попытались найти корни этой продукции. Производитель харьковский. Мелкое предприятие, которое специализируется на подобных изделиях из дешевых и дорогих тканей: платки, косынки и другое. В Россию поставляют изделия регулярно. И оптом. Покупателя три: ООО «Саломея» из Владивостока, ИП «Краснов» из Самары и «Вологодский текстиль». Это уже московская фирма. Она и поставляла партию платков в Рязань.

— А в Москве такие платки купить можно?

— Поставки в Москву из Харькова происходят примерно раз в два месяца. Из последней партии в Москве ничего не осталось. Сразу разошлось по иногородним оптовым покупателям. Из ранних поставок мы в Москве ничего не нашли. Они же мудрят, Лев Иванович, сами знаете этих торгашей. Там такая чехарда с накладными, под которые они невесть чего подкладывают. Черт ногу сломит.

— Вы уверены, что внучка погибшего рыбака невиновна? — спросил Гуров. — Вы с Матуриным на сто процентов уверены?

— Увы! На сто десять. Других подозреваемых по версии убийства найти не удалось. Людное место в определенное время. Рыбаки привыкли к тому, что мимо постоянно много народа ходит, вот и перестали внимание обращать. А там такое место, где погибший сидел, толкни его, и никто не заметит, что он исчез. Там углом парапеты сходятся.

— Хорошо, вскрытие самого старика ничего не показало?

— Следов насилия не показало, алкоголь в крови имелся. Не так много, чтобы человек сам мог свалиться. Но это для молодого крепкого организма не много, а для старика? Могла и голова закружиться, мог захмелеть, могло что-то вроде аритмии сердца произойти. Временно. Вот и качнуло его вперед головой. Но это не объясняет наличие платка. Его наличие вообще ничего не объясняет.

364

— Результаты анализа крови, которые в Рязани сделали, — подсказал Крячко, — совпадают с нашими данными, с анализами крови с других платков.

— Я понял, что это один и тот же человек, — мрачно согласился Гуров. — Одна и та же, которая наследила в Рязани, а теперь перебралась в Москву. И Миронова она знала, и добровольно пришла к нему на квартиру. Он это свидание планировал, потому что у них и раньше была любовь.

— Я дал задание капитану Афанасьеву, — подсказал Крячко, — чтобы он очень тщательно отработал версию иногородних поездок Северцевой и Игониной. Это они говорят, что никуда не ездили, а на самом деле? Если только одна из них недавно была в Рязани, то все встанет на свои места.

— Твоими бы устами, — вздохнул Гуров, — да мед пить.

— Лучше водку, — хмыкнул Крячко. — И лучше бы начать сейчас. Ты, Алексей, давай дальше рассказывай. Что ты там еще интересного привез? Тебя же Лев Иванович просил узнать подробности гибели сына Калинина от второго брака.

Гуров вскинул голову и прикусил побелевшую губу. Крячко сделал вид, что не видит перемены, которая произошла с его шефом, и старательно разглядывал ноготь на правой руке.

— По факту гибели Павла Калинина шести с половиной лет на детской площадке тогда возбуждалось прокуратурой уголовное дело, — стал рассказывать Нефедов. — Обстоятельства дела таковы. Вероника Калинина (по мужу) вышла с шестилетним сыном Павликом на детскую площадку, которая в то время имелась в их поселке в пятидесяти метрах от дома пострадавшей. Я вам сейчас расскажу все в хронологическом порядке, как велось следствие. Итак, женщина вышла с шестилетним ребенком, отвлеклась, а в этот момент его ударило в висок сиденьем качелей. Вызвали «скорую», доставили в клинику, но ребенок все равно умер, не приходя в сознание. Следователь прокуратуры квалифицировал сначала это как несчастный случай.

— Что значит, «сначала»? — резко спросил Гуров. — Насколько я помню, это была единственная версия.

— Мы нашли этого следователя, который сейчас на пенсии и живет за городом в собственном доме. Ему тогда удалось установить интересный момент. Оказывается, родители умолчали, что с матерью в тот момент на площадку вышел не один шестилетний сын, а еще и дочь Калинина от первого брака Татьяна, которой тогда было тринадцать лет.

— Что значит, умолчали? А какой вообще смысл в этой информации?

— Следователь, Лев Иванович, — вкрадчивым голосом сказал Нефедов, — на полном серьезе тогда рассматривал версию причастности девочки к смерти сводного братика. Имелись очевидцы, которые шепотом говорили, что девочка виновата в его смерти. Никто не решился сказать, что она умышленно это сделала, не взяли греха на душу, но шептали тогда по дворам жуткие вещи. Следователь слухам верил не особенно, но тот факт, что родители пытались скрыть присутствие Татьяны в момент гибели Павлика на площадке, его насторожил.

— И все же? — стал поторапливать Нефедова мрачный Гуров.

— И все же доказать не удалось. Следователь честно признался, что он и не пытался особенно эту версию развивать. Рука не поднялась. Ведь записать тринадцатилетнюю девочку виновной в умышленном убийстве страшно, нелепо и ответственно. И доказательства должны быть. А родители и соседи не подтвердили, что между братом и сестрой были враждебные или неприязненные отношения.

— Он серьезно разбирался в этих отношениях?

— Очень. Я ему верю, потому что это человек, склонный к научным изысканиям, он за время работы следователем в прокуратуре опубликовал множество статей и две книги по психологии преступников.

— Я понимаю, почему он не стал настаивать, — заметил Крячко. — Никакого практического результата это бы не дало. Прямых улик нет, подозрения развивать — это прямой выход на психиатрическую экспертизу. Результата, скорее всего, не будет, а позора родителям на всю округу. Да и жить им дальше как с сознанием, что дочь могла убить братика сознательно? Особенно, каковы будут в дальнейшем отношения супругов, у каждого из которых был свой ребенок? В некотором смысле. Так что, я его понимаю.

— Лева, ее уже нет двое суток! — почти кричал в трубку Калинин.

— Что же ты сразу не сказал! Надо было в первый же вечер сообщить мне...

— Не совсем двое суток... вторые сутки! Но это же... Ты же понимаешь, что в ее состоянии...

— Юра! Замолчи и послушай меня! — Голос Гурова ударял словами, как тяжелый молот по наковальне. — Сиди дома и никуда не выходи. Розысками Татьяны я сам займусь немедленно. Жди меня! Я приеду, и мы поговорим. Все, Юра, сиди дома!

Раздавая на ходу приказы, Гуров ринулся вниз по лестнице. Станислав Крячко догнал его и схватил за рукав пиджака:

— Лев Иванович! Лева, я с тобой. Давай на моей машине, я поведу, а?

— Что? — выкрикнул Гуров, но потом молча кивнул.

Они выехали со двора министерства. И только тут Гуров похлопал Крячко по локтю.

— Да, Стас, спасибо. Я сейчас в таком состоянии, что вести машину не смогу. Точно в аварию попал бы.

— Это я старый дурак, — проворчал Крячко, — давно понять надо было. Ладно, чего там! Ты, главное, мозгами работай, не отвлекайся, а я все организую. Эх, девонька, как же ее...

До дачного поселка они долетели буквально за час. Крячко гнал машину так, что раз десять чуть не совершил серьезное ДТП. Четырежды их останавливали офицеры ДПС, но магическое удостоверение полковника Главного управления уголовного розыска МВД России отметало все вопросы.

Вот и дом. Гуров вышел из машины и остановился. Юрка сидел на ступенях, повесив голову. Теперь можно не спешить, потому что Гуров считал, что Калинин мог наделать каких-то глупостей, совершить что-то, что помешает нормальному розыску. Сыщик прошел через калитку и сел рядом с одноклассником на ступени веранды.

— Прости, Юра, мне надо было с тобой поговорить раньше, — тихо сказал он. — Но ты тоже пойми... Как я мог вообще начать этот разговор, когда не был уверен...

— Что-о! — Калинин вскинул на Гурова измученное лицо и непонимающе уставился. — Что, Лева? Что?

— Не знаю, если ты о том, где она сейчас. Ее ищут и обязательно найдут. Она сейчас не в себе и выглядит так, что любой полицейский, который предупрежден и сориентирован, обязательно обратит на нее внимание. Да и куда она из этой округи денется? Два дачных поселка, две пригородных деревни и рынок строительных материалов. ДТП на дорогах в этом районе не было, так что машиной ее не сбило. С электрички ее снимут, если она туда села. Машины на въезде в город все проверяют. Да что я тебе рассказываю! Сказал же, что нормально ищут. Только дело не в этом, Юра.

— А в чем? Что ты от меня скрываешь? Лозовский что-то рассказал? Но почему не мне, почему не отцу? Я ведь только вчера с ним виделся, когда Таньку привозил на процедуры.

— Потому что он тоже ничего еще не знает. И старый профессор не разглядел, и старый сыщик тоже. Беда у Татьяны гораздо страшнее, чем ты думаешь, Юра, гораздо.

Юрка застонал и закрыл лицо руками. Он сидел, раскачиваясь как маятник, и издавал какие-то сдавленные звуки. То ли на судьбу жаловался, то ли прощения просил.

— За что мне это все, Лева, за что! Павлик погиб, с Таней беда. За что, а? Она, несчастная, ведь не понимает даже, что с ней происходит. Она хоть жить-то будет или с этим не живут?

— Юра, ты не понял! — жестко заговорил Гуров. — Беда не в том, что Таня периодически теряет память, не соображает, что делает и куда идет. У нее психическое состояние гораздо хуже. У нее раздвоение личности. Не знаю я, и не требуй от меня сейчас диагноза и причин! Но в эти минуты в ней просыпается другой человек, совсем непохожий на нее. В ее бедной головке такое наложилось друг на друга, такой гибрид получился, что подумать страшно.

— Ты о чем? Я же ничего не понимаю, Лева! Можешь по-человечески говорить?

— Ладно, — обреченно кивнул Гуров и покосился на сосредоточенного Крячко, который с рацией в руках пододвинулся ближе. — Ладно, говорить тебе все равно надо. Ты мужик, ты выдержишь. Таня в этом своем состоянии не просто уходит из дома, она людей убивает, Юра.

Калинин отшатнулся от Гурова, как от змеи, и посмотрел на него с таким ужасом, будто тот сознался, что только что убил его дочь. Хотя... по сути, оно почти так и было.

— Что ты мелешь? Ты совсем свихнулся на своей работе, полковник? Ты, упырь в погонах, садист!

Крячко сжал кулаки, лицо его перекосилось, но он стоял, не двигаясь. Лев с трудом сглотнул вязкую слюну и поднялся на ноги. Хочешь не хочешь, а доводить все это надо было до конца. И лучше бы это все рассказал Юрке именно он, а не посторонний дядя.

— Значит, так, Калинин, — служебным тоном начал Гуров. Он специально выбрал такой тон, чтобы вывести отца из состояния ступора, чтобы тот понял, что изменился не только тон, а изменилось все в его жизни. Пусть немного переключится, тогда станет больше понимать, соображать. — Значит, так! Установлено следствием, что Татьяна, находясь в состоянии психического расстройства и не отдавая отчета своим действиям, четыре недели назад в Рязани столкнула с парапета набережной гражданина Устюгова, который там ловил рыбу. Устюгов погиб в результате черепно-мозговой травмы, ударившись головой о бетон. В ведре с рыбой был обнаружен дамский батистовый носовой платок со следами крови Татьяны.

Калинин смотрел на Гурова невидящими глазами. Точнее, он смотрел куда-то вдаль или, наоборот, внутрь себя. Гурова он не видел, но, кажется, слышал.

— Три недели назад здесь, в Москве, Татьяна вытолкнула из окна пятого этажа подъезда дома гражданина Белова. На теле погибшего также обнаружен носовой платок из той же серии и с аналогичными следами крови.

— Это не она, — вдруг обрадовался Калинин, — это ее подставили. Кто-то платки специально оставляет, чтобы все думали на мою дочь. Ты в своем уме, Лева? Какая из нее убийца? И, главное, зачем?

— Следующей жертвой стала студентка Чуканова, которую Татьяна столкнула с перрона под колеса подходившего поезда метро. Затем гражданин Бочаров, которого она столкнула в строительный котлован. Во всех этих случаях присутствовал носовой платок со следами крови одного и того же человека. И, наконец, Глеб Миронов, чью фотографию она до сих пор хранит у себя. Тот самый молодой красивый парень, которого она любила, который пристрастил ее к наркотикам и искалечил ей жизнь.

369

— А вот и не угадал, — тихо произнес Калинин, — она недавно ее порвала и выбросила.

Заработала рация. Кто-то сообщал, что задержана похожая девушка, документов при ней нет, и ведет она себя вполне вменяемо. Патрульному было высказано замечание оперативным дежурным по поводу того, что надо обращать внимание на ориентировку, на описание. Но девушку, видимо, пока не отпустили.

Гуров взял Калинина за локоть и повел в дом. На кухне он налил большую кружку воды и сунул Юрке в руки. Тот с жадностью выпил ее чуть ли не всю, обливаясь и расплескивая на себя. Наконец немного взял себя в руки, его взгляд стал более осмысленным.

— Лев, это же не доказательства? — с надеждой в голосе проговорил он. — Это же несерьезно.

— Что несерьезно, что, по-твоему, не доказательства? — строго спросил Гуров.

— Ну... эти платочки, капли крови.

— Камера видеонаблюдения станции метро снимала всех, кто в момент падения Чукановой находился на платформе. Специальная компьютерная программа опознала в одной из девушек твою дочь. С точностью в восемьдесят два процента.

— Восемьдесят два? Но это же не сто! — оживился Калинин. — И потом, там же всякие погрешности могут быть...

— Юра, мы отцифровали две фотографии Татьяны, которые оперативники в Рязани взяли у твоей жены. Восемьдесят два процента — это очень много, это почти точное совпадение. И потом, мы запросили в клинике Лозовского данные исследования крови Татьяны, она ведь сдавала там анализы. Кровь совпала с кровью на всех этих платках.

— Но почему, Лева, почему? — заорал Калинин и замолотил себя кулаками по голове. — Зачем ей это, она же девушка, а не монстр! Она моя кровь и плоть, она...

Он соскользнул со стула на пол и зарыдал. Зарыдал почти по-детски, с обидой, с отчаянием. Гуров стиснул зубы, но продолжал смотреть на старого школьного приятеля. Зрелище было не очень приятное. Всегда неприятно смотреть, как жизнь ломает и плющит человека, здорового мужика. Хотя здоровым он уже давно не был. Сейчас жизнь его не давила, а добивала. И самое страшное, что помочь ему было нечем, кроме как подать руку. А нужна она ему сейчас, эта рука?

Гуров встал, схватил Калинина за грудки и рывком поднял с пола. Толкнув его на стул, два раза сильно ударил по щекам и приказал:

— Приди в себя, Юра! Очнись! Возьми же ты себя в руки, черт...

Голова Калинина от ударов моталась как тряпичная, но взгляд сфокусировался на сыщике.

— Она больная, Юра, ты это помнишь? — рявкнул Лев. — Вот и думай о ней как о больном человеке. Близком тебе и страшно больном. Я не знаю, почему она это делала. Ответы надо искать в ее жизни, в ее детстве. Оттуда все наши страхи и комплексы. Миронова она просто, я думаю, узнала. В таком состоянии, а узнала. Там уже на уровне подкорки все произошло. Ему она отомстила, но неосознанно. А вот остальные... Я не знаю. Что-то с чем-то связано. Пожилые мужчины, любящие внучки! Я не знаю, что у нее за детская обида. Она же не из пистолета стреляла, она просто толкала, как тебе это сказать, отталкивала от себя. Это просто совпадение, что рядом было, куда падать. А может, и специально в яму толкала. Я пока ничего не знаю.

— А девушка, парень? — стискивая кулаки, потребовал Калинин. — А кровь на платках?

— Девушка? Не знаю, Юра, — покачал головой Гуров. — С парнем догадываюсь, парень внешне такого же типа, что и Глеб Миронов. Внешне такого же типа. Наверное, ассоциация, некоторое сходство.

— Зависть, — вдруг сказал Крячко, глядя в окно, как к дому подъезжает полицейский микроавтобус. — Недолюбили, недодарили, недополучила. Помнишь, в метро? Чуканова с парнем прощалась, они целовались, смеялись, были счастливы. За несчастье свое она мстила счастливым, сама того не осознавая. Только ведь вы, Юрий, в самом деле правы, что это все косвенные улики, а не прямые. А для прямых нам Татьяну надо найти.

В дом, топая ногами, вошли эксперты и дежурный следователь.

— Здравия желаем, Лев Иванович! Можем приступать?

— Начинайте, — разрешил Гуров. — Ее комната на втором этаже справа. Комната ее отца вон за той дверью. Ноутбук тоже проверьте.

Юрка сидел с каменным лицом все время, пока проходил осмотр личных вещей Татьяны и его вещей. Он даже не спросил, почему осматривают и его вещи, на что Гуров готов был уже ответить, что дочь вполне могла что-то положить в вещи отца.

Потом эксперт вышел из комнаты Татьяны с вскрытой и наполовину пустой упаковкой носовых платков. В таких упаковках их продавали десятками на «оптовке». За столом напротив Гурова эксперт вытащил один из платков и долго рассматривал его с помощью каких-то переносных приборов.

— Скорее всего, это одна и та же партия, Лев Иванович, — доложил он. — Небольшой ткацкий дефект по правой стороне полотна. Утковая нить утолщенная. Такая же на двух из четырех изъятых с мест происшествия.

Гуров благодарно кивнул, эксперт при отце девушки не сказал «с мест преступления», и поднялся со стула:

— Знаешь что, Юра, поехали-ка ко мне. Что ты тут будешь делать один. Тут же с ума сойти можно.

— Я... ты меня арестовываешь?

— Не дури! Ты-то в чем виноват? Поехали, хоть на глазах у меня будешь. Ты как себя чувствуешь, сердце как?

— А ты как думаешь? — угрюмо ответил Юрка.

— Я думаю, что очень хреново. Одевайся, поедем. И потом, когда Таню найдут, ее все равно сначала ко мне привезут.

Гуров сидел за своим рабочим столом нахохлившись, как старый кочет. Он вполне сносно мог бы себя чувствовать на своем любимом диване. Самое место для того, чтобы думать, ждать. Но на диван нельзя, на диване сидит Юрка Калинин. Точнее, скорчился, ушел в себя, терзается. Он потерял жену, сына, теперь он теряет дочь и вторую жену. Вряд ли они будут дальше вместе жить, когда все это откроется. И так непонятно, почему Вероника столько лет держалась. Явно же тяготило ее все в этом доме. И останется Юрка совсем один. Сломленный, больной, усталый, никому не нужный. И надо будет как-то помочь ему, а как? Лозовский? Этот еще придет со своими «ахами» и «охами»! Психиатр хренов! Прошляпил, специалист...

А кто бы тут не прошляпил? Борис Моисеевич давно ведь сказал, что человек, а тем более мозг — тайна за семью печатями. Сколько его изучают, сколько уже открыли, а до сих пор продвинулись в его изучении на микрон. Вот и ругай психиатров. Хорошо, что они хоть что-то могут. Хоть интуитивно, гипотетически, а получается у них что-то. Да-а, профессия. Получилось — молодцы, герои. Не получилось — вполне закономерно, мы не виноваты.

Телефон на столе взорвался таким громким звонком, что Гуров не удержался и ругнулся. Первым делом он перевернул аппарат и чуть повернул рычажок, убавляя громкость звука, и только потом снял трубку:

— Гуров!

— Товар... э-э, Лев Иванович, — быстро поправился Афанасьев, помятуя, как Гуров не любит сочетания «товарищ полковник». — Отозвались трое, кто был тогда на платформе станции метро. Сейчас едут к нам в МУР, будем проводить официальное опознание по фото.

— Хорошо. Будут результаты — сообщишь.

Гуров повесил трубку и покосился на Калинина. Юрка сидел так, будто мира вокруг него не существовало. Наверное, его из состояния ступора могло вывести сообщение о дочери. Либо нашлась, либо... Хоть что-то! Отправить бы его сейчас, подумал Гуров, только куда? Ладно, он в таком состоянии, что не слышит ничего. А то сейчас еще...

В коридоре за дверью раздались шаги. Дверь распахнулась, и Крячко ввел в кабинет растрепанного и заметно похудевшего за эти дни Тыкву. Уголовник выглядел не столько испуганным, сколько опустошенным и потерявшим себя. Привык мелочью всякой перебиваться, на побегушках быть, а тут попал в такое серьезное дело, на такой уровень, что страшно стало. Таких авторитетных ребят потерял. Миронова убили, Креста арестовали, Катьку Северную тоже.

— Садись, Тыква, — велел Гуров.

Уголовник плюхнулся на стул и с мольбой посмотрел на полковника. Во попал парень! Не просто в полицию угодил и даже не в прославленный МУР, а сразу в МВД.

— Ты чего припух, парень? У нас принято отвечать, когда спрашивают. И на вопросы, и за поступки! — хлопнул Тыкву по спине подошедший Крячко.

— Сейчас мы тебе покажем несколько фотографий, — начал Гуров. — Твое дело сосредоточиться, внимательно посмотреть на них и рассказать, знаешь ли ты кого из предъявленных тебе лиц, видел ли когда, встречался ли. Понял меня?

— Д... — кивнул Тыква, который от напряжения даже не смог произнести гласного звука, проглотив букву «а» вместе с комком в горле.

Крячко вытащил из своего стола стопку фотографий и стал их выкладывать по одной на столе перед Тыквой. Уголовник таращился на лица, и было видно, что мысли его не работают, как положено, а трепыхаются, как тряпье на ветру на деревенском заборе. Гуров скрипнул зубами, встал и отошел к окну, чтобы не мешать опознанию. Крячко что-то вполголоса объяснял Тыкве, кажется, даже успокаивал.

Фотографий было не так много — всего пара десятков. Но среди них было фото Татьяны Калининой, Оксаны Чукановой, даже фотографии Алины Игониной и Катьки Северцевой. Последняя там находилась для того, чтобы Тыква чисто психологически смог начать хоть кого-то узнавать. Одну узнает, значит, процесс в голове наладится, мыслительные функции восстановятся в каком-то объеме. Фото Игониной положили просто на всякий случай, чтобы проверить, а знал ли Тыква ее, встречался ли с ней, настолько ли она часто бывала у Северцевой, что даже Тыква ее видел.

А вот фото погибшей студентки Чукановой положили с умыслом. Во-первых, для количества, во-вторых, на случай, если Тыква что-то знает об этом преступлении. Если это было преступление... все-таки. Гуров боролся с собой, но объективно, кроме косвенных улик, ничего не было. Но и косвенных было столько, что они перевесят все остальные. Не для суда, правда, а для оперативного розыска. Для суда даже добровольное признание не является прямой уликой и доказательством вины.

Гуров стоял и слушал, как Станислав умело настраивал Тыкву на работу головой. Наконец у них там что-то стало получаться.

— О-о, так это же Катька, — оживился Тыква.

— Какая Катька? — упрямо требовал уточнения Крячко.

— Ну, Катька же, Северная. Вы че? Вы же за Мироном в ее квартиру приходили. Его же там нашли, у Катьки.

— Молодец, Помпон от Шапки! — похвалил Крячко. — Еще немного, и я тебе гордую кликуху Тыква верну. Пока только на Помпон тянешь. Давай дальше.

— Не знаю, — тихо шептал уголовник, — нет, эту не знаю.

— А эту? Вот, еще смотри, да внимательнее, шевели своими тыквенными семечками внутри.

— Я шевелю... Эту тоже не знаю, правда.

— Ох, и врешь ты, друг ситный! Если я узнаю, что врал...

— Ей-богу, не вру...

— Ты... мне еще Бога поминать тут будешь! Давай, смотри на фотки!

— А вот эту где-то видел... Точняк, начальник!

— Спокойно, Свекла, спокойно!

— Я — Тыква, — обиженно отозвался уголовник. — А видел я ее, знаете где, во, с Мироном я ее видел!

Гуров так резко повернулся, что в шейных позвонках что-то хрустнуло. Стараясь сдерживать нетерпение, он подошел к столу. Крячко ткнул пальцем в фотографию Татьяны Калининой. Значит, Тыква, ее где-то все-таки видел.

— Щас вспомню, — торопливо лепетал Тыква. — Это... это был... Вы на квартиру к Катьке нагрянули в пятницу... А в среду я ее с Мироном видел. И от Катькиного дома недалеко. Они стояли под деревом и шептались. Главное, прятались ведь от кого-то. Мирон, понятно, он в бегах, а она...

— Раз они прятались, то как ты ее разглядел? — одернул Тыкву Крячко.

— Так я стоял и ждал. Я ж к Катьке шел, в смысле, к Мирону. Пива нес. А потом они расстались, и она пошла, вот я и разглядел.

Крячко посмотрел на календарь и старательно внес себе в план выяснение места нахождения Татьяны Калининой в данный день и в данное время. А Тыква продолжал стараться. Он расписывал, какое лицо было у девушки, как она два раза оглянулась на дом и подъезд, в который вошел Миронов после того, как расстался с ней.

Потом зазвонил телефон на столе у Гурова. Крячко вопросительно посмотрел на шефа, снял трубку и протянул ее через стол.

— Слушаю!

— Лев Иванович, — раздался голос Афанасьева, — мы закончили. Двое опознали Калинину как находившуюся на платформе в то время. Она привлекла внимание не выражением лица, а одеждой. На ней, как показывают оба очевидца, были джинсы и футболка. Так вот, они обратили внимания, что молния на гульфике джинсов была расстегнута, а футболка сзади вылезла из-за ремня. На неопрятность обратили внимание, а потом уже на лицо. По-моему, логично посмотреть в лицо, кто это так небрежен в одежде в общественном месте.

— Да, можно согласиться, — ответил Гуров.

Он положил трубку, кивнул, чтобы увели Тыкву, и подошел к Калинину.

— Может, приляжешь? Ночь будет долгая, а может, и следующие сутки тоже.

— Как ты мог, Лева? — вдруг спросил Калинин. — Почему?

— Ты о чем? — стиснув зубы, процедил Гуров.

— Ты догадывался, понимал. И ты молчал. Почему сразу ничего не сказал, почему довел до этого?

— Юра! Я ничего не знал, а когда стал догадываться, то сразу бросился проверять. И как только у меня появилась уверенность, я сразу полетел к тебе.

— Ты все знал и молчал, — почти простонал Калинин. — Я не хочу больше тебя видеть, понимаешь? Мне больно! Я хочу уйти...

— Юра!

— Оставь меня. Хочешь арестовать — арестуй. Но быть с тобой и ждать я не могу.

— Ну куда ты пойдешь? Ночь ведь, документов... вещи твои... А, черт! — Гуров повернулся к Крячко: — Стас, прошу тебя. Устрой его в гостиницу по своему паспорту, по моему. А потом смотайся ко мне на дачу и привези все его вещи. Ну, в комнате у него увидишь. Я просто не могу оторваться сейчас, а он.... видишь, что с ним.

— Ладно, я все устрою, — пообещал Крячко.

Он подошел к Калинину, взял его за плечо и стал что-то шептать на ухо. Юрка кивнул, встал с дивана и, не проронив ни слова, вышел за дверь.

Татьяну нашли под утро. Позвонил Афанасьев. Голос у капитана был хриплый и уставший. Кажется, он уже двое суток на ногах.

— Нашли бедолагу, — сказал капитан. — Она шла по Садовому, натыкалась на людей. У нее вид, как говорят, был, как у пьяной. А потом к ней какие-то пацаны привязались, а она никакая. Кто-то в полицию позвонил, а там уж завертелось. Прилетели первыми ребята из ДПС, по фото ее опознали и сообщили нам в МУР.

— Все, Андрей Андреевич, спасибо тебе. Вымотался ты, как я слышу.

— Если честно, то слегка пошатывает, — пробормотал Афанасьев.

— Отправляйся-ка домой. Я утром свяжусь с твоим руководством, скажу, чтобы отпустили тебя до восемнадцати часов отсыпаться.

— Ну-у! — восхитился Афанасьев. — По-царски!

— Это я могу, — усмехнулся Гуров. — До вечера постараюсь организовать экспертизу в «Кащенко». — Он по привычке назвал Психиатрическую клиническую больницу № 1 «Кащенко». Так он привык, да и все опера тоже. Хотя с 1994 года клинике вернули название «Имени Н.А. Алексеева». — Пусть психиатры сделают свое официальное заключение. А твои ребята пока займутся поиском свидетелей, другими следственными мероприятиями. Короче, бумагу набирать будут. Ты мне понадобишься вечером. Нам предстоит довести дело Креста до конца, отработать его связи с Рязанью, если таковые есть. А еще проверишь рязанский след по конопляным делам. Я тебе информацию к вечеру подготовлю, будь она неладна.

Пару часов Лев провел на диване в полудреме. Сном это назвать было нельзя. В семь он встал и выпил две таблетки из специальных средств спецназа, которые используются для поддержания работоспособности без сна, еды и во время тяжелейших нагрузок. Гурову сейчас нужна была свежая голова. Он снова и снова гнал от себя подленькую мыслишку, что следовало поехать туда, навестить Татьяну еще ночью. Нет, говорил он сам себе, не стоило. Теперь ей не поможешь, теперь ей раздражители не нужны. Если она уже пришла в себя и стала просить объяснений, стала допытываться, по какому праву ее посадили в камеру, то ему бы уже сообщили. А раз не сообщили, то она еще во тьме своих нездоровых фантазий. И он ей пока не нужен.

В начале девятого он был на Петровке. Дежурный поздоровался с Гуровым за руку и повел его в дальний коридор. Открылась одна из дверей, куда помещали задержанных для выяснения личности, доставленных для допросов из СИЗО. Татьяна сидела на лавке и смотрела в стену. Девушку откровенно трясло.

— Вы что? — с угрозой спросил Гуров. — Не следите за задержанными? А если у нее приступ, если эпилептический припадок?

Он подошел к Татьяне и присел рядом. Хотелось найти какие-то слова, какие-то интонации, как-то по-особому все объяснить. А как? Как сказать человеку, что ты не все помнишь из своей жизни. А в те минуты, которые не помнишь, ты была убийцей.

Татьяна вдруг повернула голову и посмотрела на Гурова.

— Дядя Лева, что со мной?

— Ты больна девочка, понимаешь?

— Меня не вылечили? Не получилось? Я где-то была, куда-то опять ушла или уехала?

— Угу, — кивнул Гуров. — Мне тебя очень жалко, моя хорошая, но тебе придется серьезно лечиться.

— В психушке?

— В клинике! В специализированной клинике. И дай-то бог, получить тебе туда направление...

Что он мог еще сказать? Мог только пожелать, чтобы Татьяну признали невменяемой, чтобы ее просто положили на принудительное лечение. По крайней мере, оттуда она может когда-нибудь выйти, там ее может навещать отец. И как же тяжело разговаривать с девушкой, называть ее «моя хорошая», когда знаешь, что на ее руках кровь как минимум пяти человек. Надо очень долго проработать в полиции, и не просто в полиции, а именно в уголовном розыске, чтобы уметь увидеть человека даже не в человеке. И эта девочка не монстр, она...

— Ты не бойся, Таня, — погладил Гуров девушку по голове. — Я тебя отвезу к врачам, тебя посмотрят, подумают...

— А Лозовский?

— И с ним посоветуются. Тебе назначат лечение. Положат в уютную белую палату, где будет тихо и спокойно. Тебя будут лечить.

— Дядя Лева, а где папа? — вдруг вскинулась Татьяна и схватила Гурова за руку.

— Приедет твой папа. Я позвоню, и он приедет.

Гуров погладил ее по руке и вдруг ощутил что-то влажное. Он поднял ладонь — на ней яркой полоской алела кровь. Так вот откуда, вот что значили эти капельки на платках. У основания большого пальца правой руки он увидел не совсем зажившие болячки. Сейчас они снова были растерзаны. До какой же степени она должна чувствовать непонятное напряжение, чтобы впиваться в собственную ладонь ногтями? А потом... а потом окровавленный платок летел туда, где уже ничего изменить было нельзя. Приходило после этого успокоение?

Борис Моисеевич Лозовский вышел в коридор, вытирая пот со лба. Вид у профессора был утомленный и несколько сконфуженный. Гуров понял это и, опустив глаза, спросил:

— Ну, каково будет мнение консилиума?

— Да однозначное, Лев Иванович! Тут и говорить не о чем. Девочка, конечно, невменяема, она, конечно же, периодически впадает в состояние полной потери контроля над собой, над сознанием. Это очевидно. Боюсь, что просветление теперь наступит не скоро.

— Может, это и к лучшему, — пробормотал Гуров. — Не скоро она узнает, что с ней происходило, не скоро оценит всю ситуацию.

— С этой точки зрения, конечно, гуманнее держать девушку в состоянии неведения, и для лечения полезнее. Только вот... Лев Иванович, пойдемте куда-нибудь присядем.

Они вышли на улицу. Гуров показал в сторону пруда:

— Вон спортшкола «Тринта». Там есть буфет, можем дернуть по чашечке кофе. А что вы сказали насчет «только вот...»?

— Только вот удастся ли вывести ее из этого состояния, — продолжил Лозовский свою мысль. — Срам-то какой! И как я опозорился!

— Вы же говорили, что мозг человека — штука сложная.

— Говорил! Но я же специалист. Вот вы, если проглядите преступника, вам будет стыдно как специалисту? То-то же. А с Татьяной мне теперь многое понятно. Первое, эта история с братиком, она вполне объяснима. И причина помутнения рассудка у нее лежит далеко в детстве. А история с лечением от наркомании лишь усугубление процесса. Видимо, она в детстве чувствовала себя ущемленной в родительской любви. И... удар качелей по голове. Там лежит раздвоение, борьба с самой собой. Одна ее половинка старалась быть хорошей девочкой, а во второй ее половинке копились раздражение и злость. И чем лучше, добрее, послушнее была первая половинка, тем хуже становилась вторая, скрытая от чужих глаз. Она второе «я» культивировала с детства.

— Хотелось бы мне заглянуть в ее несчастную головку, — вздохнул Гуров. — Как там все сложилось и повернулось в эту страшную сторону? Как, с какими мыслями она толкала людей в пропасть?

— Наверное, это самая мрачная ее часть, Лев Иванович. Еще мрачнее, чем стихи. Она видит перед собой олицетворение детских страхов, детской обиды. Мы с вами представить не можем, какого напряжения внутри у нее это достигло. Видимо, образовалась критическая масса, и она не могла ничего иного сделать ни с собой, ни с объектом неприязни. Только столкнуть, убрать, туда, хоть куда. Это как граната, извините, в руках обезьяны.

— Да уж! Граната мощная. А что мне теперь с ее отцом делать? Ему не меньше помощь нужна, чем ей.

— Что, совсем плох?

— Он мой школьный друг, я знаю его тысячу лет, а вчера посмотрел и не узнал. Он постарел почти до неузнаваемости. И как объяснить ему, что, как это ни больно и ни неприятно, я должен был это сделать. Ведь погибали невинные люди, и Татьяну нужно было остановить. Мне ее жаль чисто по-человечески. Но, Борис Моисеевич! Люди гибли, ни в чем не повинные люди. Тот старик актер, у которого была любимая внучка, которого помнили и любили зрители. А девушка в метро? А тот успешный менеджер по продажам, что упал в котлован? Он копил на хорошую машину, он строил планы на жизнь. С этим как быть, как объяснить моему однокласснику?

— У каждого человека есть свое второе «я», — философски заметил профессор.

— «Я», — повторил Гуров. — Татьяна этим местоимением подписывала свои стихотворения. Выбрала себе это псевдонимом. Местоимение... Вместо имени.

— Да-да. Я когда там на консилиуме прочел ее стихи, коллегам многое стало понятно. Это же рвалось изнутри, это же нашептывало второе «я».

— Знаете, Борис Моисеевич, а ведь буквально в тот день, когда Татьяна пропала в последний раз, она успела начать новое, последнее стихотворение. Мне почему-то кажется, что оно именно последнее. Что-то с ней должно было случиться после этого. Хотите, прочитаю?

Гуров вытащил из внутреннего кармана пиджака листок бумаги и стал читать:

Оборванных нитей связать невозможно,
Знакомые лица так трудно забыть.
Во тьму отпуская себя осторожно,
Мне хочется боль как прощенье испить.

Уйду, и останется тень на портьере,
Уйду, и исчезнет мой голос в ночи.
То будешь мурлыкать ты ласковым зверем,
То будешь погасшим огарком свечи.

Я знаю, что кровь по ладоням струится,
Я помню, как ногти вонзались в меня.
Но разве ты можешь со мною сравниться,
Пустая, чужая, больная стерня...

Содержание

Литературно-художественное издание

ЧЕРНАЯ КОШКА

Леонов Николай Иванович
Макеев Алексей Викторович

УЛЬТИМАТУМ ГУРОВА

Ответственный редактор *А. Дышев*
Редактор *Т. Чичина*
Художественный редактор *В. Щербаков*
Технический редактор *Г. Романова*
Компьютерная верстка *Л. Панина*
Корректор *В. Авдеева*

Иллюстрация на суперобложке художника *В. Петелина*

ООО «Издательство «Эксмо»
127299, Москва, ул. Клары Цеткин, д. 18/5. Тел. 411-68-86, 956-39-21.
Home page: **www.eksmo.ru**   E-mail: **info@eksmo.ru**
Өндіруші: «ЭКСМО» ЖШҚ Баспасы, 127299, Ресей, Мәскеу, Клара Цеткин көшесі, 18/5 үй.
Тел. 8 (495) 411-68-86, 8 (495) 956-39-21
Home page: www.eksmo.ru . E-mail: info@eksmo.ru.
Қазақстан Республикасындағы Өкілдігі: «РДЦ-Алматы» ЖШС, Алматы қаласы,
Домбровский көшесі, 3»а», Б литері, 1 кеңсе. Тел.: 8(727) 2 51 59 89,90,91,92,
факс: 8 (727) 251 58 12 ішкі 107; E-mail: RDC-Almaty@eksmo.kz
Қазақстан Республикасының аумағында өнімдер бойынша шағымды Қазақстан
Республикасындағы Өкілдігі қабылдайды: «РДЦ-Алматы» ЖШС,
Алматы қаласы, Домбровский көшесі, 3»а», Б литері, 1 кеңсе.
Өнімдердің жарамдылық мерзімі шектелмеген.

Сведения о подтверждении соответствия издания согласно
законодательству РФ о техническом регулировании можно получить по адресу:
http://eksmo.ru/certification/

Подписано в печать 24.05.2013. Формат 60×90¹/₁₆.
Гарнитура «Таймс». Печать офсетная. Усл. печ. л. 24,0.
Тираж 7000 экз. Заказ № 3908

Отпечатано с готовых файлов заказчика
в ОАО «Первая Образцовая типография»,
филиал «УЛЬЯНОВСКИЙ ДОМ ПЕЧАТИ»
432980, г. Ульяновск, ул. Гончарова, 14

ISBN 978-5-699-65063-7

Оптовая торговля книгами «Эксмо»:
ООО «ТД «Эксмо». 142700, Московская обл., Ленинский р-н, г. Видное,
Белокаменное ш., д. 1, многоканальный тел. 411-50-74.
E-mail: **reception@eksmo-sale.ru**
По вопросам приобретения книг «Эксмо» зарубежными оптовыми
покупателями обращаться в отдел зарубежных продаж ТД «Эксмо»
E-mail: **international@eksmo-sale.ru**

International Sales: International wholesale customers should contact
Foreign Sales Department of Trading House «Eksmo» for their orders.
international@eksmo-sale.ru

По вопросам заказа книг корпоративным клиентам,
в том числе в специальном оформлении,
обращаться по тел. 411-68-59, доб. 2299, 2205, 2239, 1251.
E-mail: **vipzakaz@eksmo.ru**

Оптовая торговля бумажно-беловыми
и канцелярскими товарами для школы и офиса «Канц-Эксмо»:
Компания «Канц-Эксмо»: 142702, Московская обл., Ленинский р-н, г. Видное-2,
Белокаменное ш., д. 1, а/я 5. Тел./факс +7 (495) 745-28-87 (многоканальный).
e-mail: **kanc@eksmo-sale.ru**, сайт: **www.kanc-eksmo.ru**

Полный ассортимент книг издательства «Эксмо» для оптовых покупателей:
В Санкт-Петербурге: ООО СЗКО, пр-т Обуховской Обороны, д. 84Е.
Тел. (812) 365-46-03/04.
В Нижнем Новгороде: Филиал ООО «Торговый Дом «Эксмо» в Нижнем Новгороде,
ул. Маршала Воронова, д. 3. Тел. (8312) 72-36-70.
В Ростове-на-Дону: Филиал ООО «Издательство «Эксмо» в г. Ростове-на-Дону,
пр-т Стачки, 243 «А». Тел. +7 (863) 305-09-12/13/14.
В Самаре: ООО «РДЦ-Самара», пр-т Кирова, д. 75/1, литера «Е».
Тел. (846) 269-66-70.
В Екатеринбурге: ООО «РДЦ-Екатеринбург», ул. Прибалтийская, д. 24а.
Тел. +7 (343) 272-72-01/02/03/04/05/06/07/08.
В Новосибирске: ООО «РДЦ-Новосибирск», Комбинатский пер., д. 3.
Тел. +7 (383) 289-91-42. E-mail: **eksmo-nsk@yandex.ru**
В Киеве: ООО «РДЦ Эксмо-Украина», Московский пр-т, д. 6.
Тел./факс: (044) 498-15-70/71.
В Донецке: ул. Артема, д. 160. Тел. +38 (062) 381-81-05.
В Харькове: ул. Гвардейцев Железнодорожников, д. 8. Тел. +38 (057) 724-11-56.
Во Львове: ул. Бузкова, д. 2. Тел. +38 (032) 245-01-71.
Интернет-магазин: www.knigka.ua. Тел. +38 (044) 228-78-24.
В Казахстане: ТОО «РДЦ-Алматы», ул. Домбровского, д. 3а.
Тел./факс (727) 251-59-90/91. RDC-Almaty@eksmo.kz

Полный ассортимент продукции издательства «Эксмо»
можно приобрести в магазинах «Новый книжный» и «Читай-город».
Телефон единой справочной: 8 (800) 444-8-444.
Звонок по России бесплатный.

В Санкт-Петербурге в сети магазинов «Буквоед»:
«Парк культуры и чтения», Невский пр-т, д. 46. Тел. (812) 601-0-601
www.bookvoed.ru

По вопросам размещения рекламы в книгах издательства «Эксмо»
обращаться в рекламный отдел. Тел. 411-68-74.

Интернет-магазин ООО «Издательство «Эксмо»
www.fiction.eksmo.ru
Розничная продажа книг с доставкой по всему миру.
Тел.: +7 (495) 745-89-14 . E-mail: **imarket@eksmo-sale.ru**